Catalogo

1. L’Angelico e Benozzo

La bottega del Beato Angelico tra Firenze e Roma, e la formazione di Benozzo Gozzoli

Miklós Boskovits

Le opere esposte in questa sezione intendono offrire indicazioni sull'ambito culturale in cui si forma il giovane Benozzo; formazione svoltasi in gran parte, ma non esclusivamente, nel segno dell'arte del Beato Angelico. Sono presenti dunque diverse opere del maestro domenicano e qualche esempio delle primizie di Benozzo il quale, secondo molti studiosi, non solo partecipa in larga parte all'affrescatura delle celle del convento di San Marco, ma sarebbe giunto a una tale perfezione nell'imitare lo stile dell'Angelico, da creare difficoltà per chi voglia tentare di distinguere le parti rispettive in quella serie di affreschi. Ci sono però seri motivi per sospettare che il giovane laico non avesse mai varcato la soglia della clausura di San Marco se non, forse, come visitatore occasionale, e che pure nelle pitture parietali del Duomo di Orvieto e del Palazzo Apostolico Vaticano la sua partecipazione non fosse poi tanto estesa come solitamente si ammette. E ciò che più conta, le opere che si possono riconoscere con una certa sicurezza agli esordi del Gozzoli, rivelano caratteri abbastanza chiaramente distinguibili da quelli dell'Angelico, provando la sua sostanziale autonomia stilistica anche – come a Orvieto – in casi di effettiva collaborazione (cfr. sopra p. 43).
Benozzo, come è noto, nacque in un villaggio nei pressi di Firenze, trasferendosi poi fin da ragazzo entro le mura cittadine, dove avrà anche passato il periodo di apprendistato, presumibilmente tra i dodici e i sedici anni come era abituale, e quindi verso la metà degli anni trenta. Ignoriamo in quale bottega egli apprendesse i segreti del mestiere; sappiamo soltanto che, dopo il tirocinio, invece di aprire una bottega in proprio, preferì associarsi a un altro artista, evitando così il pagamento della tassa di iscrizione all'Arte dei Medici e Speziali, corporazione di cui anche i pittori facevano parte. L'affermazione "inpara a dipingnere", con la quale il nonno Sandro di Lese ricorda il nipote ormai ventenne nelle proprie dichiarazioni delle tasse nel 1442, probabilmente significa soltanto che Benozzo non aveva ancora un esercizio in proprio. L'identità del socio ci è sconosciuta, ma ciò ovviamente non significa che questi non fosse un artista di qualche rilievo e non potesse lasciare un'impronta anche significativa sui modi di operare di Benozzo, il quale peraltro fin dal 1439, anche se occasionalmente, poteva assumere incarichi di lavoro per conto proprio (cfr. Cole Ahl 1996, p. 275). Un punto fermo nella biografia del giovane pittore è il suo impegno nel gennaio del 1444 a lavorare per tre anni nella bottega di Lorenzo e Vittorio Ghiberti, esperienza che poteva essere senz'altro stimolante, ma forse non determinante; del resto, non è detto che durasse fino al termine originariamente previsto. Nel maggio del 1447, comunque, l'artista è ormai a Roma dove riceve pagamenti per il lavoro condotto al fianco del Beato Angelico in San Pietro, e inizia poi il suo lungo peregrinare tra città grandi e piccole del Lazio e dell'Umbria.
Le opere più antiche del Gozzoli, alcune delle quali presenti in mostra (cat.

1. Benozzo Gozzoli, *Madonna dell'umiltà e quattro angeli*, Bergamo, Accademia Carrara.

1, 7), rivelano strette affinità con il mondo figurativo del Beato Angelico, e in passato per lo più sono state attribuite a quest'ultimo o alla sua bottega. Ciò vale sia per la *Madonna dell'umiltà e quattro angeli* dell'Accademia Carrara di Bergamo (fig. 1) che per la *Madonna col Bambino in trono e due santi*, appartenente alla Courtauld Art Gallery di Londra (fig. 14 a pag. 50) e per il *Vir dolorum con donatore devoto*, già in collezione Henkel Haas di Detroit (fig. 15 a pag. 51), tutti eseguiti a Firenze, a mio modo di vedere, prima ancora della partenza per Roma, come per altro anche la *Crocifissione* già in collezione privata a Parigi (fig. 13 a pag. 49), a proposito della quale il Longhi, nel pubblicarla come opera del giovane Gozzoli, sottolineava la vicinanza stilistica all'Angelico. Quest'ultima opera potrebbe dunque essere stata portata a Montefalco solo in un secondo momento, se è vera, come si sospetta, la sua provenienza dalla città umbra.
Tuttavia, come si è detto già nel saggio introduttivo, il fatto che il giovane pittore si orientasse decisamente in direzione del maestro domenicano non implica necessariamente un vero e proprio discepolato nel convento dei frati predicatori di Fiesole o in quello di Firenze. Il tramite dei contatti con l'Angelico poteva essere, ad esempio, la bottega di Zanobi Strozzi e di Battista di Biagio Sanguigni, i quali vivevano e lavoravano in una casa nei pressi di San Domenico di Fiesole, in una sede dunque decisamente fuori mano per chi, come loro, prestava la sua opera principalmente per committenti fiorentini. Il più anziano Battista era attivo, a quanto sembra, solo in campo

miniatorio mentre Zanobi eseguiva anche pitture, realizzate più di una volta sul disegno del Beato Angelico. È questo, ad esempio, il caso della predella (oggi conservata in gran parte nel Museo di San Marco a Firenze), che integrava la pala di Annalena (pure esposta in quel Museo) dipinta da fra Giovanni verso la metà degli anni trenta. La decorazione di uno dei più spettacolari libri corali del monastero fiorentino di Santa Maria degli Angeli (oggi Cor. 3 della Biblioteca Laurenziana), iniziata da Lorenzo Monaco, fu portata a termine, a quanto sembra, sempre da Zanobi Strozzi in collaborazione con l'Angelico, il quale ancora nel 1449 risulterà impegnato a stimare miniature eseguite da Zanobi per il suo ordine.
La notevole serie di miniature dei *Vaticinia pontificum* della British Library (cat. 1), che oggi viene generalmente riconosciuta a Benozzo, costituisce la prova della sua attività in tale campo: sembra verisimile pertanto che egli conoscesse e frequentasse lo studio dei due colleghi nei pressi di San Domenico di Fiesole, con i quali condivideva sia l'attività di miniatore che l'ammirazione per la pittura angelichiana. Rinforza tale sospetto una tavola raffigurante il *Ratto di Elena* della National Gallery di Londra (fig. 2), della quale non è stato possibile ottenere il prestito per la mostra; tale opera infatti, in passato spesso considerata riferita al giovane Benozzo, mostra affinità così palesi con lavori generalmente riconosciuti dello Strozzi quali l'*Assunta* della National Gallery di Dublino o la splendida miniatura dello stesso soggetto già in collezione Holford a Londra, da assicurarne l'appartenenza alla sua mano, in una fase di grande vicinanza stilistica con Benozzo. È stata ritenuta utile dunque la presenza alla mostra di diverse miniature, per lo più poco note, di Zanobi Strozzi (cat. 2, 4 e fig. 3) per indicare una verosimile, finora trascurata fonte della formazione dell'esordiente Gozzoli.
Ma probabilmente non è Zanobi l'unico dei miniatori attivi a Firenze nel quinto decennio del Quattrocento a suscitare l'interesse del giovane artista. Le figure che si delineano con forte evidenza plastica nella luce tersa delle pagine dei *Vaticinia pontificum* (cat. 1) suggeriscono contatti anche con un

2. Zanobi Strozzi, *Ratto di Elena*, Londra, National Gallery.

3. Zanobi Strozzi, *Resurrezione di Lazzaro*, Città del Vaticano, Biblioteca Apostolica Vaticana, Vat. Lat. 6259, f. 95r.

4. Domenico di Michelino, *Creazione del mondo e Crocifissione*, particolare, Firenze, Biblioteca Laurenziana, Conv. Soppr. 268, f. 1r.

altro pittore/miniatore coetaneo di Benozzo, vale a dire con Francesco di Stefano detto Pesellino, al quale la recente critica tende giustamente a riconoscere le miniature di un codice del *Bellum poenicum* di Silio Italico, oggi diviso tra la Biblioteca Marciana di Venezia e l'Ermitage di San Pietroburgo. Purtroppo anche il prestito di questo manoscritto, databile alla seconda metà degli anni quaranta, è stato chiesto per la mostra senza successo; eppure sarebbe stato utilissimo per illustrare gli orientamenti del Pesellino, artista dell'ambito angelichiano probabile frequentatore della bottega di Zanobi Strozzi, ormai separato da Battista di Biagio. I loro contatti mi sembrano provati dalla circostanza che fosse Zanobi a decorare il frontespizio del codice della Biblioteca Marciana, la cui oggi unica altra miniatura appartiene, appunto, alla mano del Pesellino.
Un altro collaboratore probabilmente non occasionale in quella bottega doveva essere Domenico di Francesco detto Domenico di Michelino, documentato a partire dal 1442, quando s'iscrive alla compagnia di San Luca dei pittori. Anche questi eseguiva delle miniature all'inizio del suo percorso, sebbene la sua attività in questo campo venga per ora dimostrata solo dalla decorazione di una *Bibbia* ebraica della Biblioteca Laurenziana di Firenze (Conv. sopp. 268). A parte un tentativo di rivendicarle allo stesso Angelico, le miniature in questione sono state lasciate finora nell'anonimato (cfr. Dillon Bussi, in Dal Prà 1990): la *Crocifissione* del frontespizio, insieme con le piccole immagini della *Creazione* (fig. 4), rivelano a mio avviso chiaramente

5. Apollonio di Giovanni, *Annunciazione,* Castiglione Olona, Collegiata.

la mano di Domenico di Michelino in un momento sempre situabile intorno al quinto decennio del XV secolo. Esse, a mio modo di vedere, sono per molti versi vicine alla produzione della bottega di Zanobi Strozzi e furono sicuramente eseguite, forse proprio con la mediazione di questi, per il convento di San Domenico di Fiesole. Ecco dunque un'altra personalità dell'ambito del Beato Angelico che il giovane Gozzoli probabilmente conosceva già nel momento della formazione e con il quale tornerà a collaborare dopo il ritorno a Firenze (cfr. cat. 33-37).

Un ulteriore nome da aggiungere al gruppo dei probabili amici del giovane Benozzo è quello di Apollonio di Giovanni, nato nel 1415 e quindi solo di qualche anno più anziano e, come gli altri citati finora, attivo sia nel campo della pittura che in quello della miniatura. Mi sarebbe piaciuto poter vedere alla mostra una piccola *Annunciazione* appartenente alla collegiata di Castiglione Olona (fig. 5), in passato spesso creduta di Paolo Schiavo, ma in realtà opera giovanile di straordinaria freschezza di Apollonio. Questi ostenta qui la propria modernità, modellando la casa della Vergine dalla cappella Barbadori del Brunelleschi in Santa Felicita a Firenze; ma a parte questa significativa citazione, il dipinto rivela l'attenzione soprattutto al mondo figurativo del Pesellino e di Zanobi Strozzi.

Poter lavorare a Roma accanto al Beato Angelico fu indubbiamente la grande occasione della vita di Benozzo il quale, dopo avere dipinto per lo più miniature o tavole di piccolo formato, di colpo si trovò ad operare fianco a fianco con un pittore ormai all'apice della celebrità, e in una delle basiliche principali del centro della cristianità. Il frammento d'affresco con la *Testa di Cristo,* esposto alla mostra (cat. 11), è un documento emblematico di questo momento: solitamente indicato come resto superstite di una non meglio

specificata opera dello stesso Gozzoli, qui viene proposto quale testimonianza dell'attività del Beato Angelico durante il suo soggiorno romano, forse proveniente dal distrutto ciclo della basilica di San Pietro o di quello del Palazzo Vaticano, e comunque assai vicino, dal punto di vista della cronologia e del livello qualitativo, ai brani più intensi degli affreschi della cappella Niccolina (figg. 6-7).
Che il Gozzoli, grazie sia alle proprie doti di artista che a questa collaborazione, non mancasse di farsi conoscere nell'ambiente romano, lo mostrano le prime commissioni ottenute in questa città: quella relativa agli affreschi della cappella del Crocifisso nell'Isola Bisentina e quella della decorazione della cappella Albertoni in Santa Maria in Aracoeli a Roma, della quale rimane la figura di sant'Antonio affiancata da due angeli e da una coppia di committenti devoti (cfr. fig. 2 a pag. 42 e fig. 5 a pag. 43). Ma forse anche a Roma l'ingegno poliedrico del giovane artista riuscì a trovare espressione nel campo della miniatura, soprattutto dopo l'ascesa al soglio pontificio di un papa umanista e bibliofilo, Niccolò V (1447), che dette nuovo impulso alla produzione libraria a Roma. Lo suggerisce la miniatura del frontespizio del *Dialogus humanitatis* di Lorenzo da Pisa che, dedicato, appunto, a Niccolò V, risulta registrato nella biblioteca pontificia fin dal 1455. L'immagine del *Pontefice con il donatore inginocchiato* (cat. 10) è un'attribuzione proposta qui con riserva di dubbio, che mi sembra meriti comunque grande attenzione. La delicata gradazione chiaroscurale che tornisce i volti, il contorno fortemente semplificato e la grandiosità del cadenzare i manti con ampie fasce di ombre documenta un precoce innesto di cultura figurativa fiorentina, molto vicina all'arte del Gozzoli, sul tronco della produzione locale. Studi futuri dovranno meglio chiarire quali fossero i miniatori attivi accanto agli amanuensi degli *scriptoria* romani e se esistessero dei rapporti tra questi e il giovane aiuto del Beato Angelico. Oggi si può solo congetturare che alcuni dei miniatori impegnati per la biblioteca di Niccolò V giungessero da

6. Beato Angelico, *Volto di Cristo*, frammento, Roma, Museo di Palazzo Venezia (prima del restauro).

7. Beato Angelico, *Sant'Agostino*. particolare, Città del Vaticano, Palazzo Apostolico, cappella Niccolina.

8. Battista di Niccolò, *San Crescenzio*, Firenze, Biblioteca Laurenziana, Edili 145, f. 169r.

Firenze, dove il futuro papa poteva averne conosciuti numerosi al tempo del suo lungo soggiorno fiorentino. Poiché uno degli artisti particolarmente attivi nella decorazione dei codici realizzati a Roma per il papa – si vedano ad esempio Vol. lat. 501 e 540 I – appare molto vicino ai modi del miniatore di diversi manoscritti laurenziani, oggi identificato con Battista di Niccolò da Padova (cfr. Dillon Bussi 1998 e figg. 8-9), la questione promette ulteriori, interessanti novità.

Sebbene sempre legato a problemi connessi con l'attività miniatoria (tornato da Roma a Firenze, stimerà, come si è visto, miniature eseguite da Zanobi Strozzi), lo stesso Angelico non sembra s'impegnasse personalmente in tale campo durante il soggiorno romano. Sappiamo invece che, oltre a progettare e dipingere pitture parietali su scala monumentale, eseguiva anche tavole d'altare e preziosi dipinti di piccole dimensioni, destinati alla devozione privata. Del polittico Guidalotti, realizzato per San Domenico a Perugia, un capolavoro indubbio della fase romana dell'artista, sono presenti alla mostra due stupendi scomparti della predella (cat. 8, 9). Tra gli altri risultati in questo ambito si possono ricordare la *Deposizione*, vista dal Vasari nella cappella Niccolina (forse identificabile con la tavola, molto diminuita da cattivi restauri, che oggi appartiene alla National Gallery di Washington) e il *Trittico* del cardinale Torquemada, il cui centro si conserva presso il Fogg Museum di Cambridge nel Massachussetts e uno dei laterali in una raccolta privata. Accanto a questi vanno ricordate due opere finora non adeguatamente valutate dalla critica: il *Trittichetto* della Galleria Corsini (cat. 12) e l'altro più grande *Trittico*, raffigurante sempre il *Giudizio Universale* e conservato nella Galleria di Berlino. In questi lavori, dei quali va fermamente ribadita la piena autografia angelichiana, il grande maestro domenicano dà ulteriori testi-

9. Miniatore vicino a Battista di Niccolò, *Sant'Agostino*, Città del Vaticano, Biblioteca Apostolica Vaticana,Vat. Lat. 501, f. 83v.

monianze della sua infaticabile ricerca di strade e soluzioni sempre nuove. La sua esplorazione dell'universo morale della realtà umana lo porta a un'indagine lenticolare delle cose e dei comportamenti e a un esame più attento e sottile di effetti ottico-prospettici e di luce, che dovettero risultare assai stimolanti anche per il giovane Benozzo. I risultati più spettacolari dell'ultima fase di attività dell'Angelico si vedranno poi, dopo il ritorno a Firenze, nelle *Storie di Cristo* dipinte per l'Armadio degli argenti di Santissima Annunziata (oggi nel Museo di San Marco). Un assai significativo anticipo dell'atmosfera poetica di quest'ultimo capolavoro può essere individuato però nei piccoli disegni quasi monocromi del Museo Boymans di Rotterdam (cat. 6), dove l'artista compie un'ennesima, amorevole rivisitazione delle storie della vita terrena di Cristo, con ogni probabilità ancora durante gli anni romani.

1
Benozzo Gozzoli
Vaticinia Pontificum
Membr., ff. 15; mm 288 x 195 ca.
1440-45 ca.

Londra, British Library,
ms. Harley 1340

La serie di trenta profezie raccolte sotto il titolo di *Vaticinia de summis pontificibus* ed erroneamente attribuite all'abate Gioacchino da Fiore ebbe vasta circolazione nella prima metà del Quattrocento (Grundmann 1929; Guerrini 1997, pp. 9-23). Simile per impaginazione e assetto decorativo ai molti testimoni che trasmettono l'opera, il manoscritto Harley presenta ad illustrazione dei trenta brevi epigrammi complesse immagini allegoriche, quasi a piena pagina, in una sequenza di forte impatto visivo (Dalli Regoli-Landolfi 1992). Le profezie sono ordinate in modo da contrapporre la vicenda storica della Chiesa, visualizzata in una carrellata di pontefici realmente vissuti e identificabili per i motti che ne accompagnano le figurazioni (esprimendo un'aperta critica alla contemporanea decadenza morale delle istituzioni ecclesiastiche), alla predizione del futuro, radicale rinnovamento spirituale conseguente l'avvento di un papa *angelicus* (ff. 1r, *Niccolò III*; 1v, *Martino IV*; 2r, *Onorio IV*; 2v, *Niccolò IV*; 3r, *Celestino V*; 3v, *Bonifacio VIII*; 4r, *Benedetto XI*; 4v, *Clemente V*; 5r, *Giovanni XXII*; 5v, *Benedetto XII*; 6r, *Clemente VI*; 6v, *Innocenzo VI*; 7r, *Urbano V*; 7v, *Gregorio XI*; 8r, *Urbano VI*; 8v, *Bonifacio IX*; 9r, *Innocenzo VII*; 9v, *Gregorio XII*; 10r, *Alessandro V*; 10v, *Giovanni XXIII*; 11r, *Martino V*; 11v, *Eugenio IV*; 12r, *La città*; 12v, *Il monastero*; da f. 13r a f. 15v, sei *Papi angelici*).
Il codice, di cui è ignota l'antica provenienza, fu allestito durante il pontificato di Eugenio IV, sicuramente prima del 23 febbraio 1447, data della scomparsa del Condulmer, il cui ritratto compare a f. 11v introdotto da un'iscrizione che menziona accanto al nome solo l'anno di elezione al soglio petrino (1431). La notevole preziosità delle ben conservate miniature dovrebbe alludere a una committenza altolocata, senza che ciò indichi necessariamente un collegamento con l'ambito della corte papale (cfr. Cole Ahl 1996, p. 22).
Non sfuggiva agli estensori del catalogo del fondo Harley la qualità delle tavole, "venustissimis... ab egregio Artifice repraesentata"[1]; furono Lord Crawford e Kenneth Clark, a segnalarle come opera di Benozzo Gozzoli a Bernard Berenson, primo a renderle note con l'attribuzione al Maestro di San Miniato[2]. Berenson offrì del resto una preziosa chiave di lettura dello stile delle immagini profetiche, cogliendone l'intima vicinanza a dipinti ascritti a Gozzoli, come la *Madonna del baldacchino*, già in collezione Cook, e il *Ratto di Elena* (Londra, National Gallery, inv. 5581 e 591). Riferita a un anonimo fiorentino legato tanto a Pesellino e Gozzoli, quanto a Domenico di Michelino e Giusto d'Andrea, da Mario Salmi[3]; a seguace di Benozzo, da Degenhart e dalla Schmitt[4], la decorazione del manoscritto è assegnata da Wohl[5] a un "Giovacchino da Fiore Master", che secondo lo studioso sarebbe autore anche della *Madonna Cook*, ora ritenuta un capolavoro giovanile di Gozzoli. A parte la cautela espressa in un primo momento dalla Padoa Rizzo[6], negli ultimi anni la critica si è allineata nel riconoscere alla mano di Benozzo le illustrazioni[7].
Nelle iconografie ripetitive, fedeli nel complesso a uno schema prestabilito, va forse ricercato il motivo della minore originalità dell'invenzione e del meno felice impianto compositivo che connota nel codice certi riquadri rispetto ad altri (è il caso dell'*Urbano VI* nelle vesti di Anticristo, a f. 8r). Pur giudicando le miniature solo sulla base di riproduzioni fotografiche, non mi pare però di leggere divari di qualità tali da sollevare incertezze sull'unità stilistica delle illustrazioni, messa in dubbio prima da Salmi e poi dalla Cole Ahl, incline a individuare l'intervento di un ignoto maestro toscano di metà Quattrocento nei ff. 2v, 7r, 8r, 13r-v, 14v.
Di fronte all'ancora vivace dibattito critico sollevato dal tentativo di additare le prove più antiche di Gozzoli in imprese fiorentine dell'Angelico (cfr. Boskovits 1995, p. 34; Cole Ahl 1996, pp. 12-18, 216-217), le miniature londinesi, ancorate al sicuro termine *ante quem* del 1447, costituiscono una testimonianza di importanza nodale per seguire il percorso formativo svolto a Firenze dal pittore, esordiente nel quinto decennio del Quattrocento con una serie di piccole tavole (la *Madonna dell'umiltà*, dell'Accademia Carrara di Bergamo, la *Madonna col Bambino e santi*, del Courtauld Institute of Art di Londra, e il *Vir dolorum con un donatore*, già in collezione Haass a Detroit), acquisite recentemente nel suo catalogo (Boskovits 1995, p. 58 n. 19; Bollati, in Di Lorenzo-Zanni 2001, pp. 68-70 cat. 11), alle quali si affianca a breve distanza la *Madonna Cook*, stilisticamente situabile probabilmente verso il 1445, a monte dell'esperienza avviata al seguito dell'Angelico a Roma, nella primavera del 1447 (Bartalini, in Bellosi 1990, pp. 114-117 scheda 16; Cole Ahl 1996, p. 226 cat. 27, pl. 285).
A quest'ultimo dipinto (cat. 7), già aggiornato sui contemporanei fatti artistici fiorentini e dal sapore fortemente angelichiano, sono in genere accostate le illustrazioni Harley (in particolare, Bartalini, in Bellosi 1990, pp. 109, 117), in virtù delle analogie avvertibili nel deciso risalto plastico degli abbondanti panneggi, smussati da profonde pieghe e ricadenti a terra secondo sigle replicate dal pittore nelle opere successive; nella tipologia delle figure, caratterizzate da *silhouettes* slanciate e articolazioni quasi snodabili; nell'ideazione di scenari di lucido impianto prospettico, invasi dalla luce, che genera effetti di perspicuità ottica, esaltando i colori. Perfettamente confrontabile con le tavolette di Londra o Bergamo e, risalendo a ritroso, con dipinti dell'Angelico, è la sontuosità materica di dettagli quali, ai ff. 14v e 15r), le ali dell'angelo che incorona il pontefice o la cortina di broccato tirata alle spalle del papa, di consistenza traslucida per la lavorazione condotta sull'oro a pennello.
In confronto all'animata assemblea di angeli che si accalca attorno alla Vergine nella *Madonna Cook*, dove la profondità della scena è resa pal-

f. 11v

pabile dal rincorrersi dei nimbi scorciati, le miniature seguono un ordine compositivo a tratti più sobrio, in sintonia con l'alta valenza simbolica dei soggetti. Costellate di astratti riferimenti araldici o allegorici, le figure dei papi incombono difatti sul primo piano, ma alle loro spalle si aprono profonde terrazze osservate pensando a un punto di fuga molto rialzato, così come vistosamente ribassato è quello del baldacchino che sovrasta la Vergine nella tavola Cook. Sottili accorgimenti accentuano la spazialità illusiva delle immagini: il parapetto scorciato sullo sfondo; l'intreccio di linee disegnato sui pavimenti dalle venature dei marmi; la disposizione in tralice del cassone, nella scena quasi spoglia del *Papa Nudus*, a f. 13v (cfr. Dalli Regoli-Landolfi 1992, fig. 9). Analogamente a quanto si vede nella *Madonna* di Bergamo, l'individuazione dello spessore del piano delimita il campo scenico dal quale a volte i personaggi cercano con garbo di evadere verso lo spazio dello spettatore, come nel riquadro con *Urbano V*, a f. 7r; un effetto fortemente illusionistico è poi giocato dal cartiglio sospeso a mezz'aria, al di qua e al di là del quale la figurazione continua. Segno dell'intelligente ricezione da parte del giovane artista delle sperimentazioni luministiche avviate da Beato Angelico, registrate anche nella tavola dell'Accademia Carrara e nei dipinti ad essa ricollegabili, è la sapiente dosatura della luce, che investe figure e oggetti, proiettando sul piano ombre allungate, e attribuisce quasi spessore reale alla cornice esterna a foglie di lauro.

Il carattere innovativo delle illustrazioni Harley dipende anche dalla scelta di racchiudere le tavole entro questa composta bordura di ispirazione classica o brunelleschiana (Dalli Regoli-Landolfi 1992, p. 415). La soluzione, perfettamente in linea con il gusto estetico d'impronta umanistica, si rispecchia in tempi vicini nelle pagine dipinte da Pesellino, nel noto codice di Silio Italico, smembrato tra Venezia e San Pietroburgo (Franci-Ceccanti 1996); mentre, tra le opere di Gozzoli, il motivo a fascia laureata circonda gli stemmi effigiati sul baldacchino della *Madonna Cook* (Cole Ahl 1996, p. 226) e, nel grande formato, funge da cornice alla *Madonna in trono*, affrescata in San Fortunato a Montefalco (1450). A Ghiberti, nella cui bottega Gozzoli entrò come lavorante nel 1444, pare invece occhieggiare il mezzo busto che si affaccia da un oculo dell'edificio alle spalle di papa Clemente IV (f. 4v; Cole Ahl 1996, fig. 25).

Oltre alle evidenti suggestioni impresse dai modelli dell'Angelico, le visioni colorate e di accento quasi profano del manoscritto rivelano che agli occhi dell'esordiente Gozzoli non fu priva di fascino la dimensione favolistica e ornata delle opere di Pesellino e di Zanobi Strozzi (Dalli Regoli-Landolfi 1992, p. 423; Boskovits 1995, p. 34). È allora indicativa la recente rilettura in rapporto a Zanobi del *Ratto di Elena* della National Gallery di Londra (Boskovits 1995, p. 34), un'interpretazione non da tutti favorita per il dipinto da sempre accluso come esperienza pressoché parallela al codice Harley nella prima attività fiorentina di Benozzo (ma cfr. da ultimo Di Lorenzo, in Di Lorenzo-Zanni 2001, pp. 18, 21 n. 25), con una cronologia comunque convincente anche nel caso l'opera spettasse realmente allo Strozzi, come mi pare probabile. Circola in effetti un'aria di familiarità tra il *Ratto di Elena* e le miniature, dove però le caratterizzazioni fisionomiche appaiono più marcate e spinte alle soglie del ritratto così come più veridica è la gradazione di luci e ombre. Nelle illustrazioni di Londra, discenderebbero da Zanobi e Pesellino, più che dall'Angelico, brani di eleganza un po' manierata, come il carnefice di schiena che sta per sferrare un colpo di spada contro Gregorio XI (f. 7v; Dalli Regoli-Landolfi 1992, fig. 10), bloccato nel sinuoso *hanchement* della posa atletica e apparentato tanto al soldato che rapisce una fanciulla sullo sfondo del *Ratto di Elena* quanto alla figura di *Scipione* inventata da Pesellino su un foglio del Silio Italico (San Pietroburgo, Ermitage, inv. 1791/49v); le aristocratiche figure femminili che presentano Niccolò IV, scrupolosamente abbigliate alla moda, a f. 2v; o ancora il delicato paggetto che si dirige quasi a ritmo di danza verso il papa nudo, a f. 13v, non diverso da alcuni astanti inclusi da Zanobi nel corteo del *Viaggio del Re Magio Gaspare* (Strasburgo, Musée des Beaux-Arts), facente parte di una serie divisa tra lo Strozzi e Pesellino (Fahy, in Di Lorenzo-Zanni 2001, pp. 71-75, cat. 12, fig. 18).

La decifrazione della primissima attività fiorentina di Gozzoli, non esclusivamente dipendente dall'Angelico, si profila pertanto sempre più affascinante benché di non facile archiviazione. Certo è che, alla luce delle recenti riflessioni critiche, la propensione espressa dal pittore per imprese dal carattere monumentale, a partire almeno dagli impegni montefalchesi, sarebbe preceduta solo da preziosi esercizi condotti nel piccolo formato, le miniature di Londra e le più volte citate tavolette, che accostati a un altro codice qui esposto per la prima volta (cat. 10) potrebbero essere considerati indizi della sua non proprio occasionale frequentazione di ambiti collegati alla produzione libraria, negli anni dell'esordio.

(Francesca Pasut)

[1] *Catalogue*, II, 1808, pp. 9-10.

[2] Berenson 1950, pp. 93-101; Berenson 1951, pp. 96-102; Berenson 1963, I, p. 146.

[3] Salmi 1958, p. 126, tav. 119b.

[4] Degenhart-Schmitt, I, 2, 1968, p. 503 n. 1, Abb. 711.

[5] Wohl 1980, p. 158, pl. 191.

[6] Padoa Rizzo 1986, p. 6.

[7] Bartalini, in Bellosi 1990, pp. 109, 117, fig. 78 (come Benozzo Gozzoli?); Padoa Rizzo 1990, p. 59 n. 22; Borsi 1992, p. 106; Dalli Regoli-Landolfi 1992, pp. 415-423; Padoa Rizzo 1992, pp. 7, 23 cat. 2; Acidini Luchinat 1994, p. 6; Boskovits 1995, pp. 36, 58-59, n. 20; Cole Ahl 1996, pp. 22, 24, 223-224 cat. 24, 286 note 104 e 105, pls. 22-25; Minardi 1998, pp. 237-238; Bollati, in Di Lorenzo-Zanni 2001, p. 68.

f. 2v

f. 7r

f. 14v

f. 15r

2
Zanobi Strozzi
(Firenze, 1412-1468)
Libro d'Ore
Membr., ff. 256; mm 120 x 90
1450-55 ca.

Città del Vaticano, Biblioteca Apostolica Vaticana,
Vat. Lat. 6259

Dal punto di vista liturgico, la sequenza di preghiere contenute in questo Libro d'ore, che si apre con il Calendario (ff. 1-6v), è di tipo usuale (Leroquais, I, 1927, pp. I-LXXXV; Wieck 1988). Il corredo illustrativo che impreziosisce il codice, praticamente ignoto agli studi e giunto a noi in buone condizioni, a parte la rifilatura dei fogli e alcune piccole cadute di colore nelle miniature, è curato ed elegante, anche se non particolarmente sontuoso.
Le pagine che introducono le sezioni principali si distinguono per il ricco apparato ornamentale: chiuse da una bella bordura, presentano iniziali o piccoli riquadri, illustrati con soggetti che seguono iconografie ricorrenti e alludono al testo delle preghiere (Wieck 1988; Morello 1994): tradotte con delicato naturalismo sono le figure della *Vergine con il Bambino*, sul primo foglio dell'Ufficio della Vergine (f. 7r), dove l'*incipit* del versetto trova posto su un finto cartiglio arrotolato al fregio che sorge dalla lettera; un'immagine restituita con spontaneità immediata è anche il ritratto di *Giovane orante*, dai biondi capelli riccioluti, che campeggia nell'iniziale a f. 31r. L'Ufficio dei defunti (f. 95r) si apre con la scena serrata e dai toni quasi concitati della *Resurrezione di Lazzaro*, che colpisce per il realismo con cui il miniatore registra le reazioni sgomente e inorridite degli apostoli astanti, mentre nel margine inferiore è incastonata nel fregio la raffigurazione di un teschio (fig. 3 a pag. 134). Una croce dorata occupa la prima iniziale dell'Ufficio della Croce e della Passione di Cristo (f. 153v), dove entro un minuscolo riquadro in corrispondenza del mattutino (f. 159r) vediamo la pacata scena di *San Francesco che riceve le stimmate*, dal sicuro impianto compositivo, nella resa del santo inginocchiato in primo piano. La mesta e sottile figura della *Maddalena penitente* nel deserto, compare all'esordio dei Salmi penitenziali e delle litanie (f. 192r); infine, segna l'*incipit* dell'Ufficio dello Spirito santo e dei Salmi graduali (f. 217r) la vivace descrizione della *Pentecoste*, con le figure di sei apostoli inquadrati a mezzo busto e disposti in cerchio attorno alla Vergine, così da sottolineare la profondità della stanza in cui si svolge l'evento. Seguono poi, a chiusura del manoscritto, una serie di preghiere devozionali e la Messa della Beata Vergine (ff. 240v-256v). Completano l'apparato decorativo, piccole iniziali fogliacee con breve fregio marginale (ff. 17v, 37r, 43r, 49r, 54r, 64r, 82r, 84v, 103v, 105v, 114v, 123v, 170 v, 174r, 175v, 177v, 180r, 182v, 187r, 206r, 214v). Dodici fogli con miniature tabellari, smembrati probabilmente da un altro Libro d'ore (la carta con la *Visitazione* è infatti collocata in un punto scorretto della sequenza narrativa), sono stati aggiunti successivamente ai fascicoli (ff. 36v, *Annuncio ai pastori*; 42v, *Adorazione dei Magi*; 48v, *La circoncisione di Cristo*; 63v, *La strage degli Innocenti*; 81v, *Maria visita Elisabetta*; 94v, *Una messa funebre*; 137v, *Scena di seppellimento*; 158v, *Maria Maddalena lava i piedi a Gesù*; 171r, *Cristo deriso*; 186v, *Cristo deposto dalla Croce*; 191v, *Il risorto appare alla Maddalena*; 216v, *Il Giudizio universale*).
Nella scheda sul manoscritto compilata da Pierre Salmon[1], le miniature sono classificate come "partie françaises, partie italiennes du nord (Milan)". In occasione di due mostre recenti, Giovanni Morello[2] ha approfondito l'esame delle illustrazioni, suggerendo l'intervento di un artista fiammingo, influenzato dal cosiddetto "Maestro dei tralci dorati", per la serie di fogli aggiunti, e di un "miniatore di ambiente fiorentino", per la parte originale della decorazione, che ci interessa in questa sede.
A Firenze riconducono in effetti alcune festività incluse nel calendario (sono segnate in rosso quelle dei santi Reparata e Miniato, in ottobre), e soprattutto lo stemma nobiliare apposto sul frontespizio dell'Ufficio della Vergine (f. 7r), in basso al centro, la cui esistenza è stata finora ignorata: uno scudo d'argento a tre fasce di rosso-arancio, attraversato da una banda azzurra, che trova corrispondenza con l'arme della famiglia fiorentina Corsini (Gamurrini, II, 1673, p. 169; Passerini 1858). Più difficile è semmai indicare per quale membro dell'illustre casata fu realizzato il libro di preghiere; la scelta piuttosto inusuale di raffigurare in posizione rilevante *San Francesco stigmatizzato*, al mattutino dell'Ufficio della croce, dovrà forse essere collegata alla devozione particolare del destinatario o alludere al suo nome. In tal caso e in via del tutto ipotetica, tra le possibili candidature segnalerei Francesca Corsini, maritata ad Antonio di Lorenzo Spinelli nel 1456 (Passerini 1858, tav. II).
Decisivi elementi per circoscrivere la datazione del codice sono comunque offerti dall'analisi stilistica della decorazione, che rivela la mano di Zanobi Strozzi, nella cui produzione quest'opera trova una collocazione adeguata verso la metà del secolo. Nel manoscritto Corsini, l'autografia strozziana sembrerebbe estendersi alle bordure marginali, come accade in altri Libri d'ore miniati dall'artista: il repertorio decorativo (corpose volute, disseminate di grafismi e infiorescenze dorate, boccioli e voluminosi grappoli di arance, e abitate da minuscole farfalle e volatili) si ritrova simile nel lussuoso *Libro d'Ore Adimari* (Baltimora, Walters Art Gallery, ms. W. 767; Strehlke, in *Painting and Illumination* 1994, pp. 352-356 cat. 53) e, con schemi ancor più vicini al codice qui esposto, in quello della Biblioteca Civica A. Mai di Bergamo (ms. Cass. 3.8; Ciardi Dupré Dal Poggetto 1973, pp. 3-7), e in alcune pagine dei *Trionfi* del Petrarca (Roma, Biblioteca Corsiniana, ms. 1081), nati dalla collaborazione con Francesco di Antonio del Chierico (Garzelli 1985, I, pp. 124-125 n. 12; II, figg. 254-259).
Sotto il predominante influsso della pittura dell'Angelico si pongono

f. 7r

le illustrazioni comprese nelle iniziali e nei riquadri, che testimoniano l'innata vocazione di Zanobi per il piccolo formato, nel quale, a parte l'esito meno alto della *Pentecoste*, l'artista raggiunge una grazia espressiva e una spontaneità raramente visibili nei dipinti di ampie dimensioni. Allo stile peculiare di Strozzi riconducono gli accostamenti di colori chiari e brillanti, le pennellate così sottili e delicate da lasciar trasparire il disegno, dal tratto libero, come nel volto di giovane a f. 31r, di un tipo fisionomico più volte ripetuto dall'artista e ben confrontabile con il Bambino della *Madonna* nel Worcester Museum of Art; infine, l'atmosfera limpida delle scene (si pensi alle *Stimmate di san Francesco* o alla *Maddalena in preghiera*), svolte contro fondali paesaggistici costellati di montagnette e inondati di luce. L'affettuoso ed elegante gruppo della *Vergine col Bambino* (f. 7r), teneramente indagato nella fresca resa del vivace gesto infantile, è una riedizione in piccolo dei dipinti di tema analogo attribuiti a Zanobi di Torino (coll. priv.), Tucson e Worcester, databili al "quinto decennio del Quattrocento o poco oltre" (De Marchi, in Di Lorenzo-Zanni 2001, p. 46 e figg. 14, 15). Né può sfuggire la corrispondenza con le probabilmente poco precedenti miniature del Libro d'ore nella collezione Lia a La Spezia (De Floriani 1997), e più ancora, in successione, con le illustrazioni delle *Ore Adimari* di Baltimora, che forse già superano la data del 1445 recentemente proposta (Strehlke, in *Painting and Illumination* 1994, pp. 352-356), e del Libro d'ore ms. Cassaf. 3.8 di Bergamo, collegabile al sicuro termine cronologico del 1453-63 (Ciardi Duprè dal Poggetto 1973, pp. 3-7, figg. 1, 3-7; Rovetta, in Gatti Perer-Marubbi 1995, pp. 220-221, cat. 93), forse indicativamente valido anche per il codice vaticano.

A dispetto delle assai piccole dimensioni, da cui deriva una certa corsività esecutiva, lo stile misurato e sicuro delle raffigurazioni del manoscritto Corsini non manca poi di rammentare alcuni brani dei Corali decorati da Zanobi per il convento fiorentino di San Marco, tra il 1446 e il 1454 (cfr. ora Scudieri, in Di Lorenzo-Zanni 2001, pp. 56-67 cat. 10): così, la *Madonna con il Bambino* trova un riscontro evidente nell'*Adorazione dei Magi* al f. 75r del *Corale P*, 524 (1451), la soluzione compositiva adottata nella *Resurrezione di Lazzaro* è accostabile al *Cristo che parla agli apostoli nel deserto*, del *Graduale B*, 516, f. 76v (1453-54); per proseguire notando come il tipo del *Crocifisso* inserito nel fregio della pagina con le *Stimmate di san Francesco* (f. 159r; Morello 1988, fig. 56) sembri esemplato sul modello di quello dipinto in un'iniziale (f. 168r) del *Graduale A*, 515 (1448-49), o nella *Trinità* (f. 1v) del *Corale S*, 527 (1453), in una suggestiva carrellata di confronti, che avvalorerebbe un'approssimativa datazione del Libro d'ore vaticano alla prima metà del sesto decennio del Quattrocento.

(Francesca Pasut)

[1] Salmon 1971, p. 185.

[2] Morello 1988, pp. 84, 88 cat. 112, figg. 56, 116; Morello, in Morello-Piazzoni-Vian 1998, pp. 236, 238 cat. 118.

f. 7r

3
Zanobi Strozzi
(Firenze, 1412-1468)
Decretali di Clemente V
Membr., ff. I + 69 + I;
mm 275 x 198
1448; legatura 1850
Inchiostro nero, bruno, rosso;
colori a tempera; fondo oro

Cortona, Biblioteca del Comune
e dell'Accademia Etrusca, ms. 77

Proveniente dal convento francescano dei minori osservanti di Santa Margherita a Cortona, il codice è pervenuto alla biblioteca del Comune a seguito della soppressione religiosa decretata da Napoleone nel 1808. Ricordato presso questa sede dal 1820 (cod. 471, f. 57), il manoscritto è citato dal Mancini (1884), da Mazzatinti-Sorbelli (1912) e, recentemente, dalla Manciati (1981, pp. 21-23) che gli ha dedicato una esaustiva scheda contenente informazioni tecniche e storiche.

Il codice, composto di sette fascicoli, contiene i cinque libri delle *Decretali di Clemente V* con le famose glosse di Giovanni D'Andrea. È fornito di titoli e didascalie in rosa e bruno (forse in origine rosso); è privo di iniziali filigranate e presenta, sia nel trattato che nelle glosse marginali, solo lettere colorate in rosso e azzurro. La scrittura gotica testuale è eseguita a inchiostro bruno chiaro, scuro e nero. Alla c. 1r è una iniziale miniata istoriata (*Johannes*) e una miniatura, di formato rettangolare (mm 67 x 100), con la rappresentazione della storia, attribuita al fiorentino Zanobi Strozzi. Una numerazione antica compare sul margine superiore esterno fino al foglio 68 dove è la sottoscrizione "Finit apparatus domini Johannis Andree super Clementinis scriptus *Roma per me* hieronimus Canonicum pistoriensem anno domini M°CCCCXLVIII°XI° XL Septembris".

A Roma, nel 1448, fu dunque eseguita, dal canonico pistoiese Gerolamo, questa copia delle *Decretali*, cioè della terza raccolta ufficiale del *Corpus Juris Canonici* dove vennero riunite le decisioni del concilio di Vienne del 1311. Dopo varie revisioni il trattato fu promulgato nel 1313 dallo stesso Clemente V, la cui morte gli impedì però di inviarlo alle università come fonte legislativa da studiare e applicare nei tribunali. Fu infatti il suo successore, papa Giovanni XXII, a pubblicare nuovamente la raccolta nel 1317 e a inviarla alle università. La miniatura illustra infatti il pontefice, riconoscibile nel personaggio con bastone pastorale e triregno sulla testa, seduto all'estrema sinistra su di un trono coperto da un drappo arancio con fiorellini marroni, nell'atto di offrire un libro. Davanti a lui inginocchiato, di profilo, sta un dottore dell'università pronto a ricevere il testo aperto posato sulle ginocchia del papa. Sullo sfondo, davanti a un drappo decorato con motivi floreali, siedono tre prelati, mentre a destra la scena si conclude con la figura di un chierico in piedi rivolto verso il papa.

Alla Collobi Ragghianti (1950) si deve per la prima volta l'attribuzione della miniatura all'allievo di Beato Angelico Zanobi Strozzi. Alla stessa studiosa spetta anche l'ipotesi cronologica del 1450 avanzata per la vicinanza della rappresentazione alle coeve miniature dei corali di San Marco e dell'Antifonario Laurenziano 43. L'attribuzione è stata concordemente ripresa dalla Manciati (1981, p. 23), che ritiene la data 1450 ca. suffragata anche dall'*explicit* stesso del codice (settembre 1448). Anche la Garzelli (1985), nel suo censimento sulla miniatura fiorentina del Rinascimento, ascrive il manoscritto alla produzione di Zanobi. La studiosa sottolinea come quest'opera costituisca, insieme al frontespizio del *Boccaccio,* conservato presso la Biblioteca Universitaria di Madrid, l'unico impegno nel codice non liturgico intrapreso dall'artista. Nell'opera nota inoltre come il miniatore fiorentino colga qui l'occasione di discostarsi dalla convenzionale trattazione del tema "dell'*Autore* (*o traduttore*) che offre ('umilia') il proprio lavoro a sovrani o pontefici". Infatti, rispetto all'uso, ricorrente nella successiva miniatura fiorentina, di ridurre l'immagine solo all'offerente e al committente entro la griglia del capolettera, Zanobi utilizza invece un formato maggiore. Il pannello rettangolare permette pertanto all'artista di costruire la scena con un impianto spaziale più complesso, soluzione che riflette il suo alunnato presso l'Angelico. Permane però, anche in quest'opera, quella caratteristica incapacità di costruire anatomicamente le figure, carenza che il miniatore risolse spesso ricoprendo i suoi personaggi con abbondanti vesti a volte dolcemente chiaroscurate, a volte, come in questo caso, a tinte contrastanti. Nelle *Decretali di Clemente V* infatti l'uso di colori vivaci e discordanti, la ricerca di preziosità nei dettagli, resi con un pennello sottilissimo, come nel tendaggio sul fondo e nel chiaroscuro dei panneggi, e, ancora, l'intonazione un po' fiabesca richiamano alla mente più che la pittura dell'Angelico quella di Benozzo Gozzoli.

(Federica Papi)

Bibl.: Cortona, Bibl. Comunale, ms. 471, f. 57; Mancini 1884, pp. 43-44; Mazzatinti-Sorbelli 1912, p. 40; Collobi Ragghianti 1950, pp. 17-27, tav. 2; Manciati 1981, pp. 21-23; Garzelli 1985, I, p. 21.

4
Zanobi Strozzi
(Firenze, 1412-1468)
Frammento di fregio decorativo e due episodi della vita di san Benedetto
Membr.; mm 98 x 124
1450 ca.

Colonia, Wallraf-Richartz-Museum, inv. M 185

La piccola miniatura ritagliata, pervenuta nel 1900 nelle collezioni del Wallraf-Richartz-Museum di Colonia (inv. n. 6871), come dono di Emil von Rath, è stata pubblicata da Uwe Westfehling[1], con un primo riferimento ad artista fiorentino di metà Quattrocento. L'identificazione dell'autore in Zanobi Strozzi è merito di Laurence Kanter, al quale spetta la recente e puntuale analisi dell'opera[2].
Il frammento mostra un brano di bordura decorativa asportata dall'estremità destra del margine inferiore di un foglio, di formato piuttosto grande; sul *verso*, in alto, reca alcune lettere rubricate, incluse nell'ultimo rigo di testo. Il fregio ornamentale a volute e fiori dipinti in colori brillanti è animato da un fantastico volatile con piumaggio variopinto; la figura di un monaco indica verso il medaglione, al cui interno si riconoscono due momenti della leggenda di san Benedetto: in lontananza, Benedetto si affaccia a una finestra del monastero e con il segno della croce scaccia un corvo malvagio inviato dal demonio; in primo piano, il santo è colto mentre si getta nudo, tra i rovi spinosi, per superare le tentazioni della carne (Kanter 2001, p. 143).
Il buono stato di conservazione del ritaglio fa sì che si possa tuttora apprezzare la fine qualità dell'immagine, opera caratteristica di Zanobi Strozzi, improntata alla visione tersa e serena dell'Angelico. Il resoconto delle ardue prove spirituali affrontate da san Benedetto si traduce in una narrazione distesa, mitigata da preziosi accordi cromatici e da un chiaroscuro ottenuto con stesure trasparenti e luminose; il ridotto campo a disposizione, se determina il fare un po' abbreviato con cui sono risolti alcuni passaggi (si noti, in secondo piano, l'incongruenza di un dettaglio come la testa del santo sproporzionatamente grande in rapporto alle dimensioni del convento), non impedisce al miniatore di definire efficacemente lo spazio della scena. L'articolazione architettonica dell'edificio del monastero in fondo è sottolineata dall'alternarsi di parti in penombra a zone colpite dalla luce; il fascio di luce investe la figura di san Benedetto in primo piano e batte sul disco metallico dell'aureola, segno di quell'aspirazione al realismo nella resa degli effetti ottici, che alla metà del secolo coinvolge anche Zanobi Strozzi, benché timidamente (lo si verifichi nella *Madonna con il Bambino* già Achillito Chiesa e ora in collezione privata torinese: De Marchi, in Di Lorenzo-Zanni 2001, p. 46, cat. 8). Su richiesta dei committenti e per la presenza di più impegnativi inserti figurati Zanobi dovette intervenire direttamente nell'esecuzione del fregio marginale, solo in rare occasioni condotta in prima persona (vedi anche cat. 2) e generalmente affidata, nei libri di ampio formato, all'opera di maestri specializzati, tra i quali i documenti ricordano Filippo di Matteo Torelli, associato più volte allo Strozzi (Levi D'Ancona 1962, pp. 99-107).
Di rilevante importanza per tentare di ricomporre idealmente il complesso del quale il frammento di Colonia doveva in origine fare parte è l'evidente provenienza da un codice di destinazione benedettina, come rivela la già richiamata presenza nel fregio di un monaco spettatore, vestito con la tunica nera coperta dallo scapolare, distintivi dell'ordine benedettino (Trolese, in Rocca 2000, pp. 209-210). Se tuttavia l'abito nero fu adottato a partire da un certo periodo anche dalla congregazione di Vallombrosa (Vasaturo, in Rocca 2000, pp. 149-150), per escludere l'eventualità che il personaggio ritratto nel frammento di Colonia sia membro di quest'ordine, si potrebbe notare l'assenza, almeno nelle raffigurazioni di monaci vallombrosani a me note, dello scapolare indossato sulla veste. È anche sulla base delle divergenze riscontrabili nella foggia degli indumenti, che non sembra possibile ricollegare la pergamena qui esposta al manoscritto illustrato nel 1457 da Zanobi Strozzi per i vallombrosani di San Pancrazio a Firenze, effigiati appunto senza scapolare nella scena della *Gloria di san Giovanni Gualberto*, in un foglio superstite del codice smembrato (Venezia, Fondazione Giorgio Cini, 2151; Levi D'Ancona 1962, pp. 266-267).
I documenti ricordano del resto che proprio per i benedettini della Badia Fiorentina Zanobi miniò nel 1450 un Salterio, diviso forse in due volumi, in uno dei quali Laurence Kanter (2001, pp. 144-147) suggerisce con prudenza di identificare il codice da cui fu staccato il frammento di Colonia. Il pagamento relativo all'impresa fu versato all'artista per decorare due "princìpi" di un Salterio, comprendenti le lettere "B", *incipit* del *Beatus vir*, e "D", del versetto *Dixit Dominus* (Levi D'Ancona 1962, p. 265). La prima miniatura sarebbe individuabile, secondo Kanter (e, con cautela, Strehlke, in *Painting and Illumination* 1994, p. 352; mentre Levi d'Ancona, in Levi d'Ancona et al. 1995, p. 173, afferma di non aver rintracciato le due pagine), nell'iniziale ritagliata con *Davide intento a pregare*, in collezione Lehman (New York, Metropolitan Museum, 1975.I.2470), dove agli angoli della lettera si notano i busti di due monaci in abito nero. Una datazione della miniatura all'inizio del sesto decennio del Quattrocento troverebbe valido sostegno nei confronti stilistici più volte richiamati (Levi D'Ancona, in Hindman et al. 1997, pp. 169-172 cat. 22) con le illustrazioni dipinte da Strozzi nei *Graduali A* (1448-49) e *B* (1453-54) del Museo di San Marco a Firenze.
Nella ricostruzione di Kanter, sul fondo della pagina da cui fu recisa l'iniziale Lehman, doveva infine trovarsi la splendida raffigurazione di *San Benedetto tra i santi Mauro e Placido* (coll. priv.), attribuita dallo studioso a Zanobi Strozzi, ma nella

quale Luciano Bellosi (in Romano 1990, pp. 39-42 cat. 4) non ha esitato a riconoscere uno straordinario e raro esempio dell'impegno svolto da Beato Angelico nel campo dell'illustrazione libraria, giudicandola stilisticamente coerente con i dipinti eseguiti dal frate domenicano nel quarto decennio del Quattrocento. L'interpretazione avanzata da Bellosi, oltre a registrare il consenso unanime della critica (Strehlke, in *Painting and Illumination* 1994, p. 352; Boskovits 1995, p. 59 n. 23; Bollati 1997, pp. 84-85; Bonsanti 1998, p. 159), mi sembra difficilmente contestabile; il livello sublime dell'invenzione presentata nel foglio di collezione privata, marca infatti la distanza dagli esiti anche più elevati di Zanobi, "pittore e miniatore assai ben riconoscibile… con i suoi grafismi post-gotici" (Bellosi, in Romano 1990, p. 42). D'altronde, mi pare conveniente la pertinenza dell'iniziale Lehman e della miniatura del Wallraf-Richartz-Museum al Salterio illustrato da Zanobi per i benedettini della Badia, anche se una conferma definitiva potrà venire solo dal ritrovamento di altri frammenti associabili alla prestigiosa impresa, condotta dallo Strozzi negli stessi anni in cui era impegnato nella serie di Corali per San Marco e nella realizzazione del *Lezionario* per il Duomo fiorentino.

(Francesca Pasut)

[1] Westfehling 1986, p. 10, fig. a colori.
[2] Kanter 2001, pp. 143-147 e fig. 1 (per le notizie sull'acquisizione, p. 153 n. 1).

5
Bottega di Zanobi Strozzi
(Firenze, 1412-1468)
Salmi, Cantici, Ruth
e Ecclesiaste
Membr.; risguardi e guardie cartacee; ff. I+32+I; mm 335 x 240 (210 x 135); 2 coll., 37 ll.; composizione: 1 foglio, 2 quinioni con richiamo, 1 ternione e un binione finale; cartulazione a matita a destra in basso sul *recto*; bianchi i ff. 1r, 25v, 32v
Legatura moderna in cartoncino rosso
1450 ca.

Parma, Biblioteca Palatina, ms. Parm. 3236

Il sistema illustrativo, eseguito a penna e a pennello, riguarda principalmente i ff. 2r-23v contenenti i salmi, dato che le altre opere presentano solo l'*incipit* tracciato in inchiostro rosso. Le cinque divisioni del Salterio (ff. 2r, 7v, 12r, 15r e 17r) sono segnate da cartigli miniati che contengono la parola iniziale dei salmi 1, 42, 73, 90, 107; dal secondo al quinto libro i fondi blu sono racchiusi entro cornici auree a profilo ovale, romboidale o polilobato, mentre nei margini si distendono brevi tralci grafici arricchiti da foglie e fiori policromi. Il frontespizio invece è segnato da un'ampia tabella aurea contenente, oltre l'immagine a tre quarti di David citaredo, tralci abitati da putti, maschere, protomi e uccelli; un ricco fregio di tralci grafici ed elementi fogliacei e zoomorfi si articola lungo i margini, mentre nel centro del *bas de page*, entro una cornice formata da due draghi intrecciati, è dipinto lo stemma del committente, d'azzurro al leone rampante con ramo di palma tra le branche anteriori sormontato da una stella e da un crescente. Le iniziali dei singoli salmi invece sono racchiuse entro cornici in inchiostro blu a motivi a risparmio, che si prolungano nei margini e negli intercolumni in raffinati tralci ornati da eleganti e mosse foglie trilobate.
Il codice – proviente dalla biblioteca dell'orientalista Gian Bernardo de Rossi, poi acquistata dalla Biblioteca Palatina nel 1817 – citato da De Rossi[1], viene ritenuto da Bernheimer[2] fiorentino e assegnato dubitativamente all'inizio del XV secolo; l'indicazione risulta più adeguatamente definita da Mirella Levi D'Ancona che identifica il miniatore in Zanobi Strozzi[3] e l'attribuzione, ignorata da Tamani[4] che data il codice alla fine del Quattrocento, è stata ripresa da Annarosa Garzelli[5], che ha precisato la cronologia tra 1450 e 1455, evidenziando come il manoscritto attesti una interessante interazione tra modelli umanistici e cultura ebraica, che testimonia a favore delle aperture intellettuali del ricco committente. Al decennio precedente pensa invece Mortara Ottolenghi[6], che ipotizza il banchiere Solomon di Bonaventura da Terracina come committente dell'opera; un contributo importante viene infine fornito da Richler e Beit-Arié[7] che individuano il calligrafo in Itzach ben Obadiah ben David da Forlì, prolifico scrittore che realizzò tra 1427 e 1467 in varie città italiane codici prestigiosi, come il Ross. 555 trascritto a Mantova nel 1435.
Tra i codici elencati da questi ultimi studiosi e trascritti da Obadiah due mostrano caratteri affini al Par. 3236, rivelando di essere eseguiti negli stessi anni nella bottega di Zanobi: il *Mazor* secondo il rito romano, mss. Add. 19944-19945 della British Library, già assegnato al miniatore dalla Mortara Ottolenghi (1993, p. 91) e illustrato (f. 79r) con un fregio contenente la figura di Mosè, e il ms. Parm. 2041, che conserva la traduzione ebraica del *Kurzari* di Judah ha-Levi e che risulta decorato solo con ornati grafici. Questa collaborazione tra lo scrittore itinerante ebraico e la bottega di Zanobi Strozzi getta una nuova luce sull'attività del miniatore, dato che può essere collocata in un momento ben preciso della sua attività; il periodo in cui lavora, insieme a Filippo di Matteo Torelli, ai corali per il convento domenicano di San Marco (1448-1454). Se nei codici latini però l'attività dei due miniatori, per quanto perfettamente coordinata sia nella struttura grafica che nella scelta cromatica, può essere nettamente individuata, con l'assegnazione a Zanobi delle figure e scene all'interno dei *capita*, mentre a Pippo spettano le straordinarie e fantasiose cornici fogliacee abitate, la particolare struttura dell'illustrazione del codice ebraico, con la diversa scansione degli elementi illustrativi, che servono da cornice all'*incipit* e non danno vita all'iniziale istoriata, con la sua netta separazione di elementi ornamentali e narrativi, impone una differente situazione. Qui infatti lo Strozzi sembra avere operato da solo nella miniatura tabellare a fondo oro, dato che alla sua mano si devono non solo la figura di David al centro, ma anche sicuramente quelle dei due putti e delle protomi diaboliche che abitano i girali, che per altro seguono fedelmente i modelli del Torelli, ben distinguibili nel percorso dei tralci e negli elementi ornitomorfi. Diversa invece la struttura della cornice esterna, caratterizzata dall'impianto grafico, dalla profusione degli elementi aurei e, soprattutto, dalla presenza di tre draghetti verdi, due dei quali, con i colli e le code intrecciati, incorniciano lo stemma al posto del più consueto clipeo di foglie apicali e inducono a ipotizzare l'attenzione a modelli settentrionali; l'esecuzione di questi elementi ornamentali, come denunciano le foglie lanceolate rovesciate, si deve allo stesso artefice che ha eseguito le iniziali filigranate del Salterio, ma anche nei piccoli mostri che abitano l'insieme è indubbio l'intervento diretto di Zanobi, che quindi risulta avere operato in prima persona per il ricco committente, il cui stemma rivela la discendenza da una antica famiglia di origine romana, probabilmente una delle numerose famiglie di banchieri stabilitasi con successo in Toscana e desiderosa di legittimare lo *status* acquisito anche e proprio attraverso la qualificata committenza libraria.

(Giuseppa Z. Zanichelli)

[1] De Rossi 1803, II, p. 60.
[2] Bernheimer 1924, pp. 335-336 e tav. 30.
3 Antonioli Martelli 1966, pp. 59-60, tav. 4.
[4] Tamani 1968, pp. 80-81, tav. 83.
[5] Garzelli 1985, pp. 20-21.
[6] Mortara Ottolenghi 1988, p. 187, tav. 34; Mortara Ottolenghi 1997, p. 982.
[7] *Hebrew Manuscripts* 2001, p. 74, tav. 362.

6. 1-7
Attribuito a Beato Angelico
(documentato a Firenze
dal 1417 - Roma, 1455)
Storie della vita di Cristo:

Strage degli Innocenti
(n. I.234, mm 75 x 60)

Cristo tra i dottori
(n. I.237, mm 80 x 62)

Lavanda dei piedi
(n. I.240, mm 80 x 60)

Ultima cena
(n. I.236, mm 77 x 59)

Orazione nell'orto
(n. I.235, mm 75 x 60)

Cattura di Cristo
(n. I.238, mm 76 x 60)

Compianto su Cristo
(n. I.239, mm 79 x 63).

Acquerello rosso, grigio e marrone, guazzo bianco e disegno preparatorio a punta d'argento su pergamena preparata a fondo color cremisi

Rotterdam, Museum Boijmans - van Beuningen

I sette fogli fanno parte di una serie più ampia oggi dispersa, di cui attualmente sono noti solo altri tre elementi: la *Presentazione di Gesù al tempio* (mm 80 x 65), di ubicazione sconosciuta, *Cristo davanti a Pilato* (n. 1939.115; mm 75 x 56) e la *Crocifissione* (n. 1939.114; mm 73 x 58), entrambi nel Fogg Art Museum di Cambridge nel Massachussetts. La serie fu introdotta nella letteratura critica dal catalogo di vendita della Casa Mensing di Amsterdam (1927), quando i fogli si trovavano riuniti in un album dalla rilegatura settecentesca. Successivamente i disegni oggi a Rotterdam entrarono a far parte della raccolta di Franz Koenigs ad Haarlem, dal quale furono acquistati nel 1940 per il Museum Boijmans - van Beuningen, la stessa sede dunque, dove si trova anche la parte più consistente di un libro di disegni attribuiti al Gozzoli, oggi dispersi tra varie collezioni (cfr. Degenhart e Schmitt, 1968, pp. 478-490). I fogli con le scene di *Cristo davanti a Pilato* e la *Crocifissione*, dopo l'asta del 1927, pervennero alla collezione di Albert Figdor a Vienna e quindi furono nuovamente messi all'asta nel 1930 a Berlino presso Boerner e Graupe. Nel 1939 entrambi giunsero come dono di Philip Hoefer alla loro sede attuale.
La destinazione originale della serie è incerta: per Orlandi (1964) sarebbero stati eseguiti "evidentemente per qualche miniatura", per Degenhart e Schmitt (1968) potrebbero essere collegati con il lavoro miniatorio svolto dalla bottega dell'Angelico, ma potrebbe anche trattarsi di frammenti di un libro di modelli. Per Bober (1988) invece i disegni erano forse destinati a decorare un altarolo, sostituendo immagini eseguite con la tecnica più costosa di *verre églomisé*. Non è da escludere però che si tratti semplicemente di modellini, esempi di composizioni da presentare a un committente esigente per ottenere l'approvazione di un progetto, prima della sua realizzazione.
Il catalogo di vendita del 1927 classifica i fogli come opere di anonimi seguaci fiorentini dell'Angelico, distinguendo dal resto della serie quelli raffiguranti *Cristo tra i dottori*, *Cristo davanti a Pilato*, *Crocifissione* e *Compianto*. Questi ultimi, eseguiti su una preparazione di colore meno carico, sarebbero stati realizzati da una mano diversa. Parla di lavori anonimi nello stile del maestro domenicano anche il catalogo di vendita Boerner-Graupe del 1930, mentre Berenson (1938) pensa possa trattarsi di copie da opere del Beato Angelico che, se davvero quattrocentesche, forse spettano alla mano di un seguace umbro, sul tipo di Bartolomeo Caporali. Mongan e Sachs (1946), confermando l'ispirazione angelichiana dei fogli, li giudicano rigidi e di qualità modesta e ipotizzano prudentemente la paternità di Zanobi Strozzi. Opinione analoga esprime anche Orlandi (1964), limitandosi a definire i disegni eseguiti nello stile dell'Angelico. Degenhart e Schmitt (1968) inseriscono similmente nella produzione della "scuola" del Beato Angelico i dieci fogli, avvertendo però che la assai stretta vicinanza stilistica con i modi del frate suggerisce l'esecuzione avvenuta nella bottega e sotto gli occhi del maestro. Bober (1988) ribadisce che si tratta di "trascrizioni fedelissime dello stile di Fra Angelico, seppure qualitativamente inferiori" ai lavori autografi del frate. Lo studioso si domanda inoltre se i disegni non siano da ritenere "parte di una riproduzione o prefigurazione degli sportelli dell'Armadio della Santissima Annunziata". In un precedente intervento anche lo scrivente (1995) definì la serie realizzata "nell'ambito della bottega dell'Angelico".
Effettivamente sembra probabile l'esistenza di qualche rapporto tra la serie di disegni qui discussa e le trentadue immagini per la maggior parte cristologiche, eseguite dall'Angelico per l'Armadio degli argenti intorno e poco dopo il 1450. Ognuno dei fogli corrisponde infatti a una delle scene dell'Armadio e non compaiono fra essi temi esclusi dal progetto originale il quale, come è noto, fu poi integrato e modificato dal Baldovinetti. Sembra giustificato ritenere che la serie originaria fosse più ampia, poiché difficilmente ne potevano mancare scene quali l'*Annunciazione*, la *Natività* e l'*Adorazione dei Magi*, oppure la *Discesa al Limbo* e altri episodi *post mortem*. Naturalmente oggi non è più possibile precisare quanti e quali siano i fogli andati perduti.
In confronto con le scene eseguite dall'Angelico per gli sportelli dell'Armadio oggi appartenenti al Museo di San Marco, i disegni qui discussi presentano impianti compositivi più semplici, includono un minore numero di partecipanti ma, nonostante le loro dimensioni molto più ridotte, non sono eseguiti con minor cura. Quando il racconto lo permette, l'artista porta il suo obiettivo più vicino ai personaggi e presenta non di rado questi ultimi in pose che trovano riscontri significativi con l'Arma-

I. 234

I. 237

I. 240

dio degli argenti: si vedano la donna che nell'episodio della *Strage degli innocenti* si getta per terra per abbracciare il cadavere del suo bambino, i due apostoli in primo piano che si scalzano nella *Lavanda dei piedi* o san Pietro che nella scena della *Cattura* si avventa contro Malco, facendolo cadere per terra mentre gli taglia un orecchio. Non si tratta mai, tuttavia, di copie, di semplici derivazioni. Le figure, oltre a essere di proporzioni meno allungate nei disegni, si distinguono sempre dalle storie dipinte in qualche particolare. In diversi casi poi, come nella navata della chiesa dove si svolge la *Presentazione al tempio*, la soluzione scelta richiama opere dell'Angelico risalenti ancora agli anni trenta (ad esempio la predella dell'*Annunciazione* di Cortona). Nel *Compianto* invece la disposizione delle figure si avvicina, più che alla rispettiva scena dell'Armadio, alla composizione della tavola di Santa Maria della Croce al Tempio. A volte, come nell'*Orazione nell'orto*, il disegnatore propone una versione condensata della raffigurazione dell'Armadio e nell'*Ultima cena* la arricchisce con l'inedito motivo domestico del camino in fondo.

La qualità dell'esecuzione mi sembra uniformemente alta e caratterizzata dalla freschezza delle invenzioni e da una raffinatissima sensibilità poetica. Personalmente non riesco a distinguere in essa fogli diversi per condotta: tutti mi sembrano ben degni della mano del Beato Angelico. Del resto quale artista fiorentino del momento sarebbe in grado di raggiungere una simile preziosità di ideazione e una tale vicinanza ai modi del frate nell'esecuzione? E proprio la meticolosa cura dell'ambientazione dei singoli episodi mi suggerisce l'ipotesi che la serie fosse destinata a un committente di rango quale era Piero de' Medici, al quale il maestro domenicano avrebbe potuto esporre in questo modo le sue prime idee riguardo le storie da raffigurare nell'Armadio degli argenti. Mi sembra infatti che l'esecuzione dei fogli, da porre forse ancora ai tempi del soggiorno romano, preceda la realizzazione dell'Armadio. Non si può escludere d'altronde che i disegni siano relativi a qualche altro progetto, qualche altra a noi ignota sequenza di immagini cristologiche, della quale possiamo dire solo che, vista l'elaboratezza dei dettagli, probabilmente prevedeva immagini di non piccole dimensioni.

(Miklós Boskovits)

Bibl.: Mensing, in *Dessins anciens* 1927, p. 49, n. 249; Boerner-Graupe, in *Eine wiener Sammlung* 1930, p. 6, n. 20; Berenson 1938, II, p. 18, n. 175 D; Mongan-Sachs 1946, p. 6 n. 2; Berenson 1961, II, pp. 35-36; Orlandi 1964, p. 161; Degenhart-Schmitt 1968, pp. 451-452, nn. 374-383; Bober 1988, p. 86 nn. 4 a-b; Boskovits 1995, p. 59 n. 26.

I. 236

I. 235

I. 238

I. 239

7
Attribuito a Benozzo Gozzoli
Madonna del baldacchino
Tempera su tavola; cm 33.9 x 26.3
1447 ca.

Londra, The National Gallery,
NG 5581

È molto probabile che la *Madonna del baldacchino* fosse originariamente la valva di un dittico[1]. A causa dell'inserimento in una cornice moderna, è impossibile osservare i bordi del dipinto, ma sembra estremamente probabile l'ipotesi di appartenenza a un dittico, con una *Crocifissione* sull'altra valva – combinazione usuale nella pittura del XIV secolo[2] – e che la tavoletta possa essere stata in origine anche dipinta su entrambe le facce, dal momento che il supporto presenta un sottile strato di gesso biancastro (originale?), in parte assottigliato.
La *Madonna del baldacchino* fu in prima istanza attribuita a Benozzo nel XIX secolo[3] e, nonostante alcune attribuzioni intermedie a vari altri artisti[4], la critica più recente tende ad accettare l'attribuzione a Benozzo e a collegare il dipinto alle miniature del libro di *Profezie di Gioacchino da Fiore* (British Library, ms. Harley 1340, cat. 2), per il quale il *terminus ante quem* è fissato al 1447, data di morte di Eugenio IV, l'ultimo papa a esservi effigiato[5]. Sebbene alcuni studiosi, come Gigetta Dalli Regoli e Gemma Landolfi, Roberto Bartalini e Cristina Acidini Luchinat, abbiano accettato l'attribuzione sia pure in modo ipotetico[6], altri, come Anna Padoa Rizzo, Miklós Boskovits e Diane Cole Ahl, l'hanno accettata senza riserve, datando il dipinto, sulla base del manoscritto, agli anni quaranta del Quattrocento. La Cole Ahl ipotizza anche che la *Madonna del baldacchino* sia stata dipinta a Roma, nel 1447-49 circa[7]. Sembra verosimile che il dipinto possa essere stato commissionato a Roma da un membro della corte papale. È verosimile che gli scudi fossero originariamente dipinti con stemmi, dal momento che una tenue traccia minuscola residua di pigmento bianco è visibile al microscopio e che lo scudo centrale è inciso con una croce, fatto che suggerisce che il committente fosse un membro del clero. Il soggetto della Vergine e del Bambino sotto un baldacchino, sostenuto da angeli e decorato con scudi, è apparentemente sconosciuto nel contesto della pittura fiorentina e probabilmente deriva dalla *Maestà* di Simone Martini del 1315, affrescata nella sala del Consiglio del Palazzo Pubblico di Siena[8]. Le somiglianze tra le due opere sono soltanto generiche. Comunque l'artista può essere stato a conoscenza dei versi che l'accompagnano: "Gli angelichi fiorecti rose e gigli / Onde s'adorna lo celeste prato / Non mi dilettan più ch'e buon consigli". La Vergine e il Bambino, nella *Madonna del baldacchino*, sono circondati da una siepe fiorita e collocati al centro di un tappeto a fiori, cosa che potrebbe riferirsi a questa iscrizione. L'artista potrebbe avere avuto contatti diretti con la pittura senese, o avere eseguito il dipinto per un committente che aveva particolari interessi per la pittura senese o essere addirittura senese lui stesso[9]. A riprova del riferimento all'iconografia senese è il tema dell'*hortus conclusus* che è insito nel bordo fiorito che circonda le figure[10].

(Dillian Gordon)*

[1] Provenienza: Collezione di Lord Weymouth; da questi venduta presso Phillips, 20 June 1827, lotto 262, e acquistata dal cavalier Franchi; alla morte di questi venduta (come Giotto) presso Christie's, 22 maggio 1829. Dal 1844 (forse già dal 1835) nella collezione di Miss Sarah Rogers, e poi nella vendita di suo fratello, il poeta Samuel Rogers, presso Christie's, 2 maggio 1856 (lotto 614); acquistata da Charles Sackville Bale; vendita Bale, 14 maggio 1881 (lotto 290, come Angelico); collezione di Sir Frederick Cook Bt (1817-1901) a Doughty House, Richmond. Acquistata dalla National Gallery, nel 1945.

[2] Cfr. per esempio Stubblebine 1979, tavv. 212-213. Per una discussione più approfondita del dipinto, cfr. Gordon c.s.

[3] Jameson 1844, p. 412; Waagen, II, 1854, p. 267.

[4] Il dipinto è stato variamente attribuito a diversi artisti, tra cui Domenico Veneziano, Piero della Francesca, Giovanni Boccati ecc. Per un'analisi delle attribuzioni cfr. Cole Ahl 1996, p. 226.

[5] Un rapporto tra i due è stato per la prima volta avanzato da Berenson 1950, pp. 92-101; e Wohl 1980, pp. 158-159; nessuno dei quali ha attribuito il manoscritto a Benozzo.

[6] Dalli Regoli-Landolfi 1992, pp. 405-423. Landolfi suggerisce una possibile connessione con i francescani di Montefalco; R. Bartalini, in Bellosi 1990, p. 109, e n. 16, pp. 114-117; Acidini Luchinat 1994, pp. 7-8.

[7] Padoa Rizzo 1990, p. 59; Padoa Rizzo 1992, n. 1, p. 22; Boskovits 1995, p. 36; Cole Ahl 1996, cat. 27, p. 226 per il pezzo NG 5581, e pp. 22-23 per una discussione dell'Harley 1340.

[8] Per la *Maestà* cfr. Martindale 1988, tav. 2 e p. 207.

[9] Cfr. Gordon c.s., citato alla nota 2 per il suggerimento che il presunto dittico fosse stato commissionato dal senese Enea Silvio Piccolomini (1405-56), successivamente divenuto papa con l'appellativo di Pio II.

[10] Cfr. Acidini Luchinat 1996, p. 20.

* Traduzione di Cecilia Frosinini

8
Beato Angelico
(documentato a Firenze
dal 1417 - Roma, 1455)
Nascita di san Nicola, Vocazione, Elemosina alle tre fanciulle povere
Scomparto di predella;
Tempera e oro su tavola;
cm 34 x 60
1447-49 (?)

Città del Vaticano,
Musei Vaticani, inv. 4251

La tavoletta[1], dal 1817 a Roma nella Pinacoteca Vaticana[2], costituisce il primo scomparto della predella con *Storie di san Nicola*, eseguita dall'Angelico per il polittico nella chiesa di San Domenico a Perugia (fig. 1) (il secondo scomparto, raffigurante l'*Incontro di san Nicola con il messo imperiale*, il *Miracolo del grano* e il *Miracoloso salvataggio di una nave*, si trova anch'esso alla Pinacoteca Vaticana, mentre il terzo scomparto, con il *Salvataggio di tre giovani ingiustamente condannati* e la *Morte del santo*, si conserva con il resto della pala alla Galleria Nazionale dell'Umbria)[3]. Le tavole maggiori del polittico raffigurano, al centro, la *Madonna col Bambino e quattro angeli*, a sinistra *San Domenico* e *San Nicola di Bari*, a destra *San Giovanni Battista* e *Santa Caterina d'Alessandria*; nel registro superiore due tondi con *Angelo annunciante* e *Vergine annunciata*, nei pilastri laterali dodici figurine di *Santi* disposte a coppie e comprendenti, dall'alto verso il basso, *Pietro* e *Paolo*, *Ludovico di Tolosa* e *Maria Egiziaca*, *Benedetto* e *Pietro Martire* (pilastro di sinistra), *Giovanni Evangelista* e *Stefano*, *Caterina da Siena* e *Girolamo*, *Tommaso d'Aquino* e *Lorenzo* (pilastro di destra)[4].
Il polittico, fra le poche opere documentate dell'Angelico fuori di Firenze, fu eseguito per la cappella di San Nicola, posta sotto il patronato della famiglia Guidalotti, come si ricava da un *ricordo* del frate Domenico di Francesco Baglioni, datato 1548 e conservato nel *Registro della chiesa e sagrestia di San Domenico a Perugia*[5]. La datazione 1437, seguita dalla maggioranza degli studiosi, si basa sulla testimonianza di poco successiva del padre Timoteo Bottonio, autore di una cronaca che attribuisce a quell'anno l'allogazione del dipinto[6]. Il problema della cronologia della pala si lega strettamente a quello della sua autografia (vedi scheda successiva), dando vita a un dibattito tra i più accesi della storiografia angelichiana. Accogliendo la cronologia tradizionale, Orlandi (1964) supponeva ad esempio che il polittico potesse essere stato commesso da un membro della famiglia Guidalotti in esecuzione del testamento del vescovo Benedetto (morto il 18 agosto 1429), vice camerlengo di Martino V e preposto della chiesa di Santo Stefano di Aquileia, creato vescovo di Valve e Sulmona il 24 maggio del 1427 e trasferito poi alle diocesi di Teramo (29 ottobre 1428) e Recanati (7 gennaio 1429)[7]. Sulla base di considerazioni di carattere stilistico, Middledorf (1955) riteneva invece che il dipinto potesse meglio collocarsi negli anni "dopo il '50", all'epoca del cortonese Jacopo Vagnuzzi, vescovo di Perugia fra il 1449 e il 1482[8]. L'opinione, rimasta sul momento senza seguito, fu più tardi ripresa dal De Marchi (1985) che, sulla base di convincenti raffronti con l'affresco della *Madonna delle Ombre* in San Marco (prevalentemente datato tra il 1445 e il 1449),

da un lato, e con le pitture della cappella Niccolina (1448-49) dall'altro, posticipava la datazione dell'opera di oltre un decennio[9]. Secondo lo studioso "l'eventualità che nel San Nicola" della tavola maggiore (raffigurato, contro ogni consuetudine, senza mitria e senza barba, così diverso dal convenzionale protagonista della predella) "si nasconda un criptoritratto di Niccolò V, elevato al soglio pontificio il 6 marzo del 1447", e che "la data riportata dal Bottonio trascriva erroneamente un 1447 consentirebbe di situare più naturalmente la pala di Perugia al tempo in cui il pittore era già passato a Roma" e spiegherebbe "l'improvviso innovarsi, dietro prevalenti provocazioni angelichiane, di un po' tutta la pittura umbra, da Spoleto a Foligno, da Montefalco a Perugia, solo intorno al 1450 e non prima"[10]. L'ipotesi, accolta con convinzione da Spike (1996)[11], è respinta con decisione da Hood (1993), che non vede ragioni per negare l'attendibilità delle fonti e attribuisce il dipinto al soggiorno cortonese dell'artista[12]. Sulla stessa linea il Bonsanti che, rimarcando i rapporti della tavola con la pala eseguita da Sano di Pietro per il convento di San Girolamo dei gesuati a Siena (firmata e datata 1444)[13] ritiene improbabile un ritorno, da parte dell'Angelico, alla forma antiquata del polittico a scomparti "quindici anni dopo la pala di Annalena, diversi anni dopo la pala di San Marco e nelle immediate prossimità della pala di Bosco ai Frari"[14]. In realtà, tanto il taglio monumentale delle figure che la pronunciata articolazione spaziale della tavola senese riflettono i caratteri della produzione angelichiana intorno al 1433 (la figura del *San Girolamo* in uno degli scomparti è una citazione quasi letterale del *San Marco* sullo sportello esterno del Tabernacolo dei Linaioli), mentre la stessa forma ogivale del polittico perugino potrebbe essere stata la risposta a un preciso desiderio della commit-

1. Beato Angelico, *Polittico Guidalotti*, Perugia, Galleria Nazionale dell'Umbria.

tenza, non necessariamente allineata alle novità della pittura fiorentina e profondamente legata alle radici gotiche della propria tradizione[15]. Committente dell'opera, secondo questa ipotesi, sarebbe stata allora Elisabetta, sorella di Benedetto Guidalotti, che nella cronaca del Baglioni è ricordata per aver "ornata" e "dotata" la cappella, facendo erigere al fratello vescovo il monumento attualmente conservato nella cappella a sinistra dell'abside[16]. D'altra parte, il convergere di componenti domenicane e papali nell'iconografia della pala (come il simbolismo della melagrana nelle mani del Bambino e la presenza dei santi "romani" Pietro, Paolo, Lorenzo e Stefano) manifesta con chiarezza la programmaticità dell'impresa, presentata come una forma di ossequio della città al neoeletto pontefice[17].

Ancorché lontani dall'ufficialità degli scomparti maggiori, i temi affrontati nella predella riflettono una consolidata tradizione iconografica, che affonda le sue radici nella *Legenda Aurea* di Jacopo da Varazze (1228 ca.-1298)[18] e trova puntuale riscontro nella produzione di artisti marchigiani, come Gentile da Fabriano (predella del polittico Quaratesi, già nella chiesa di San Nicolò Sopr'Arno, Firenze: firmato e datato 1425)[19] o fiorentini, come Bicci di Lorenzo (predella della pala già in San Niccolò di Cafaggio, Firenze: 1433-35)[20] e Giovanni di Francesco (predella della pala già nella cappella Cavalcanti in Santa Croce, Firenze: 1455 ca.-*ante* 1459)[21]. Le storie si succedono nei tre pannelli senza soluzione di continuità, in una simultaneità spazio-temporale esaltata dall'unità della concezione prospettica: la sequenza si apre sulla sinistra con il miracolo del piccolo Nicola che, appena nato, si rizza in piedi nella tinozza dove viene immerso per il primo bagno. L'episodio ha luogo nella penombra di un confortevole interno domestico, inquadrato dalla curva di un arco che iscrive il suo profilo nella faccia di un edificio a terrazze, scandito da lesene e sormontato da una balaustra decorata a festoni. Sul lato opposto, un edificio di forme dimesse ripete l'inclinazione prospettica del primo, introducendo nella spazialità della tavola una simmetria venata di significati allegorici. Il vuoto fra le due costruzioni determina, al centro della composizione, una cesura che individua e, al tempo stesso, coordina distinti nuclei narrativi: nel primo piano Nicola, fra un gruppo di persone in ascolto, assiste assorto alla predica di un vescovo (probabilmente il medesimo che, sopraggiunto a Myra, avrà in sogno la premonizione della sua investitura episcopale); sullo sfondo lo stesso Nicola, oltrepassata la soglia di una chiesa, avvera mira-

colosamente la premonizione. Più a destra, da una finestra dell'edificio più povero, il santo giovinetto getta un sacchetto d'oro nell'abitazione di un uomo che, ridotto in miseria, medita di avviare le figlie alla prostituzione.
In tutti e tre gli scomparti, un'inedita spigliatezza dei modi narrativi si coniuga a una capacità di articolazione prospettica scarsamente attestata nei polittici precedenti. Secondo il Middeldorf (1955), tanto "lo stile maturo" della tavola, quanto il suo "forte chiaroscuro e il trattamento fiammingheggiante dei colori e dei dettagli" riporterebbero agli anni intorno al '50, quando la pittura nordica aveva largo corso negli ambienti colti del collezionismo fiorentino[22], mentre anche la foggia "moderna" degli abiti e il respiro classicheggiante delle architetture rimandano all'eloquio solenne e pausato delle pitture niccoline.

(Guido Cornini)

[1] Bibl.: Baglioni 1548, c. 2r (in Silvestrini, in Garibaldi 1996, p. 64); Bottonio 1570 ca., c. 42r (in De Marchi 1985, p. 56); Marchese 1869, II, pp. 312-314; Eubel 1898, I, pp. 95, 431, 544; Bombe 1912, p. 77; Middeldorf 1955, pp. 188-189; Orlandi 1964, p. 61 e n. 1; Cole Ahl 1981, pp. 133-158; Boskovits 1983, p. 24, n. 27; De Marchi 1985, pp. 53-57; Santi 1985, pp. 7-10; Bellosi 1990, pp. 56-61, cat.; A. A. De Marchi, in Bellosi 1990, pp. 94-97, De Marchi in Bellosi 1992, pp. 108-110; Hood 1993, pp. 89-94, 309 n. 46; Rossi 1994, pp. 87-96, cat. 26; Baetjer 1995, p. 14; Iacopo da Varazze 1995, pp. 26-33; Silvestrini, in Garibaldi 1996, pp. 64-65; Spike 1996, pp. 76, 164-169, 243-245, cat. 94; Chelazzi Dini 1997, pp. 232-234; Biganti 1998, pp. 102-111; Bonsanti 1998, pp. 13-14; Cornini 1998, pp. 42-49; Garibaldi 1998, pp. 16-41; Cornini 2000, pp. 37-39.

[2] Provenienza: Perugia, San Domenico, cappella di San Nicola; (doc. 1706-1812) Perugia, San Domenico, sagrestia; (1813-1817) Parigi, Musée Napoleon. Restauri: 1890; 1955. Esposizioni: 1955: "Mostra delle opere di Fra Angelico", Città del Vaticano, Palazzo Apostolico (aprile-maggio 1955); 1983-1984: "The Vatican Collections. The Papacy and Art", The Metropolitan Museum of Art, New York (26 febbraio - 12 giugno 1983), The Art Institute of Chicago (21 luglio - 16 ottobre 1983), The Fine Arts Museum of San Francisco (19 novembre 1983 - 19 febbraio 1984); 1992-93: "Una scuola per Piero. Luce, colore e prospettiva nella formazione fiorentina di Piero della Francesca", Firenze, Uffizi (27 settembre 1992 - 10 gennaio 1993); 1998-99: "Beato Angelico e Benozzo Gozzoli. Artisti del Rinascimento a Perugia", Perugia, Galleria Nazionale dell'Umbria (13 dicembre 1998 - 11 aprile 1999).

[3] Perugia, Galleria Nazionale dell'Umbria, inv. 96 (tempera e oro su tavola, cm 36 x 60). Per la tavoletta vaticana inv. 4252 vedi scheda successiva.

[4] Perugia, Galleria Nazionale dell'Umbria, inv. 91-108 (tempera e oro su tavola, cm 280 x 313).

[5] Baglioni 1548, c. 2r: "La prima Capella secondo il detto ordine, alla destra del choro è intitolata a Sancto Nicolo, la tavola della quale è di mano di frate Giovanni fiorentino del nostro ordine, huomo Santo et in Pittura mirabile. Detto altare et la capella (come appare per l'armi nella zona detta et nella fenestra di vetro et per il sepolcro di marmo nel qual è sepolto un vescovo de Guidalotti) mostra essere di detta casata de Guidalotti. Questa Capella fu dotata et ornata da Madonna Hysabetta sorella di detto vescovo in quella sepulto, figliola di Messer Alberto Guidalotti" (trascritto in Silvestrini, in Garibaldi 1996, p. 64). Sulla famiglia Guidalotti, vedi Biganti 1998, pp. 102-111.

[6] Bottonio 1570 ca., c. 42r (sotto l'anno 1437): "La tavola de' l'Altare di Sancto Nicolo ne la Capella de' Guidalotti fu' data questo anno a dipignere a Frate Giovanni da Fiesole Padre santissimo et famosissimo Pittore de' l'Ordine nostro" (trascritto in De Marchi 1985, p. 56; cfr. Marchese 1845, ed. 1869, II, pp. 312-314; Bombe 1912, p. 77; Orlandi 1964, p. 61 e n. 1; Santi 1985, pp. 7-8; Silvestrini, in Garibaldi 1996, p. 64; Spike 1996, p. 94).

[7] Orlandi 1964, pp. 61-62; cfr. Eubel 1898, I, pp. 95, 431, 544. Benedetto Guidalotti, fondatore nel 1427 del collegio di San Girolamo (o della Sapienza Nuova), fu anche il committente dell'omonimo polittico di Benozzo Gozzoli oggi a Perugia, nella Galleria Nazionale dell'Umbria (inv. 124).

[8] Middeldorf 1955, pp. 188-189.

[9] De Marchi 1985, pp. 53-57.

[10] A. De Marchi, in Bellosi 1990, p. 94.

[11] Spike 1996, pp. 76, 164-169, 243-245, cat. 94.

[12] Hood 1993, pp. 89-94, 309 n. 46.

[13] Oggi a Siena, nella Pinacoteca Nazionale (inv. 246). La pala, voluta per la consacrazione della chiesa conventuale, era stata commissionata dal senese Antonio Bettini, incaricato nel 1440 di fondare una comunità di gesuati presso la chiesa dei Santi Giovanni e Paolo a Roma (cfr. Chelazzi Dini 1997, pp. 232-234).

[14] Bonsanti 1998, pp. 13-14.

[15] Anche l'ipotesi del Boskovits 1983, p. 24 n. 27, che il polittico sia stato commissionato nel 1437 ma eseguito non prima del marzo 1438, quando l'artista è documentato a Cortona (Cole Ahl 1981, pp. 133-158), non dà sufficientemente ragione dei caratteri stilistici avanzati.

[16] Vedi sopra, nota 5; sull'iconografia del polittico e il problema della sua datazione in rapporto alla committenza vedi Garibaldi 1998, pp. 16-41.

[17] Cfr. Silvestrini, in Garibaldi 1996, p. 64.

[18] Per una recente edizione del testo, Iacopo da Varazze 1995, pp. 26-33 (con bibliografia precedente).

[19] Città del Vaticano, Musei Vaticani (Pinacoteca), inv. 40247-4250; cfr. Rossi 1994, pp. 87-96, cat. 26.

[20] New York, Metropolitan Museum, inv. 88.3.89, 16.121; cfr. Baetjer 1995, p. 14. Altri scomparti ad Oxford, Ashmolean Museum; Cracovia, Castello Wawel; (...), collezione privata.

[21] Firenze, Casa Buonarroti, inv. 68; cfr. Bellosi 1990, pp. 56-61, cat. 5.

[22] 1955, pp. 188-189; sui rapporti fra arte fiamminga e collezionismo mediceo vedi Castelfranchi Vegas 1983, ed. 1998, pp. 189-229; Castelfranchi Vegas 1989, pp. 88-89.

9
Beato Angelico
(documentato a Firenze
dal 1417 - Roma, 1455)
Incontro di san Nicola con il messo imperiale, Miracolo del grano, Miracoloso salvataggio di una nave
Scomparto di predella
Tempera e oro su tavola;
cm 34 x 60
1447-49 ca. (?)

Città del Vaticano, Musei Vaticani, inv. 4252

La tavoletta[1], dal 1817 a Roma nella Pinacoteca Vaticana[2], costituisce il secondo scomparto della predella con *Storie di san Nicola*, eseguita dall'Angelico per il polittico nella chiesa di San Domenico a Perugia (il primo scomparto, raffigurante la *Nascita di san Nicola*, la *Vocazione del santo* e l'*Elemosina alle tre fanciulle povere* si trova anch'esso alla Pinacoteca Vaticana, mentre il terzo scomparto, con il *Salvataggio di tre giovani ingiustamente condannati* e la *Morte del santo*, si conserva con il resto del polittico alla Galleria Nazionale dell'Umbria)[3]. Anche per questi episodi l'Angelico si è avvalso della guida di fonti apocrife come la *Legenda Aurea* di Jacopo da Varazze (1228 ca.-1298)[4]. La narrazione si apre sulla sinistra con la raffigurazione di san Nicola che, fattosi incontro al messo imperiale, lo persuade a cedere un carico di grano per la città di Myra, salvando la popolazione dall'infuriare di una terribile carestia (le navi dell'ambasciatore, provenienti da Alessandria, giungeranno a destinazione con la merce prodigiosamente intatta). Sulla destra un vascello sul punto di naufragare è salvato dal miracoloso intervento del santo, che appare in un alone di luce ai marinai che lo invocano nella tempesta. La composizione, originariamente al centro della predella, è guidata in profondità dallo sviluppo delle ortogonali lungo le quali si collocano i portatori di sacchi e la scogliera che divide in due parti la scena. All'ambientazione urbana della prima tavoletta succede qui la fiabesca evocazione di un paesaggio di mare, dominato dalla mossa articolazione della costa e dalla nervosa stilizzazione dei suoi rilievi, in sintonia con l'astratta geometria degli edifici a picco sull'acqua. Alla caratterizzazione "metafisica" del pannello concorrono in egual misura il ripetuto ricorso all'elemento fantastico e il realismo pungente di taluni dettagli, che accentuano in misura paradossale l'ambiguità dell'immagine.

Al problema della cronologia della pala (vedi scheda precedente) si lega strettamente quello della sua autografia, ammessa con riserve che riguardano principalmente l'*Annunciazione* e i *Santi* dei pilastrini[5]: se, per quanto attiene alle tavole maggiori, pressoché unanime è l'attribuzione all'Angelico delle figure della fascia principale (eccezion fatta per quelle di *San Giovanni* e *Santa Caterina*, per le quali è stato ipotizzato il coinvolgimento di aiuti)[6], più complessa è la vicenda critica della predella, dove i sostenitori della paternità del Maestro trovano un ostacolo in quanti ravvisano in essa un raffinato prodotto di collaborazione.

I nomi proposti vanno da quello di Francesco Pesellino (1422-1457) – che in opere giovanili come le miniature del *Silio Italico* sembra effettivamente richiamarsi a questa fase dell'Angelico[7] – a quelli di Domenico di Michelino (1417-1491), Zanobi Strozzi (doc. 1427-1468) e

Giovanni di Consalvo (notizie 1435-39) – considerato dalla maggioranza degli studiosi l'autore degli affreschi nel chiostro degli Aranci della Badia Fiorentina[8].
Il resto della critica tende a ricondurre la predella nell'ambito dell'autografia angelichiana, con riserve che riguardano principalmente la tavoletta con scena di mare della Vaticana, mentre nelle altre due "l'impianto scenico – di straordinaria abilità nell'unire più episodi – si deve quasi certamente all'Angelico, che deve essere intervenuto più largamente nella tavoletta di Perugia [...], più limitatamente nell'altra tavoletta di Roma"[9]. Secondo il De Marchi "nella pittura delle architetture e del paesaggio in secondo piano, in particolare nelle prime due predelle ora alla Vaticana, sembra in effetti intervenire una mano più debole, sotto la stretta sorveglianza del maestro, che le ha ideate con straordinaria intensità di pensiero"[10]. Va però osservato come i tre pannelli, accomunati da una sostanziale omogeneità di stile, partecipino di quella attenzione per i valori "ottici" di superficie che, indissolubilmente legata alle ricerche dell'Angelico almeno a partire dai primi anni quaranta (predella della pala di San Marco: 1438/40-*ante* 1443)[11], raggiungerà il suo culmine nella spazialità distesa e luminosa degli affreschi romani (1448-49)[12]. Recenti indagini condotte in occasione dei restauri sui cicli di Roma e di Orvieto hanno del resto messo in luce la partecipazione di aiuti nella stesura degli affreschi, delineando – almeno per quel che riguarda le pitture della Niccolina – una suddivisione del lavoro in parte già intuita dalla critica precedente[13]. L'interesse per le problematiche della luce e del colore era del resto il logico approdo di una ricerca alimentata dalla conoscenza della pittura fiamminga, che già a partire dalla metà degli anni trenta era venuta assumendo un rilievo crescente nel collezionismo e nella pratica artistica fiorentini, e che proprio verso il 1450 toccherà il suo apice nell'opera di Domenico Veneziano[14].
Le due tavolette, confiscate nel feb-

braio 1812 a seguito della secolarizzazione dei beni ecclesiastici nei dipartimenti di Genova, dell'Arno-Toscana e del Mediterraneo-Appennino (seduta della Consulta per gli Stati Romani, 28 maggio 1810) e del successivo passaggio alla Corona dei "beni esistenti nei pubblici stabilimenti" (decreto imperiale del 25 febbraio 1811), furono trasferite a Parigi nell'autunno 1813 ed esposte in quel *Musée Napoleon*, dove fin dal 1810 avevano trovato collocazione gli scomparti principali del polittico[15]. Il terzo elemento, requisito in esecuzione del medesimo decreto, passava invece con altri quarantotto pezzi nelle mani di Agostino Tofanelli, *consérvateur en chèf* del Museo Capitolino[16]. Quando, all'indomani del congresso di Vienna (1814-15), il complesso poté essere ricostituito nella sua integrità, lo scomparto relativo agli *Ultimi fatti della vita di san Nicola* andò a ricongiungersi alle tavole maggiori nella chiesa d'origine, mentre i pannelli recuperati in Francia furono trattenuti a Roma per figurare nella nuova Pinacoteca che Pio VII, secondo il voto delle potenze alleate, andava allestendo nel Palazzo Apostolico (lettera del cardinale Consalvi al gonfaloniere di Perugia dell'8 ottobre 1817)[17].

(Guido Cornini)

[1] Bibl.: Marchesi 1857, pp. 68-70; Rossi 1876, pp. 288-303, 321-352; Rossi 1877, pp. 3-25, 65-104; Berenson 1896, p. 100; Weisbach 1901, pp. 38, 41-43; Wurm 1907, p. 21; Schottmüller 1924, pp. xxvi-xxvii, 259; Van Marle, X, 1928, pp. 64-68, 94, 145, 151, 472, 479; Muratoff 1930, pp. 41-43, 66; Pope-Hennessy 1952, pp. 171-172; Baldini, in *Mostra delle opere* 1955, p. 57, n. 32; Collobi Ragghianti 1955, pp. 38-39; Salmi 1958, pp. 30-31, 108; Berti 1967, p. 9; Baldini 1970, p. 99; Wohl 1971, pp. 635-641; Pope-Hennessy 1974, pp. 198-199; Ames-Lewis 1979, pp. 68-74; Wohl 1980; De Marchi 1985, pp. 53-57; Santi 1985, pp. 7-10; A. De Marchi, in Bellosi 1990, pp. 94-97; M. Ferro, in Bellosi 1990, pp. 128-133; A. De Marchi in Bellosi 1992, pp. 108-110; Padoa Rizzo 1992, p. 34; Iacopo da Varazze 1995, pp. 26-33; Spike 1996, pp. 53-54, 76, 124-129, 164-169, 226-228, 243-245; Testa 1996, pp. 76-85; Bertorello 1996, pp. 326-349; Silvestrini, in Garibaldi 1996, pp. 64-65; Bonsanti 1998, pp. 13-14, 139-144; Cornini 1998, pp. 42-49; Cornini 2000, pp. 37-39; Calvesi 2001, pp. 45-62; Giantomassi-Zari 2001, pp. 99-181.

[2] Provenienza: Perugia, San Domenico, cappella di San Nicola; (doc. 1706-1812) Perugia, San Domenico, sagrestia; (1813-1817) Parigi, Musée Napoleon. Restauri: 1890; 1955. Esposizioni: 1955: "Mostra delle opere di Fra Angelico", Città del Vaticano, Palazzo Apostolico (aprile-maggio 1955); 1983-1984: "The Vatican Collections. The Papacy and Art", The Metropolitan Museum of Art, New York (26 febbraio - 12 giugno 1983), The Art Institute of Chicago (21 luglio - 16 ottobre 1983), The Fine Arts Museum of San Francisco (19 novembre 1983 - 19 febbraio 1984); 1992-93: "Una scuola per Piero. Luce, colore e prospettiva nella formazione fiorentina di Piero della Francesca", Firenze, Uffizi (27 settembre 1992 - 10 gennaio 1993); 1998-99: "Beato Angelico e Benozzo Gozzoli. Artisti del Rinascimento a Perugia", Perugia, Galleria Nazionale dell'Umbria (13 dicembre 1998 - 11 aprile 1999).

[3] Perugia, Galleria Nazionale dell'Umbria, inv. 96 (tempera e oro su tavola, cm 36 x 60). Per la tavoletta vaticana inv. 4251 vedi scheda precedente.

[4] Per una recente edizione del testo vedi Iacopo da Varazze 1995, pp. 26-33 (con bibliografia precedente).

[5] Muratoff 1930, pp. 41-43, 66; Pope-Hennessy 1952, pp. 171-172; Pope-Hennessy 1974, pp. 198-199.

[6] Marchesi 1857, pp. 68-70; Wurm 1907, p. 21; Van Marle X, 1928, pp. 64-68, 94, 145, 151, 472, 479; Pope-Hennessy 1952, pp. 171-172; Pope-Hennessy 1974, pp. 198-199.

[7] Weisbach 1901, pp. 38, 41-43; Schottmüller 1924, pp. xxvi-xxvii, 259; Van Marle, X, 1928, pp. 66-68; Muratoff 1930, pp. 41-43, 66. Cfr. M. Ferro, in Bellosi 1990, pp. 128-133, catt. 20-22.

[8] Baldini, in *Mostra delle opere* 1955, p. 57, n. 32; Baldini 1970, p. 99; Salmi 1958, pp. 30-31, 108. Su Giovanni di Consalvo, vedi soprattutto Berti 1967, p. 9.

[9] Santi 1985, p. 9.

[10] A. De Marchi in Bellosi 1992, p. 108.

[11] Spike 1996, pp. 53-54, 124-129, 226-228; Bonsanti 1998, pp. 142-144, cat. 66; Cornini 2000, pp. 33-35.

[12] Sull'attività dell'Angelico in Vaticano l'inquadramento più recente è quello di Calvesi 2001.

[13] Cfr. Testa 1996, pp. 76-85; Bertorello 1996, pp. 326-349; Giantomassi-Zari 2001, pp. 99-181. Sappiamo dai documenti che per la decorazione della cappella maggiore in San Pietro e per quella di San Brizio nel Duomo di Orvieto l'Angelico si servì di uno stuolo di aiuti che includevano il nipote Giovanni Antonio della Cecca di Mugello, Giacomo d'Antonio da Poli, Pietro Jacomo da Forlì, forse anche Carlo di Ser Lazzaro da Narni e, naturalmente, Benozzo Gozzoli (Padoa Rizzo 1992, p. 34). Nel caso della Niccolina le fonti tacciono sull'identità di eventuali collaboratori, ma l'analisi comparata delle pitture condotta in occasione del recente restauro ha potuto accertare "la presenza di almeno sei mani diverse, oltre, naturalmente, a quella dell'Angelico" (Giantomassi-Zari p. 101; cfr. Cornini 1998, p. 49 n. 29). In tale contesto può tornare utile ricordare come in uno dei riquadri maggiori del ciclo, la *Predica di san Lorenzo a Gerusalemme*, una figura femminile seduta a terra, vista di spalle, sembri tratta, in controparte, dallo stesso disegno della donna che, nella tavoletta della *Vocazione*, assiste alla predica cui prende parte pure il giovane Nicola (De Marchi 1985, p. 54 e figg. 5-6; De Marchi 1992, p. 110).

[14] Sull'argomento, vedi Wohl 1971, pp. 635-641; Ames-Lewis 1979, pp. 68-74; Wohl 1980.

[15] Cfr. lettera del sottoprefetto del Circondario al *Maire* di Perugia del 12 febbraio 1812 (ASP, Archivio di Stato di Perugia), Carte Repubblicane, *Scritture diverse relative alla requisizione delli Quadri*), pubblicato in Rossi 1876, p. 288. Secondo una nota allegata al documento, si trattava di opere provenienti da San Domenico, San Pietro, Sant'Agostino e Santa Maria Nuova. I quadretti dell'Angelico sono elencati al numero 7 come "Due piccoli quadri, situati alla porta per la quale si esce dalla sagrestia - Opera di fra Angelo".

[16] La corrispondenza relativa si conserva all'Archivio di Stato di Perugia ed è pubblicata in Rossi 1876, pp. 288-303, 321-352.

[17] Cfr. Lettera del cardinale segretario di Stato al gonfaloniere di Perugia dell'8 ottobre 1817, in Rossi 1877, pp. 99-104; la corrispondenza relativa alle distinte fasi di restituzione è in Rossi 1877, pp. 3-25, 65-104.

10
Benozzo Gozzoli (?)
Lorenzo da Pisa, Dialogus Humilitatis ad Nicolaum pp. Quintum
Membr.; ff. III, 174;
mm 250 x 170
1447-48 ca.

Città del Vaticano, Biblioteca Apostolica Vaticana, Vat. Lat. 961

Identificabile nel volumetto citato al n. 740 dell'inventario della biblioteca papale stilato nel 1455, il manoscritto contenente i *Dialoghi sull'umiltà* compilati dal presbitero pisano Lorenzo fu offerto in dono a papa Niccolò V Parentucelli dallo stesso autore dell'opera, intitolata al pontefice nel proemio (ff. 1r-3r)[1]. La redazione del testo e dell'esemplare di dedica va dunque circoscritta agli anni del pontificato niccolino, tra il 1447 e il 1455. Della vicenda personale di Lorenzo (Terricciuola, Pisa, 1391?- Firenze, dopo il 1468?) ci informa, tra gli altri, il nipote Teofilo, autore di una biografia, dalla quale si ricava che il pisano fu in rapporto con il cardinale Giordano Orsini e Cosimo dei Medici, con i papi Eugenio IV, Pio II Piccolomini e Callisto III Borgia, tutti destinatari di alcuni suoi scritti di argomento morale (Mercati 1938, pp. 98-105, 274-284; Ferraù 1971). Ancora Teofilo ricorda che Lorenzo soggiornò qualche anno a Roma, rivestendo nella corte papale la carica di "cubicularius Nicholai pontificis quinti", ma non precisa l'anno in cui egli si trasferì nell'Urbe. Qui dovette dedicarsi alla stesura dei *Dialoghi*, idealmente intrattenuti in occasione della festa dell'Annunciazione da tre protagonisti, il prete Nicola, un tale *magister* Iacobus e Leonardo, riconoscibile in Leonardo Dati, presente a Roma dal 1446 (Mercati 1938, pp. 99-101).
Mai oggetto di uno studio specifico, il piccolo codice appartenuto a Niccolò V presenta una veste accurata: la pergamena è pregiata, il *ductus* della scrittura elegante, il taglio dei fogli dorato, le iniziali incipitarie, di tipo squisitamente fiorentino, sono intrecciate a candidi girari estesi sui margini (ff. 1r, 3v, 39r, 101v). Sul *verso* della seconda carta di guardia, apre il volume la raffigurazione, stagliata su un prezioso fondo a lamina dorata, di Lorenzo da Pisa inginocchiato, con fattezze piuttosto giovanili, mentre porge il proprio lavoro a Niccolò V, che assiso in trono lo benedice. La pagina miniata è ora inserita all'interno di un *bifolio* di guardia, verosimilmente aggiunto al momento della sostituzione dell'antica legatura in pelle nera (descritta nell'inventario) con quella attuale in cuoio rosso, risalente ai restauri condotti dal cardinale Francesco Saverio Zelada, tra il 1779-1798 circa (cfr. Manfredi 1996, p. 7); in origine, l'immagine era invece affrontata al foglio d'*incipit* del proemio, ancora recante sui margini l'impronta del fregio dipinto, in un calibrato equilibrio estetico di taglio umanistico, oggi purtroppo compromesso.
La pergamena è stata lievemente rifilata e presenta piccoli fori causati dagli insetti; nella miniatura, il colore è assottigliato soprattutto in corrispondenza dei contorni delle figure e nei punti in cui il disegno si estende sull'oro; lacune estese sono nel fregio marginale, sul manto del papa, sulla veste dell'offerente e sul libro da questi offerto. Antonio Manfredi mi fa notare l'incongruenza della tabella blu, posta alla base della raffigurazione e forse destinata in principio ad accogliere un'iscrizione elogiativa o un *titulus*, mai vergati. Insolita per l'epoca appare inoltre la forma conica della tiara papale, a una sola corona, al posto dell'usuale triregno, allusione all'antico *phrigium* bizantino secondo Miglio (1998, p. 57), ma forse semplicemente lasciata incompiuta (nel disegno preparatorio, leggibile in trasparenza, si possono distinguere le linee corrispondenti ai cerchi tipici della tiara di san Silvestro, previsti dall'artista e non dipinti).
Massimo Miglio ha pubblicato la miniatura, soffermandosi unicamente sul commento iconografico della scena[2], un'interpretazione del soggetto della *traditio* dai caratteri ieratici e quasi arcaizzanti, per l'adozione del fondo oro e della positura di profilo dei protagonisti. La persona di Niccolò V mostra una fisionomia generica, per niente corrispondente ai ritratti noti del pontefice, divenendo così trasposizione ideale dell'autorità papale, come del resto idealizzato sembra essere il ritratto dell'autore, presentato negli indumenti consueti di prete secolare, forniti di berretta, sopravveste rossa e abito azzurro (Mercati 1938, p. 281), ma con tratti che rivelano meno dei suoi cinquant'anni. Non mi risulta invece che in sede critica si registrino tentativi volti ad avanzare, con la lettura stilistica, proposte attributive per l'elegante pagina, per la quale recentemente ho suggerito un possibile collegamento con l'attività iniziale di Benozzo Gozzoli[3]. Il riferimento, prudente, appare confortato da riscontri con le opere che illustrano gli avvii del pittore, tra le quali la maggior parentela si coglie con le illustrazioni dei *Vaticinia Pontificum* (Londra, British Library, ms. Harley 1340), databili con certezza entro il febbraio del 1447 (cat. 1).
Di evidenza immediata è l'esito raffinato della miniatura di dedica, assai contenuta nel formato (mm 150 x 85) eppure non priva di un certo respiro monumentale e consonante, nella dimensione sacrale, con l'"atmosfera della cappella Niccolina" (Miglio 1999, p. 9). L'inquadratura classicheggiante che rinserra le miniature dei *Vaticinia*, un umanistico nastro a foglie di lauro, è riproposta con qualche variazione nel codice niccolino, dove la pagina è incorniciata da un fregio fogliaceo descritto con sensibilità naturalistica e coronato da una trabeazione sulla quale sostano due putti alati. Con lo stile misurato della composizione sembra contrastare la disposizione libera della bordura marginale, un festone intriso di gotiche reminiscenze e arricchito da *drôleries*, come il grande volatile in alto a sinistra, alle gambe del quale si aggrappa uno dei putti; il fregio, in ogni modo, parrebbe comunque coerente, nella cromia e nelle parti figurate, con il resto dell'immagine, facendo

f. IIv

quindi escludere l'intervento di una mano diversa da quella responsabile del bel riquadro centrale.
L'aspetto che senza dubbio più attrae l'attenzione è la qualità intensamente luministica della raffigurazione, in debito con le inclinazioni manifestate dall'Angelico con sempre maggiore evidenza nell'attività del quinto decennio. Una luce intensa, rafforzata dal baluginare del fondo dorato, attraversa la composizione e tornisce delicatamente le forme, modellate da un chiaroscuro giocato non tanto su forti contrasti ma sull'uso di ombre colorate e tenui accostamenti cromatici: il rosa tenerissimo degli incarnati spicca in rapporto al rosso purpureo del piviale del papa, ripreso nel libro e nel fregio della cornice, o alla gradazione più spenta della veste del presbitero. Nei volti, le zone investite da luce piena acquistano risalto per l'affiorare del bianco della pergamena, lasciata a risparmio dal pittore e intaccata, nelle parti scure, da un sottile tratteggio. La posizione laterale della fonte di luce, che in tal modo colpisce le figure creando studiati effetti di controluce, è un elemento che fa da *trait d'union* con le illustrazioni dei *Vaticinia* e con le tavole dipinte da Gozzoli nello stesso giro di anni, la *Madonna dell'umiltà* dell'Accademia Carrara di Bergamo (Bollati, in Di Lorenzo-Zanni 2001, pp. 68-70 cat. 11) e la *Madonna Cook* della National Gallery di Londra, esposta in mostra (cat. 7; vedi anche Bartalini, in Bellosi 1990, pp. 114-117, scheda 16). Della tenera umanità incarnata dai protagonisti di queste opere partecipano a pieno titolo anche i volti del papa e del canonico pisano, che replicano il tipo cordiale delle personificazioni femminili poste a lato di Niccolò IV o dell'angelo che incorona un papa angelico, nel codice Harley (ff. 2v, 14v; cat. 1.2, 1.4). La figura di Lorenzo da Pisa potrebbe apparire senza difficoltà inginocchiata al fianco della Vergine dell'Accademia Carrara o introdursi nella cerchia di angeli adoranti la *Madonna Cook*, tanto aderente è la somiglianza nella fisionomia del volto stondato e nella forma delle esili mani, dalle dita quasi prive di ossatura. Una certa comunanza- resa evidente dal confronto con uno dei tanti papi che affollano le carte dei *Vaticinia* (f. 2v; cat. 1.2) – si rintraccia nel modo di risolvere le pieghe, sbalzate dalle lumeggiature e zigzaganti sulla sopravveste del canonico, come sul drappeggio del pontefice, dove però il risultato finale è attutito per l'estesa lacuna causata dall'umidità sulla pergamena. Anche la regia della scena è sorretta da pensieri sottilmente illusionistici, identici a quelli che si riflettono nelle illustrazioni del manoscritto Harley (cat. 1).
La relativa precocità della miniatura vaticana e il suo inserimento all'interno del percorso artistico di Benozzo Gozzoli (la cui attività iniziale potrebbe aver sconfinato nel campo dell'illustrazione libraria forse più spesso di quanto oggi si riesca a postulare), è suggerita quindi da diversi elementi che, seppure non probanti, mi sembrano abbastanza significativi. Sicuramente successiva al 19 marzo del 1447, quando Tommaso Parentucelli fu incoronato papa in San Pietro, la preparazione della versione di dedica dei *Dialoghi sull'umiltà* dovrebbe coincidere con i primi tempi del pontificato niccolino e del soggiorno a Roma di Benozzo, attestato come collaboratore dell'Angelico nei cantieri di una cappella in San Pietro in Vaticano e della Cappella Nuova del Duomo di Orvieto, tra il maggio e il giugno dello stesso anno (Cole Ahl 1996, pp. 275-276, docc. 4-5; Testa 1996, p. 77). Proprio alcune testine dipinte da Gozzoli nelle fasce decorative della volta orvietana (la figura di fanciullo con cuffietta, il giovane biondo in posizione frontale: Testa 1996, fig. a pp. 82-83) si esprimono all'unisono con i due profili della pagina miniata, forse ancora precedente alla decorazione della cappella Niccolina, in opera nel 1448 (cfr. Nesselrath 1999, pp. 72-97).
Sono questi gli anni in cui papa Parentucelli inizia a progettare la rinascita della biblioteca papale, trasformando in breve tempo la sua corte in una fucina di letterati, amanuensi e artisti, ai quali commissiona la redazione di molti manoscritti. Non sarà però né l'Angelico, già rientrato a Firenze nel 1450, né Gozzoli, partito alla volta di Montefalco, a rivestire il ruolo di miniatore preferito del pontefice, bensì il per ora anonimo "Miniatore di Niccolò V" (Pasut 2000), un'affascinante personalità ancora da scoprire, il cui stile affonda in radici ben diverse da quelle cui guarda il giovane Gozzoli, come sottolinea proprio il confronto di qualche sua opera con la pagina qui esposta (fig. 9 a pag. 141). Significativo è invece l'accostamento, avanzato in questa sede da Miklós Boskovits (figg. 8, 9 a pag. 141), tra alcune delle iniziali dipinte sui volumi papali dal "Miniatore di Niccolò V" e quelle databili al 1448-49 del *Lezionario* del Duomo di Firenze (Firenze, Biblioteca Medicea Laurenziana, ms. Edili 145), facente parte di un gruppetto di manoscritti dalla decorazione stilisticamente unitaria, in cui è stata variamente rintracciata l'attività del miniatore fiorentino Giovanni di Antonio Varnucci (Garzelli 1985, I, pp. 27-29) o, più recentemente, di Battista di Niccolò da Padova, documentato anch'esso nella città toscana dal 1438 circa al 1452, anno della morte (Dillon Bussi 1997; Dillon Bussi 1998). Le consonanze che si riescono a cogliere tra le illustrazioni di questi codici fiorentini e le opere del "Miniatore di Niccolò V", anche se da parte mia non mi spingerei a proporre un'identità di mano, indicano una delle vie percorribili in futuro per meglio comprendere la figura di questo artista dalle indubbie capacità e del quale è stato possibile ricostruire l'impegno svolto al servizio di papa Parentucelli, assai verosimilmente nella stessa Roma.

(Francesca Pasut)

[1] Pelzer 1931, pp. 417-418; Manfredi 1994, p. 461 n. 740 (con bibl. compl.).
[2] Miglio 1998, pp. 56 fig. 1, 57; Miglio 1999, p. 9 e tav.; Miglio 2000, p. 86.
[3] Pasut 2000, p. 121 n. 71.

f. IIv

11
Beato Angelico
(documentato a Firenze
dal 1417 - Roma, 1455)
Volto di Cristo (frammento)
Affresco staccato; cm 37 x 29

Roma, Museo Nazionale
di Palazzo Venezia, inv. PV 10578

Il dipinto fu ritrovato da Roberto Papini nell'ormai disabitato monastero di Santa Chiara a Piperno nel 1920, e pubblicato l'anno seguente come opera di Benozzo Gozzoli. Al momento del ritrovamento il frammento era inserito tra quattro sottili assi di legno e collocato in una seicentesca cornice d'argento. La superficie dell'affresco, percorsa da numerose crepe, era oscurata per la stesura di una pellicola di cera. Trasportato al Museo di palazzo Venezia, il frammento fu affidato alle cure del restauratore Venturini Pepari che, dopo averlo rafforzato applicandolo su una rete metallica, ne richiuse le crepe, ripulì la superficie e integrò, oltre le piccole cadute di colore, il profilo delle spalle di Gesù. Nel 1973 Aldo Angelini intervenne nuovamente sul dipinto, asportando le stuccature e le integrazioni del precedente restauro. La superficie originale fu nuovamente ripulita e posta, in leggero rilievo, sulla stuccatura di malta che l'inquadra.

È sconosciuta la provenienza del frammento staccato, con ogni probabilità in antica data, da mani inesperte. La cornice seicentesca in cui era contenuto fa supporre che l'immagine, almeno in quel tempo, fosse destinata alla devozione privata e ciò sembra scoraggiare l'ipotesi della provenienza da un tabernacolo accessibile alla venerazione pubblica. Né esiste, contrariamente a quanto talvolta viene affermato, alcun indizio dell'origine del frammento dal territorio del luogo di rinvenimento, l'odierno Priverno. Va tenuto presente al riguardo che il monastero di Santa Chiara fu fondato solo nel 1575 (cfr. Melchiorri 1934 [1844]); l'immagine vi potrebbe essere stata portata quindi anche da lontano da qualcuna delle monache.

L'attribuzione al Gozzoli si deve, come si è visto, al Papini (1921), il quale credeva di poter riconoscere nel volto del Salvatore "il tipo consueto" del maestro fiorentino, confrontandolo con il *San Sebastiano* affrescato nella chiesa di Sant'Agostino a San Gimignano. La critica successiva in genere si rifà al parere dello studioso, magari con qualche imprecisione sulle circostanze del ritrovamento; Hoogewerff (1930), ad esempio, parla dell'esistenza a Priverno di tracce di una composizione più ampia, dalla quale proverrebbe il frammento. Quanto alla data dell'esecuzione, Lagaisse (1934) suggerisce gli anni 1453-56, proposta che è parsa convincente alla maggior parte degli studiosi successivamente intervenuti sul tema. Santangelo (1948), tuttavia, pur accogliendo l'attribuzione al Gozzoli, definisce il frammento "vicinissimo all'Angelico" e appartenente al momento della collaborazione dei due pittori alla cappella Niccolina del Vaticano, quindi verso il 1447-48. La monografia della Padoa Rizzo (1972) ribadisce la paternità del Gozzoli e indica quale analogia stilistica il volto del *Sant'Antonio*, da questi dipinto in Santa Maria in Aracoeli a Roma. Angelini (1987) è dell'avviso che il frammento di palazzo Venezia "fu certamente eseguito nel territorio di Priverno" e ritiene di poter confermare la presenza del maestro fiorentino in quella cittadina attribuendogli un affresco di fattura chiaramente trecentesca (*Madonna col Bambino e un santo vescovo*), ritrovato nella locale chiesa di San Giovanni Evangelista. La Cole Ahl (1996) torna ad avvertire analogie tra il *Volto di Cristo* e l'affresco in Santa Maria in Aracoeli, ma segnala affinità anche con le *Madonne* della Galleria Nazionale di Perugia e del Duomo di Sermoneta. La relativa vicinanza tra Priverno e Sermoneta sarebbe, secondo la studiosa, un indizio dell'esecuzione cronologicamente vicina del *Volto di Cristo* e della *Madonna* di Sermoneta, a suo avviso dipinta poco prima del ritorno del Gozzoli a Firenze. In un contributo uscito troppo tardi (1995) perché la monografia della Cole potesse tenerne conto, chi scrive respinse la paternità gozzolesca del frammento, ipotizzando una possibile provenienza dell'opera dalla "cappella del Sagramento in palazzo", vale a dire dalla decorazione eseguita dall'Angelico in Vaticano per Eugenio IV, la quale, testimone il Vasari, "fu poi rovinata da Paulo III per dirizzarvi le scale" (Vasari 1878-85 [1568], II, pp. 516-517). È lo stesso storico aretino a ricordare che dalla distruzione si erano salvati alcuni frammenti, assicurati da Paolo Giovio per la sua collezione di ritratti. L'attribuzione all'Angelico è stata accolta da Spike (1996), che ritiene il *Volto di Cristo* databile intorno al 1446-49.

Anche nella presente occasione ritengo di dover ribadire l'estraneità del frammento al catalogo di Benozzo. Manca in questo dipinto il nitore della visione e la durezza gemmea delle forme che contraddistinguono le opere del Gozzoli eseguite dopo l'impresa di Montefalco, quali la pala datata 1456, oggi nella Galleria Nazionale di Perugia. Non affinità di stile, ma soltanto la circostanza della frontalità accomunano, a mio avviso, il *Volto di Cristo* del palazzo Venezia con il *Sant'Antonio di Padova* affrescato da Gozzoli nella basilica di Aracoeli (cfr. fig. 2 a pag. 42 in questo catalogo), per non parlare della lucida e diafana pittura del *San Sebastiano* a San Gimignano, datato 1464. Invano si cercherebbe nell'opera qui esposta la minuziosa cesellatura dei particolari, i passaggi chiaroscurali accuratamente dosati ma un po' freddi che nel corso degli anni diventano sempre più marcati nella produzione gozzolesca. Il trattamento pittorico del *Volto* è più soffice e sintetico di come non accade di solito nella produzione di Benozzo, evidenziando analogie a mio avviso molto strette con brani della cappella Niccolina, l'unica delle imprese pittoriche romane dell'Angelico sopravvissuta alle distruzioni. La stessa struttura del volto, con la sua fronte non ampia, gli zigomi larghi, le labbra serrate quasi con forza e gli occhi che sembrano socchiusi come se il Salvatore si fosse trovato improvvisamente avvolto da un bagliore di luce, ma anche l'epidermide intessuta da sottilissime pennellate in-

crociate e la massa setosa di capelli, sono prova della paternità angelichiana di questo stupendo frammento e della sua appartenenza agli anni verso la metà del quinto decennio del Quattrocento.

Un'immagine come questa, che mostra Gesù in posizione frontale e con le spalle non coperte da vesti, potrebbe avere fatto parte di una *Resurrezione* o, più probabilmente, di un *Battesimo di Cristo*, considerando l'aspetto giovanile del Salvatore, con il viso appena ombreggiato da una rada peluria. Sembrerebbe trattarsi dunque del brano di un contesto narrativo, e anche tale circostanza rende plausibile l'ipotesi che rappresenti l'unico, prezioso cimelio proveniente dai distrutti cicli d'affresco romani del Beato Angelico.

(Miklós Boskovits)

Bibl.: Papini 1921, pp. 36-38; Contaldi 1928, pp. 22-23, 124; Van Marle, XI, 1929, p. 144; Hoogewerff 1930, pp. 23, 90; Berenson 1932, p. 96; Lagaisse 1934, pp. 33, 229; Berenson 1936, p. 227; Hermanin 1948, pp. 212-213; Santangelo 1948, p. 6; Zeri 1955, p. 7; Padoa Rizzo 1972, pp. 50, 119; Bolaffi, VI, 1974, p. 124; Angelini 1987, pp. 207-210; Padoa Rizzo 1992, p. 58; Boskovits 1995, pp. 34, 38, 58 n. 17; Cole Ahl 1996, pp. 250-251; Spike 1996, p. 265; Cavallaro-Cianfarini 2000-01, pp. 31, 41.

12
Beato Angelico
(doc. a Firenze dal 1417 - Roma, 1455)
Pentecoste, Giudizio Universale, Ascensione di Cristo
Trittichetto portatile
Tempera su tavola; cm 55 x 74
(tavola centrale cm 55 x 38, ali cm 55 x 18)
Iscrizioni: I(O)HANE[S] (sulla manica destra di san Giovanni Evangelista)

Roma, Galleria Nazionale d'Arte Antica di Palazzo Corsini, inv. 395-396-397

Il trittichetto raffigura nello scomparto centrale il *Giudizio Universale*: l'immagine di Cristo giudice, racchiusa in una mandorla, è attorniata da uno stuolo di angeli e da più schiere di santi disposti ai suoi lati, fra i quali si riconoscono san Domenico, sant'Agostino, san Lorenzo, sant'Andrea (?) e san Pietro (alla sua destra); san Francesco, san Sisto (?)[1], san Benedetto, san Paolo e san Giovanni Evangelista (alla sua sinistra). Sulla terra, divisa dalla successione degli avelli scoperchiati, prende posto la raffigurazione dei beati, laici e religiosi (questi ultimi per la maggior parte frati domenicani e monaci camaldolesi), e dei dannati, composti in gran numero da frati francescani. Gli sportelli laterali includono i due episodi salienti posteriori alla Resurrezione di Gesù, la *Discesa dello Spirito Santo* e l'*Ascensione*, da diversi decenni invertiti di posizione rispetto alla sequenza originale (cfr. neg. Anderson 2732 e Brogi 11982).

Le tre tavolette, oggi comprese in una cornice non originale, si presentano in buono stato, sebbene in passato siano stati deplorati pesanti restauri[2]. Alcune piccole lacune sono state reintegrate, ad esempio nel manto rossiccio di un apostolo di spalle nell'*Ascensione*, nel pavimento e intorno al capo dell'uomo in rosa nella *Pentecoste*. L'oro steso nelle due mandorle in modo da simulare con una graffitura fitta e ondulata lo splendore di una luce invasiva è caduto in diversi punti, dove è stato visibilmente ripreso.

Si tratta della prima opera quattrocentesca che il cardinal Neri Maria Corsini (1685-1770) volle includere nella sua collezione (dove mons. Giovanni Gaetano Bottari la ricorda già nel 1760), acquistandola per la modesta somma di 30 scudi dal Monte di Pietà[3]. Il riferimento all'Angelico trova sostenitori già nella letteratura ottocentesca, dal Marchese a Berenson[4], ma solo la critica del primo Novecento cominciò ad avvertirne la pertinenza al periodo romano dell'artista, con divergenze circa la sua completa autografia (Douglas, Beissel, Hermanin, van Marle) o sull'esecuzione all'interno della bottega (Schottmüller, Muratoff, De Rinaldis)[5]. L'opera è stata poi commentata da diversi autorevoli studiosi del pittore fiesolano[6], ma ha trovato una prima vera considerazione specifica da parte del Pope-Hennessy che, pur considerando degno del maestro solo lo scomparto mediano, ravvisava forti debiti con gli affreschi orvietani (1447) e con le scenette dell'Armadio degli argenti (Firenze, Museo di San Marco), postulandone in principio una datazione nel corso della prima attività romana dell'artista, poi negli ultimi anni della sua vita[7]. Anche in tempi molto recenti il dipinto è stato relegato fra le opere di bottega[8], mentre c'è chi ha avvertito l'esigenza di una sua valorizzazione nel corpus della tarda maturità del pittore, in rapporto alla piccola *Madonna con il Bambino* della Pinacoteca Vaticana e ad altre opere[9].

Agli studi non è mai sfuggito il rapporto di natura iconografica con le due più importanti versioni su tavola del *Giudizio*, quella dipinta verso il 1430 o poco prima per Santa Maria degli Angeli (ora Firenze, Museo di San Marco) e l'altra, pure di provenienza romana (Marchese 1854, p. 302; Spike 1996, pp. 193-194), ora a Berlino, che della prima replica la raffigurazione del Paradiso e dell'Inferno[10]. Fu quest'ultimo dipinto, e non quello qui discusso[11], da cui Bartolomeo Spranger trasse una copia nel 1567 (Torino, Galleria Sabauda). Si tratta di un'opera da ritenere senz'altro autografa e che si concilia per molti versi con il dipinto romano: la conduzione sti-

listica nutrita di eleganze affettate e di ridente espressività si sposa infatti con una profonda visione luministica che la avvicina a molti particolari del polittico di Perugia, ma anche ad altre tavole della prima metà degli anni quaranta, come la tavoletta vaticana citata poc'anzi (A. Galli, in Di Lorenzo-Zanni 2001, pp. 38-39) e quella del Museum of Fine Arts di Boston (Spike 1996, p. 194).

Dal maggio 1446 l'Angelico è do-

cumentato al servizio di Eugenio IV a Roma, dove trova dimora nel convento domenicano di Santa Maria sopra Minerva. Nel trittichetto Corsini, un dipinto al quale ritengo spetti un posto tra i capolavori di questa sua fase inoltrata, intervengono nuove componenti che, rispetto alle opere sopra menzionate, suggeriscono un distanziamento di alcuni anni. Più elaborata rispetto a quanto si poteva osservare in alcuni affreschi delle celle di San Marco – la *Trasfigurazione* o il *Noli me tangere* – è la figura di Cristo fasciata in una veste candida liberamente fluttuante e stirata da lunghe ombre vellutate. Anche gli apostoli dell'*Ascensione* e le comparse della *Pentecoste* sono avvolti in mantelli largamente risvoltati, risolti in ritmi lenti e solenni che, come già si accorgeva il primo commentatore di quest'opera, rivelano "toute la grandeur et le style d'une peinture monumentale"[12]. È, ovviamente, la tenuta delle figure che con classica dignità campeggiano statuarie nel ciclo niccoliano (quelle, ad esempio, della *Disputa nel sinedrio*), come pure del Bambino togato della *Madonna* su tela alla Minerva, un risultato sottovalutato dell'Angelico romano (Minardi 1998, p. 237; Strehlke 1998, pp. 54-55). Una collocazione negli anni immediatamente precedenti alla metà del secolo è indicata anche dalle affinità di impaginazione con alcune scene

1. Beato Angelico, *Giudizio Universale*, particolare, Berlino, Staatliche Museen.

2. Beato Angelico, *San Giovanni evangelista*, Perugia, Galleria Nazionale dell'Umbria.

3. Beato Angelico, *Disputa di san Lorenzo nel sinedrio*, particolare, Roma, Pinacoteca Vaticana, cappella Niccolina.

dell'Armadio degli argenti, dipinto poco dopo quella data per la chiesa della Santissima Annunziata, quando il frate pittore appare nuovamente documentato a Firenze. La struttura poligonale che si erge nella *Pentecoste* è molto simile a quella che, con analoghe implicazioni spaziali, fa da sfondo al *Compenso pagato a Giuda*, mentre il resto della scena, al pari delle raffigurazioni attigue, si legge molto bene come anticipazione delle soluzioni più ariosamente prospettiche che, negli scomparti fiorentini, si gustano come una delle maggiori conquiste dell'ultimo Angelico. Una gestazione anteriore trova conferma anche nel taglio delle figure, che nell'Armadio degli argenti sono sottoposte a un ulteriore, quasi esangue allungamento, similmente alla *Crocifissione* dipinta per il cardinal Juan de Torquemada (Cambridge, Fogg Art Museum); e i nimbi, qui affatto simili a quelli applicati nella *Madonna* vaticana, non sono ancora i sottili dischetti scorciati dei riquadri dell'Annunziata.

Altre importanti indicazioni sono offerte dai santi che circondano il Cristo giudice, il cui volto incorniciato da fluenti riccioli biondi, analogo al frammento di affresco ora nel Museo di palazzo Venezia, addolcisce l'immagine assai simile proposta negli affreschi di Orvieto e nella tavola di Berlino. Ma come i profeti dipinti nella cappella di San Brizio, i personaggi canuti in primo piano esibiscono panneggi ampiamente sfogliati a terra.

Su questi fatti domina comunque l'indagine della luce, che affila i volti e le barbe per eguagliare con una tessitura vibrante la visione veridica dei fiamminghi, in parallelo a molti busti inseriti nella carpenteria della pala perugina, compiuta in quel periodo. In tal senso, le raffinatezze più strabilianti sono nella pittura di un azzurro intenso e trasparente, filettata d'oro, degli angeli mediani librati come creature diafane sul cielo d'alba: Jean Foquet, che alla Minerva aveva lasciato un ritratto di Eugenio IV, sarà il primo interprete di queste luminescenze sottili, nelle figure dai manti blu riflessi d'oro delle *Heures d'Étienne Chevalier* (Chantilly, Musée Condé, WK 6.1.3), al suo ritorno dall'Italia.

(Mauro Minardi)

[1] Cfr. Strehlke 1998, p. 50; Castelfranchi Vegas 1989, p. 168 nota 35, sulla base di Boskovits 1976, p. 43.

[2] Cartier 1857, p. 437; Crowe-Cavalcaselle 1864, p. 588; Supino 1898, pp. 83-84; Schottmüller 1911, p. 149 (parla di un fastigio neogotico, successivamente rimosso); Schottmüller 1924, pp. 163-164 e 264; Salmi 1958, p. 118.

[3] U. Baldini, in *Mostra delle opere* 1955, p. 74 n. 44; Alloisi 1992, p. 7.

[4] Marchese 1854, p. 302; Cartier 1857, p. 437; Crowe-Cavalcaselle 1864, pp. 587-588; Berenson 1896, p. 100; Supino 1898, pp. 83-86, 194. Vedi poi Berenson 1932, p. 23; Berenson 1963, p. 15.

[5] Douglas 1900, pp. 198-199; Beissel 1905, pp. 120-121; Hermanin 1910, p. V; Fortini 1913, p. 45 n. 4; Hermanin 1924, p. 36 n. 723; van Marle 1928, pp. 133-134; Muratoff 1930, p. 84 n. CXI; De Rinaldis 1932, p. 8.

[6] Bazin 1949, p. 185 n. 162; U. Baldini, in *Mostra delle opere* 1955, p. 74 n. 44; *Fra Angelico* 1955, p. 111; Urbani 1957, pp. 96-100; Salmi 1958, p. 88; Orlandi 1964, pp. 103-104; Baldini 1970, p. 109 n. 110; Baldini 1986, p. 265.

[7] Pope-Hennessy 1952, pp. 30, 191; Pope-Hennessy 1974, pp. 37-38, 218.

[8] Spike 1996, pp. 264-265 n. 140; Bonsanti 1998, p. 148 n. 71.

[9] Boskovits 1976, p. 43; Castelfranchi Vegas 1989, pp. 157-158, 168 note 34-35; Boskovits 1995, pp. 46, 60 nota 38; Testa-Davanzo 1996, p. 36; Strehlke 1998, pp. 50-51; A. Galli, in Di Lorenzo-Zanni 2001, p. 38.

[10] In particolare, Rothes 1902, p. 36; Hertz 1981, pp. 169-171.

[11] Strehlke 1998, p. 58.

[12] Cartier 1857, p. 221.

2. Benozzo *magister*

2.1. A Roma
2.2. In Umbria
2.3. A Montefalco

Da Roma a Montefalco*

Diane Cole Ahl

Il 13 marzo 1447 Benozzo lasciava Lorenzo Ghiberti per raggiungere Beato Angelico a Roma, rinnovando una collaborazione iniziata quasi un decennio prima. Durante gli anni trascorsi a Firenze con l'Angelico, Benozzo aveva assunto un ruolo sempre più importante nella bottega del frate come dimostrano gli affreschi nel convento di San Marco. Così doveva essere a Roma e Orvieto, dove egli fu identificato come *consocio* dell'Angelico nel 1447. La loro stretta collaborazione romana durò meno di due anni ma produsse una eccezionale quantità di opere: quattro cicli di affreschi (1447-48) nel Palazzo Vaticano e nella basilica di San Pietro nonché due vele della volta della cappella di San Brizio nel Duomo di Orvieto (estate del 1447). Oltre a queste imprese in collaborazione, Benozzo realizzò alcune opere in proprio che consolidarono la sua personale reputazione a Roma. Fra queste la più significativa fu la cappella Albertoni (già Cantagallini) in Santa Maria in Aracoeli che, si può ipotizzare, gli procurò le commissioni di Montefalco.
Gli anni di Benozzo a Roma coincisero con lo straordinario rinnovamento spirituale, intellettuale e artistico della città durante i pontificati di Eugenio IV e Niccolò V, papi che si dedicarono a rivendicare l'autorità della Chiesa e a restaurare la magnificenza sia pagana che cristiana dell'Urbe[1]. La loro riscoperta del glorioso passato della città era affiancata dall'attività degli umanisti, i cui scritti indagavano la storia dell'antica Roma e la gloria dei martiri della Chiesa, e dagli artisti come Benozzo, che evocavano i monumenti una volta grandiosi e rappresentavano le leggende dei santi.
Come Brunelleschi, Donatello e Michelozzo, artisti fiorentini che lo avevano preceduto nei loro pellegrinaggi artistici a Roma, Benozzo era affascinato dall'antichità[2]. Da instancabile disegnatore, egli registrò le proprie impressioni sulla Roma pagana in alcuni disegni del suo vasto e pregevole corpus. Il disegno dei *Dioscuri* (fig. 1) comunica la sua meraviglia attraverso la luminosa resa del nudo e del cavallo impennato contro il fondo di un azzurro intenso[3]. Altri disegni dall'antico erano stati copiati nella sua bottega e raccolti in un album[4] che include quelli ispirati allo *Spinario* e a figure dei sarcofagi nonché precisi studi di architettura e capitelli. Questi disegni di bottega, sebbene non autografi di Benozzo, documentano la sua attrazione nei confronti dell'antico e dell'architettura, che sembra essere stata di limitato interesse per l'Angelico.
Dei quattro cicli romani di affreschi realizzati da Beato Angelico, Benozzo e aiuti, tre nel Palazzo Vaticano e nella basilica di San Pietro furono distrutti nei rifacimenti successivi[5]. Sopravvive solo la decorazione della cappella Niccolina nel Palazzo Vaticano (doc. 1448) a testimonianza del mecenatismo illuminato di Niccolò V e della sua devozione per i protomartiri Stefano e Lorenzo. Il comune apostolato dei santi si svolge parallelamente in undici scene similmente costruite, organizzate da una architettura immaginaria, classicheggiante, ispirata a quella dell'antica Roma. Il recente restauro della cap-

1. Benozzo Gozzoli, *Studio dei Dioscuri*, 1448-1449, Londra, British Museum, Pp. 1-18.

2. Benozzo Gozzoli, *Abramo e gli adoratori di Belo*, 1471-1472, già Pisa, Camposanto.

3. Benozzo Gozzoli, *San Luca*, 1448, Cambridge, University of Cambridge, Fitzwilliam Museum, 3006*v*.

pella ha trasformato l'aspetto degli affreschi e completamente modificato il nostro giudizio sul contributo di Benozzo all'impresa. La sua responsabilità per gran parte dell'attuale decorazione e delle composizioni marcatamente architettoniche è stata proposta da Arnold Nesselrath, che ha diretto il restauro[6]. L'architettura dipinta – originale, immaginaria e irrealizzabile come gli edifici nelle ultime opere di Benozzo – conferma la sua autografia. Essa costituisce il preludio agli sfondi della cappella maggiore in San Francesco a Montefalco (1452) nonché alle maestose prospettive e piazze degli affreschi nel Camposanto di Pisa (1468-84: fig. 2). I disegni di Benozzo per gli *Evangelisti* (fig. 3), che egli abitualmente riutilizzò nelle opere successive, suggeriscono un suo coinvolgimento nella elaborazione compositiva degli affreschi. Come Nesselrath ha giustamente rilevato, in questa fase Benozzo era diventato un vero *partner* per Angelico, segnando il culmine di una relazione professionale che era iniziata a Firenze quasi un decennio prima.

A mio avviso, è possibile trarre simili conclusioni dal *Cristo nel Giudizio con angeli* e dai *Profeti* (fig. 4), due scomparti della volta della cappella di San Brizio nel Duomo di Orvieto[7]. Come registrano i documenti, le vele furono iniziate da Angelico e dalla sua bottega nell'estate del 1447 ma in seguito abbandonate, dopo quattordici settimane di lavoro, evidentemente per l'insolvenza dell'Opera del Duomo: più di mezzo secolo sarebbe trascorso prima che la cappella fosse completata da Luca Signorelli nel 1504. Il restauro degli affreschi ha rivelato la straordinaria luminosità e i colori delicati delle vele, fornendo la prova stilistica che Benozzo, seguendo le sinopie dell'Angelico,

GLORIOSVS APOSTOLORVM CHORVS

era sostanzialmente coinvolto nella loro effettiva realizzazione. La sua importanza all'interno dell'*entourage* dell'Angelico è inoltre confermata da una *delibera* in relazione agli affreschi (14 giugno 1447) che lo identifica come *consocio* del frate[8]. Sebbene Angelico non tornasse più a Orvieto, Benozzo mantenne contatti con l'Opera e, infatti, realizzò il disegno di una vetrata colorata (perduta) per il Duomo, per la quale fu pagato nel novembre e nel dicembre del 1448[9].

Durante i suoi anni a Roma, Benozzo realizzò alcune opere senza la diretta partecipazione dell'Angelico, come il manoscritto Harley 1340 (cfr. cat. 1). La sua più importante commissione indipendente fu la cappella funeraria del giurista Antonio Cantagallini (ora conosciuta come cappella Albertoni) in Santa Maria in Aracoeli, la casa madre dell'Osservanza francescana. Eseguita intorno al 1447-49[10], la cappella era affrescata con scene della vita del santo omonimo del committente. Del ciclo, che fu distrutto durante il rinnovamento nel 1572, rimane solo l'affresco staccato di *Sant'Antonio con angeli e donatori* (fig. 1 a pag. 231). La commissione fu provvidenziale per le fortune professionali di Benozzo: la mia ipotesi è che gli affreschi dell'Aracoeli attirarono l'attenzione del generale provinciale dell'Osservanza, l'illustre fra Antonio da Montefalco, che ingaggiò Benozzo nel 1450 per decorare la pieve di San Fortunato nel suo paese natale.

Non si sa quando Benozzo abbia lasciato Roma e concluso la sua collaborazione con Beato Angelico, tornato a San Domenico a Fiesole nel maggio 1449[11]. Proprio in questo periodo, Benozzo era a Orvieto dove, senza successo, tentò di ottenere la commissione per la cappella di San Brizio dall'Opera alle prese con una preoccupante situazione finanziaria. Di certo vi rimase fino al 28 dicembre, quando si offrì di donare all'Opera, al costo dei soli materiali, un'*Annunciazione* (perduta) rifiutata da una committente[12]. Durante il suo soggiorno orvietano, egli poté aver messo su una bottega temporanea che probabilmente realizzò la prima delle sue opere umbre, l'*Annunciazione* dipinta per San Domenico a Narni (cfr. cat. 18), che può dare un'idea della perduta pala orvietana. Come nel caso dell'*Angelo Annunciante*, un affresco staccato, proveniente forse dall'arco di ingresso di una cappella in San Domenico a Foligno (cfr. cat. 20), la commissione può ben essere stata ottenuta attraverso la rete delle committenze domenicane creata da Angelico[13].

Durante il 1450, Benozzo arrivò a Montefalco, il centro della sua prodigiosa attività fino alla fine del 1452. Situato a soli trenta chilometri da Assisi, la cui

4. Volta della cappella Nova nel Duomo di Orvieto.

5. Pierantonio Mezzastris, *Madonna col Bambino con le sante Lucia e Chiara d'Assisi*, 1471, Foligno, monastero di Santa Lucia.

6. Niccolò di Liberatore (l'Alunno), *Madonna dei Consoli*, 1457, Deruta, Palazzo Comunale, Pinacoteca.

7. Valerio de' Muti (doc. 1473-1495), *Madonna adorante col Bambino e due angeli tra i santi Francesco e Bernardino da Siena*, Foligno, Pinacoteca Comunale.

8. Benozzo Gozzoli, *Madonna adorante col Bambino e san Giuseppe*, c. 1495, New York, collezione di Richard L. Feigen.

spiritualità ne pervadeva la vita religiosa, questo piccolo paese annoverò due eminenti committenti francescani (si veda la sezione *Documenti* in questo catalogo): il già menzionato fra Antonio, un predicatore carismatico e riformatore così stimato che fu designato papa dopo la morte di Niccolò V (1455), e l'erudito conventuale fra Jacopo da Montefalco, lettore al Sacro Convento (1437) e all'Università di Bologna (1441). Fra il 1448 e il 1449, entrambi si unirono alla confraternita di San Girolamo a Perugia, fondata dall'eloquente predicatore francescano Giacomo della Marca. Considerata l'eminenza dei suoi protettori, le commissioni di Benozzo per le loro chiese rivestono un particolare significato come espressioni della pietà francescana, sia osservante che conventuale, per il loro stile[14] e per la loro influenza[15]. Benozzo evidentemente era stato chiamato a Montefalco nel 1450 da fra Antonio che, con il supporto di Niccolò V, si dedicò alla riforma, alla ricostruzione e alla decorazione di San Fortunato, la pieve in rovina della città.

Dal punto di vista iconografico, le opere di Benozzo per San Fortunato interpretavano il tradizionale culto dell'ordine francescano per la Madonna e il tema del rinnovamento religioso pertinente al luogo. Stilisticamente, essi integrarono la tradizione artistica locale con l'innovazione fiorentina e il classicismo che egli aveva assimilato durante il soggiorno romano. La loro influenza risuonò attraverso numerose opere locali, specialmente quelle ispirate alla lunetta del portale (fig. 5), notevole per la rappresentazione illusionistica delle figure dei santi, e alla sua prima opera firmata e datata, l'intensa *Madonna col Bambino e angelo*.

Dal 1452 Benozzo aveva intrapreso la decorazione di San Francesco, la più antica chiesa francescana di Montefalco che, come San Fortunato, si stava ricostruendo in questo periodo. Con la rapidità e la competenza che gli erano proprie, l'artista affrescò due cappelle nella chiesa: la cappella maggiore, commissionata da fra Jacopo da Montefalco, come attesta l'iscrizione; e la cappella di San Girolamo, una piccola cappella privata nella navata sud. La cappella maggiore, uno dei pochi cicli quattrocenteschi sopravvissuti sulla vita di san Francesco, presenta la vita del *poverello* e la genealogia spirituale del suo ordine, sintetizzando fonti che riflettono l'erudizione religiosa del committente. La decorazione della cappella è il primo ciclo ad affresco esistente di Benozzo e rivela il suo ingegno nel rappresentare la complessità della narrazione: le scene a più episodi sono organizzate con chiarezza da profondi paesaggi e architetture, i colori sono limpidi e brillanti, e i gesti delle figure esprimono efficacemente il dramma sacro. La cappella di San Girolamo è uno dei due cicli di affreschi sulla vita del padre della Chiesa conosciuti nell'Italia del Quattrocento. Sebbene due pareti siano state abbattute nei rifacimenti, le scene dimostrano la sensibilità di Benozzo di adattarsi alle condizioni del luogo: a causa delle piccole dimensioni della cappella e della sua funzione come spazio devozionale privato, l'artista semplificò le composizioni e ridusse il numero di figure in modo proporzionale. Mentre Benozzo preparava i disegni e la sinopia, un assistente lo aiutava a dipingere gli affreschi attuali[16]. Come Benozzo aveva imparato negli anni trascorsi presso Angelico e Ghiberti, l'attività prolifica era possibile solo se un artista manteneva una efficiente bottega.

Se le cappelle in San Francesco testimoniano la competenza di Benozzo nella tecnica dell'affresco, forse l'opera più bella di questi anni è la tavola devozionale della *Madonna dell'umiltà* (cfr. cat. 22), in cui san Francesco in ginocchio, in perfetto equilibrio con Bernardino da Siena, implora l'intercessione della Vergine verso il piccolo donatore, fra Jacopo, committente della cappella maggiore. Il fitto paesaggio boschivo, le espressioni estatiche dei santi e i riflessi luminosi dei broccati e dei tessuti sontuosamente lavorati ispirarono numerose opere in tutta la regione (figg. 6-7). Essa introdusse il tema dell'adorazione mistica che Benozzo, verso la fine della sua vita, avrebbe ripreso in un dipinto della collezione di Richard L. Feigen a New York[17], che pubblico qui come opera dell'artista (fig. 8). Questa superba immagine – sorprendente se confrontata alla pittura precedente per la sua solenne austerità, la tavolozza intensamente cupa e l'interesse concentrato sulla Vergine adorante con reverenza il Bambino Gesù – segna quasi il culmine di una lunga e brillante carriera. I cinque prolifici anni che Benozzo trascorse a Roma e Montefalco formano un capitolo di straordinaria importanza in quella attività.

[*] Traduzione di Patrizia Di Benedetti.
[1] D'Onofrio 1989, pp. 13-266.
[2] Pasti 1988, pp. 135-143.
[3] A. Natali, in Petrioli Tofani 1992, p. 22.
[4] Ames-Lewis 1998, pp. 26-44.
[5] Gilbert 1975, pp. 245-265.
[6] Nesselrath 1999, pp. 72-92.
[7] Cole Ahl 1996, pp. 37-40.
[8] Serafini 1911, pp. 100-101.
[9] Fumi 1891a, pp. 194 s, 226 s, 234 s.
[10] Cole Ahl 1996, pp. 251-252.
[11] Orlandi 1964, p. 194, doc. XXI.
[12] Cole Ahl 1996, p. 272.
[13] Padoa Rizzo, 1992, p. 40.
[14] Cole Ahl 1996, pp. 41-71.
[15] Lunghi 1997, pp. 70-72.
[16] Cole Ahl 1996, pp. 68-71.
[17] Pubblicato come Alesso di Benozzo in Sotheby's 2001, p. 144, n. 60.

13
Benozzo Gozzoli
Aquila ad ali aperte in un serto di quercia con nastro annodato (recto)
Stigmate di san Francesco e studio di testa (verso)
Penna ad inchiostro bruno e pennello su carta *(recto)* - Punta d'argento penna e pennello *(verso)*; mm 185 x 155
Iscrizioni: in basso a destra numeri 59 e 85

Stoccolma, Nationalmuseum, inv. n. NMH 88/1863

Di questa prova grafica, che presenta sul *recto* un'aquila ad ali aperte in un serto di quercia mentre sul *verso* raffigura le stigmate di san Francesco e uno studio per una testa, si trova menzione la prima volta nell'inventario del 1790 delle collezioni reali svedesi. Nella collezione l'opera era giunta nel 1750 a seguito della vendita al re Adolfo Federico da parte del conte Tessin di quasi tutta la sua collezione. Il conte Carl Gustav Tessin aveva acquistato l'opera a Parigi nella grande vendita della collezione Crozat[1]. Attribuito dapprima a ignoto artista romano[2] e poi considerato opera di bottega di Benozzo[3], il disegno fu per la prima volta assegnato a Benozzo da Degenhart e Schmitt, che lo ritennero eseguito nel primo soggiorno romano di Benozzo e misero il *recto* di questa prova grafica in relazione con il fregio che compare nella scena della cappella Niccolina col *San Lorenzo di fronte a Decio,* nel coronamento del trono dell'imperatore romano, attribuzione accolta dalla critica successiva[4]. Il marmo ripreso da Benozzo nel *recto* è un antico fregio di età traianea (II secolo d.C.), forse proveniente dal vicino Foro omonimo (Melchiorri 1934, pp. 236-237; Matz-Duhn 1881-82, III, n. 3539; Wickhoff 1894-95, pp. 72-73), ora murato sulla parete destra del portico della basilica dei Santi Apostoli in Roma. La più antica menzione di questo fregio, all'interno della chiesa, compare nella descrizione della città, del 1450, del fiorentino Giovanni Rucellai che lo dice posto sotto il pulpito della basilica (Rucellai 1960, I, p. 74). Successivamente murato al di sopra del portale maggiore della chiesa, il fregio è, dal 1701, nella sua attuale posizione (Malvasia 1666, p. 95; Vasi 1794, p. 225; Scatassa 1915, pp. 11-15; Zocca 1959). La possibilità di confrontare il disegno col marmo antico permette di condividere le affermazioni della Pasti che il marmo antico sia stato ripreso da Benozzo con grande senso della realtà. Le foglie di quercia sono finemente delineate una a una. Con la stessa cura, attraverso l'uso di un forte chiaroscuro è reso il movimento del nastro. Questo si contrappone alla resa rigida delle ali aperte dell'aquila di cui è resa altrettanto bene l'espressione nobile della testa e la forza che gli artigli esercitano sul serto. La ripresa nella Niccolina di questo disegno dal vero – che si discosta dall'originale soltanto per l'assenza della cornice e per la coda dell'aquila, che sporge dal serto nel disegno, mancanze che possono giustificarsi con i frequenti spostamenti a cui fu sottoposto l'antico marmo – appare più debole e sommaria anche se l'intero affresco gli è concordemente attribuito (cfr. Padoa Rizzo 1992, p. 34; Cole Ahl 1996, p. 286). Caratteri più prossimi a un disegno preparatorio, forse per uno degli affreschi del ciclo di San Francesco a Montefalco, presenta il *verso* di questo foglio. *Recto* e *verso*, quasi a riprova dell'autografia di questo foglio, sono ripresi nel taccuino di disegni Koenigs di Rotterdam e in altri fogli di disegni conservati in musei diversi ma provenienti dallo stesso taccuino.

(Beatrice Cirulli)

[1] Degenhart-Schimtt 1968, I (2), p. 497 n. 411, I (4) 319, Lugt.
[2] Sirèn 1917, p.108 n. 428.
[3] Berenson 1938, II, p. 55 n. 559K.
[4] Pasti 1988, pp. 142-143 n. 43; Cole Ahl 1996, p. 286, n. 126.

recto

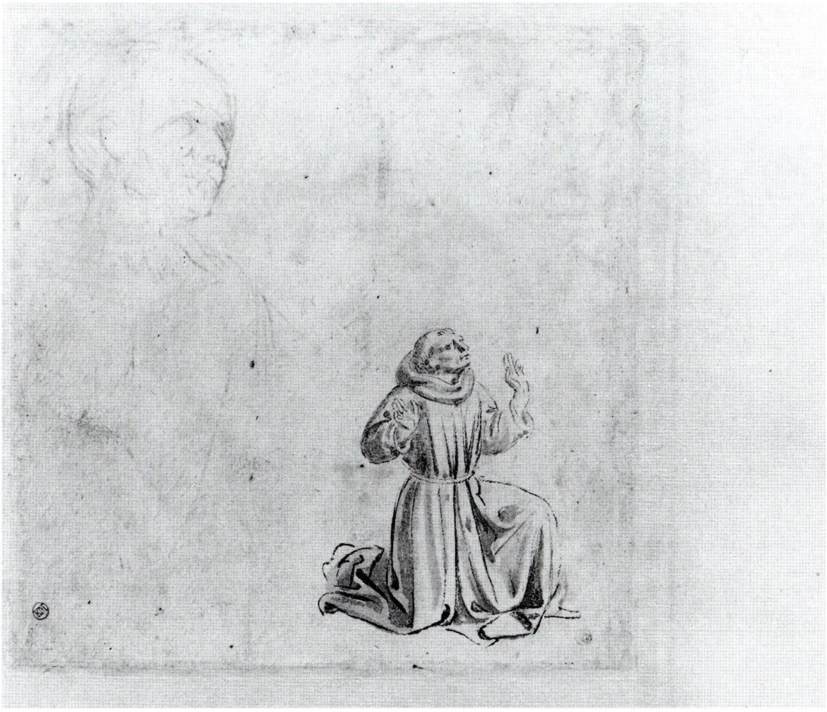

verso

14
Benozzo Gozzoli
Testa di bambino (recto)
Madonna col bambino (verso)
Punta metallica, pennello e inchiostro marrone, biacca, carta preparata marrone-oliva (*recto*)
Penna e inchiostro marrone, leggere acquerellature, carta bianca (*verso*);
mm 127 x 114 (misure massime)

Firenze, Gabinetto Disegni e Stampe degli Uffizi, inv. 101 E

Il piccolo foglio ritagliato in formato ovale presenta sul *recto* il busto di un *Bambino* disegnato con grande sensibilità e naturalismo a punta metallica e biacca su un fondo preparato marrone. Sul *verso* è raffigurata a penna acquerellata una piccola *Madonna col Bambino* recante il globo nella mano sinistra.
Esso proviene dalle antiche collezioni medicee[1] dove era incollato su una pagina del III Volume Universale tra i cinque fogli attribuiti a Benozzo Gozzoli, e così descritto nell'inventario settecentesco: "Busto di bel Putto in faccia simile [a matita nera e biacca] in un tondo su fondo scuro"[2]. La faccia con la Madonna non era allora visibile perché nascosta dal controfondo. L'attribuzione tradizionale fu spostata in favore del Beato Angelico dal Ferri, e della sua scuola dal Berenson[3], per esser riportata al Gozzoli in base a una rettifica di quest'ultimo che però distingueva cronologicamente le due facce con l'anteriorità del *recto*[4]. Degenhart e Schmitt[5], individuandovi il tipico rapporto di dipendenza espresso da Benozzo anche in fogli quali il *Diacono* di Windsor[6] (cat. 16r), le hanno invece considerate entrambe prove grafiche del giovane pittore nel momento di massima vicinanza al maestro. Se i due ritratti, affini tecnicamente e stilisticamente, riflettono l'esperienza romana a fianco del frate, anche la Madonna dipenderebbe da un prototipo dell'Angelico così come nel suddetto foglio di Windsor sono copiate sul *verso* le figure della Niccolina. La testa di bambino è stata recentemente accostata da Natali al bellissimo *Dioscuro* del British Museum per l'analogo sensibile impiego della biacca che a suo parere porta a confermare l'autografia gozzolesca per il foglio londinese[7].
Davvero la qualità di questo piccolo foglio è altissima su entrambi i lati come ha ben evidenziato Angelini presentandolo alla mostra fiorentina del 1986[8]. Sul *recto*, la sensibilità con cui i lumi descrivono liberamente i capelli e il volto del bambino e la resa efficace dell'espressione quasi imbronciata del viso, costituiscono certo un risultato di grande forza naturalistica, assente nelle numerose teste "di repertorio" del Gozzoli, ma percepibile nel caso di certi suoi disegni "dal naturale" come il foglio 102 di Venezia (Degenhart-Schmitt 1968, cat. 408).
Per quanto riguarda la Madonna, essa presenta una tipologia di stretta osservanza angelichiana, risalente ad esempio alla pala di San Marco o alla *Madonna delle Ombre*. Anche l'esecuzione tecnica presenta una eccezionale leggerezza e delicatezza che si ritrova piuttosto in fogli del Beato stesso, come il *Profeta David* di Londra[9] (inv. 1895-9-15-487, Degenhart-Schmitt 1968, cat. 369), che non nelle prove a penna più consuete di Benozzo, in cui il linguaggio rimane caratteristico anche nel caso di traduzione di opere dell'Angelico. Si sarebbe portati quasi a supporre, con Angelini, l'impiego da parte del Gozzoli di un foglio già disegnato dal collega, se non fosse per l'esistenza di un gruppo di opere riconosciute al periodo pre-romano del nostro pittore, tra cui la *Madonna del baldacchino* di Londra (cat. 7) e la piccola *Crocifissione* di collezione parigina, alle quali il nostro disegno può plausibilmente venire accostato. Le due figure devono quindi essere inquadrate come una delle più antiche prove grafiche del Gozzoli, che ben rappresenta il complesso rapporto con l'Angelico nella sua fase più precoce e suggestiva.

(Lorenza Melli)

[1] Ragghianti Collobi 1974, p. 66, ne ipotizza anche una provenienza dal *Libro* del Vasari.
[2] Pelli Bencivenni 1793, II, n. 5.
[3] Ferri 1881, p. 10; Berenson 1903, II, n. 171; per le vicende inventariali vedi Petrioli Tofani 1986, p. 45 (con bibliografia).
[4] Berenson 1938, II, n. 534 B.
[5] Degenhart-Schmitt 1968, cat. 400 (con bibliografia).
[6] Attribuito invece al Beato da Angelini 1986, in cat. 2; De Marchi, in Bellosi 1990, cat. 14, pp. 102-103, e Clayton 1993, cat. 1, pp. 18-21.
[7] A. Natali, in Petrioli Tofani 1992, cat. 1.1, pp. 22-23. Ritenuto invece dell'Angelico da Degenhart-Schmitt 1968, cat. 373.
[8] Angelini 1986, cat. 2, pp. 16-17 (con bibliografia).
[9] Come proposto da Angelini.

recto

verso

15
Benozzo Gozzoli
Madonna col Bambino entro un'edicola e Spirito Santo
Tempera su seta poi trasferito su tavola; cm 254 x 130

Roma, basilica di Santa Maria sopra Minerva, cappella Frangipane o della Maddalena (proprietà Fondo Edifici di Culto)

Ricordato dalla letteratura periegetica romana come opera dell'Angelico[1], questo stendardo compariva, sino a tempi recenti, soltanto a margine del catalogo del fiesolano. Esso era giudicato in questi scritti o copia debole da un originale dell'Angelico o prodotto della sua bottega[2]. Questi giudizi devono essere letti tenendo presente che l'opera prima del restauro, condotto da Paola Fiorentino, che ha restituito le parti autentiche del dipinto e sostituito la pesante tela di rifodero settecentesca con un'altra di cotone, si presentava sfigurata da pesanti ridipinture[3]. Queste erano state eseguite tra tardo Cinquecento e Settecento, quando lo stendardo – divenuto vessillo, emblema, oggetto di culto più importante della confraternita del Rosario della Minerva che si riuniva, sin dal 1579, nella cappella Capranica – veniva portato in processione in occasione di tutte le feste mariane (Bianchi-Giunti 1988, pp. 37-51). Dopo il restauro il dipinto, che fu creato per la cappella della Beata Vergine (Palmerio-Villetti 1989, p. 175), che sorgeva in luogo dell'attuale altare tardo cinquecentesco di San Giacinto, è stato pubblicato dalla Pasti come opera del Gozzoli databile per via storico-documentaria al 1449[4]. Tale attribuzione concordemente accolta dalla critica[5] è stata, recentemente, messa in dubbio. La Madonna minervitana sarebbe infatti così diversa, di così alta qualità rispetto a quanto realizzato in Umbria da Benozzo nei primi anni cinquanta da far sospettare che la Vergine della Minerva non sia di sua mano ma opera nella sua interezza di Angelico dell'epoca della Niccolina[6]. Non vi è dubbio che lo stendardo si ispiri nel suo complesso a dipinti dell'Angelico degli anni trenta quali il *Tabernacolo dei Linaiuoli* o la *Madonna col Bambino* di San Marco[7]. Il disegno di questa Vergine è però meno fluido di quello dell'Angelico, tanto più rigido da non potersi condividere l'affermazione della Pasti che Benozzo operi qui su di un modello fornitogli dall'Angelico. "I volti larghi e un po' appiattiti, le palpebre leggermente rigonfie, il profilo risentito dei nasi, i menti piccoli e sfuggenti la bassa fronte delle Vergine" la compattezza degli incarnati, e il chiaroscuro deciso e una generale pesantezza dell'insieme sono poi caratteri specifici della maniera di Benozzo prima e dopo Montefalco. Senza alcun dubbio però questa Vergine (che non può essere confusa *con* l'*Annunciazione* ricordata da Vasari nella vita dell'Angelico)[8] è opera anomala del giovane Benozzo per motivi però completamente diversi da quelli legati al problema dell'autografia ma che giustificano forse le perplessità a inserire questa tempera nel suo catalogo. Tra le caratteristiche distintive della pittura di Benozzo v'è sempre il gusto per la narrazione. In questa *Madonna* tale peculiarità è affidata soltanto ad alcuni dettagli – la preziosità del manto della Vergine foderato di ermellino, la decorazione a intarsi della loggia – quasi che, come nella più tarda *Madonna* di Sermoneta, Benozzo contenga la sua personalità per seguire un modello più antico espressamente richiesto dalla committenza che apprezzava la pittura moderna ma che aveva bisogno di un oggetto di culto che rimandasse in maniera chiara a un'opera più antica. Come già notato, la Vergine e il Bambino paiono tratti da un'icona paleocristiana o altomedievale[9]. Potrebbe trattarsi a ben guardare di un ammodernamento dell'icona della *Salus Populi Romani*. Di questo importante ritratto acheropito di Maria, Benozzo sembra aver ripreso, in questo stendardo, non soltanto il tipo ma anche il suo originario allestimento all'interno della basilica di Santa Maria Maggiore. È possibile che questa commissione, come ipotizza la Pasti, sia stata ottenuta da Benozzo per tramite dell'Angelico in quel momento impegnato, oltre che nei cantieri del Vaticano e di Orvieto, nell'esecuzione dell'ancona dell'altare maggiore della chiesa della Minerva. Lo stendardo, come proposto dalla Pasti, potrebbe essere stato realizzato forse poco prima che Angelico torni a Firenze e che Benozzo avvii il suo percorso verso Montefalco, e dunque tra 1448 e 1449. A queste stesse date deve essere ricondotto anche l'affresco, raffigurante la *Vergine col Bambino e due angeli*, conservato nella chiesa dei Santi Domenico e Sisto, ma che proviene forse dalla Torre delle Milizie (Zucchi 1992, p. 619) e che meriterebbe – prima che il tentativo di assegnarlo ad altro artista (Bartalini 1990, n. 42) – un attento restauro. Liberato dalle antiche ridipinture questo affresco infatti potrebbe rivelarsi di grande importanza anche per una più precisa lettura dello stendardo minervitano.

(Beatrice Cirulli)

[1] Albertini 1886 [1510], p. 18; Titi 1973 [1751], p. 159.
[2] Schmarsow, in Albertini 1863 [1510], p. 18 n. 19; Milanesi, in Vasari 1906, II, p. 532; Berthier 1910, p. 209; Salmi 1958, p. 54; Baldini 1970, p. 117; Strinati 1984, p. 408 n. 31.
[3] P. Fiorentino, in *Mostra delle opere* 1965, pp. 7-8.
[4] Pasti 1985, pp. 57-66.
[5] Padoa Rizzo 1992, p. 35; Acidini Luchinat 1994, p. 12; Cole Ahl 1996, pp. 252-253.
[6] Minardi 1998, p. 237.
[7] Pasti 1985.
[8] Pasti 1985.
[9] Padoa Rizzo 1992; Acidini Luchinat 1994.

MARIA VIRGO
ASIA
EVROPA AFRICA

16
Benozzo Gozzoli
Testa di santo (recto)
San Lorenzo che distribuisce le elemosine, donna con bambino, figura maschile (verso)
Punta d'argento e biacca su carta preparata giallo-arancio *(recto)* - Penna e bistro su carta bianca *(verso)*; mm 181 x 167

Windsor Castle, The Royal Library, inv. RL 12812, per gentile concessione di Sua Maestà la regina Elisabetta II

Fino alla metà del secolo scorso prevaleva la tendenza ad attribuire i disegni del foglio di Windsor ad artisti diversi. Mentre il *recto* fu a lungo riferito all'Angelico per la qualità dell'esecuzione i dubbi sull'autografia del *verso* suggerirono una generica attribuzione alla cerchia del frate. La proposta di Papini di assegnarli entrambi al Gozzoli rimase senza seguito fino al catalogo dei disegni di Windsor a cura di Popham e Wilde[1]. Sulla base del confronto con un altro disegno della stessa raccolta attribuito a Benozzo, la *Testa di giovane* (cat. 17r; Popham-Wilde 1949, p. 173, n. 11, inv. n. 12811 *recto*), i due studiosi confermarono la *Testa di santo* all'artista, giudizio successivamente accolto dalla critica. Recentemente Andrea De Marchi[2] ha riproposto l'attribuzione all'Angelico rilevando un diverso modo di tracciare le lumeggiature nei disegni autografi di Benozzo. Tuttavia gli elementi in comune alle due teste di Windsor sono più rilevanti che le loro differenze: entrambe sono eseguite a punta metallica: il tratteggio costruisce i tratti fisiognomici ravvivati da tocchi di biacca. Le due teste rivelano un interesse per gli effetti di luce che si riscontra in alcune teste dipinte sui costoloni della volta della cappella di San Brizio nel Duomo di Orvieto. È pertanto da condividere una cronologia a ridosso dello scadere del quinto decennio del Quattrocento quando Benozzo era impegnato accanto all'Angelico nelle imprese vaticane e di Orvieto. I tentativi per l'identificazione del personaggio raffigurato sul *recto* sono risultati vani confermando la sua funzione di "studio" del modello dal vero.

Le figure sul *verso* del disegno di Windsor sono delineate da un tratto morbido e modellate da ombreggiature acquerellate rafforzate nei panneggi dei personaggi a destra da un tratteggio a piccoli tratti paralleli.

I personaggi derivano da alcune scene affrescate da Angelico e dai suoi collaboratori, fra i quali il Gozzoli, nella cappella Niccolina in Vaticano. Il santo e la donna con il bambino in braccio compaiono nella scena con *San Lorenzo che distribuisce le elemosine*, l'altra figura maschile nella scena che rappresenta *San Lorenzo davanti a Decio*. Più che sull'attribuzione al Gozzoli, sulla quale la critica è apparsa abbastanza concorde[3], la discussione ha riguardato eminentemente il rapporto con gli affreschi e il ruolo dei collaboratori nella bottega di Angelico. La Collobi Ragghianti[4] per prima propose di considerare il disegno una copia dagli affreschi e non uno studio preparatorio: in questo modo era possibile confermare l'autografia di Benozzo senza presupporre un suo intervento nella fase di elaborazione compositiva delle scene. L'ipotesi venne accettata dalla Padoa Rizzo[5] che rilevò una qualità scadente nella realizzazione ad affresco della figura maschile con le dita delle mani incrociate nella scena vaticana. Contestualmente la studiosa riconosceva nel gruppo della donna con il bambino il modello che l'artista riutilizzò per diverse Madonne[6]. Questa prassi è testimoniata dai disegni degli *Evangelisti* conservati a Chantilly e a Cambridge[7]. Recentemente il Nesselrath[8] ha negato l'autografia di Benozzo per questo disegno. Si tratterebbe pertanto di una copia di bottega con un indubbio valore documentario e che testimonierebbe dell'intervento di Benozzo nella fase progettuale della decorazione. Le figure di san Lorenzo e della donna con il bambino ritornano in un disegno conservato a Berlino (fig. 1; Kupferstichkabinett, inv. n. 5578)[9] assegnato alla bottega dell'artista: la tecnica dei due disegni è diversa ma il disegno di Berlino suggerisce la presenza di un modello grafico per la diligenza un po' schematica nel riprodurre le zone d'ombra (unica variante è nella manica del braccio destro della donna).

(Patrizia Di Benedetti)

[1] Popham-Wilde 1949, p. 172; Degenhart-Schmitt 1968, I, 2, p. 457 (con bibliografia precedente) e I, 4, tav. 313a e 313b.
[2] De Marchi, in Bellosi 1990, pp. 102-103.
[3] Cfr. n. 1.
[4] Collobi Ragghianti 1955, p. 41.
[5] Padoa Rizzo 1972, p. 109.
[6] Padoa Rizzo 1972, pp. 121-122; Pasti, 1988, p. 63.
[7] Pasti 1988, pp. 29-30.
[8] Nesselrath 1999, p. 93, n. 11.
[9] Degenhart-Schmitt 1968, I, 2, p. 464, e I, 4, tav. 336.

1. Benozzo, Gozzoli, *San Lorenzo distribuisce le elemosine, Donna con un bambino, Putti reggighirlande*, Berlino, Kupferstchkabinett, inv. 5578.

recto

verso

17
Benozzo Gozzoli
Testa di ragazzo di semi-profilo a destra (recto)
Quattro santi seduti (verso)
Punta metallica, biacca, carta preparata in marrone-oliva (*recto*)
Tracce di punta metallica, penna e inchiostro marrone, acquerellature marroni, carta bianca (*verso*); mm 231 x 169

Windsor Castle, The Royal Library, inv. RL 12811
Per gentile concessione di Sua Maestà la Regina Elisabetta II

Il foglio della collezione reale inglese fu attribuito a Benozzo dal Berenson[1], che distingueva il *recto*, con *Testa di giovane*, autografo del nostro pittore, dal *verso* con *Quattro santi seduti* con libri in mano, ritenuto di un debole seguace dell'Angelico. La distinzione, accolta generalmente dagli studiosi[2], non è stata accettata da Degenhart e Schmitt[3] che vedono in entrambe le facce la mano del Gozzoli nel suo periodo di maggior vicinanza all'Angelico, tra il 1447 e il 1449. La conferma sarebbe data dall'esistenza di una copia dei due santi che leggono, in basso sul verso, su una delle pagine del taccuino di Rotterdam, foglio 45 (Degenhart-Schmitt 1968, cat. 448), in cui un collaboratore del Gozzoli avrebbe riprodotto il disegno del maestro. È evidente come queste figure sul foglio inglese, probabilmente evangelisti, presentino una spiccata fisionomia gozzolesca e anche una minore secchezza rispetto alla replica. A ogni modo, per accoglierne l'autografia si deve ammettere che probabilmente sono anch'essi una derivazione da una tipologia più arcaica, tramite un ulteriore libro di modelli.
La *Testa di giovane* sul *recto* è poco leggibile nelle linee a punta metallica che si confondono con la preparazione marrone, mentre la biacca emerge con forza nei sottili filamenti che descrivono i piani illuminati del volto. Una prova grafica del Gozzoli in cui la Caneva riconosce un ritratto dal naturale di un garzone di bottega eseguito nei tardi anni quaranta, la cui fisionomia giovanile non è forzata verso la caratterizzazione, ma delineata delicatamente in una posa leggermente irrigidita. Clayton lo analizza invece in rapporto all'altra *Testa* di Windsor, 12812 (cat. 16r) che ritiene, per la diversa sensibilità spaziale, del Beato Angelico. Egli osserva che il disegno del Gozzoli dimostra una debolezza strutturale per cui i dettagli risultano sostanzialmente isolati uno dall'altro, con un risultato compilativo invece che costruttivo. L'attenzione è rivolta soprattutto agli aspetti bidimensionali invece che alla presenza fisica del soggetto. Recentemente la Ahl[4] ha proposto di avanzare la cronologia del disegno al tempo degli affreschi di palazzo Medici, individuandovi uno studio realistico per il paggio che accompagna il giovane Mago.

Ci sembra che questo studio di testa, di grande efficacia luministica, dimostri la consumata conoscenza tecnica del pittore e che nasca probabilmente da un'osservazione dal naturale. Ma i grafemi tipici del Gozzoli la qualificano, invece che un ritratto specifico, come una delle teste generiche per personaggi contemporanei impiegate già nelle pareti del coro di Montefalco (fig. 1). Qui lo spettatore può dedicarsi, con l'occasione della mostra, a cercarne altre corrispondenze.

(Lorenza Melli)

[1] Berenson 1903, n. 546.
[2] Popham 1931, cat. 23, p. 7; Caneva, in Petrioli Tofani 1992, cat. 4.1, pp. 94-95 (con bibliografia); Clayton 1993, cat. 2, pp. 23-25 (con bibliografia).
[3] Degenhart-Schmitt 1968, cat. 401 (con bibliografia).
[4] Cole Ahl 1996, pp. 106-107, nota 100, fig. 126.

1. Benozzo Gozzoli, *Benedizione di Montefalco*, particolare di uno degli astanti, Montefalco, Chiesa-Museo di San Francesco, coro.

recto

verso

18
Benozzo Gozzoli
Annunciazione
Tempera su tavola; cm 112 x 114
Iscrizioni: sull'oro della tenda alle spalle della Vergine: OPU(S) BENOTI(I) DE FLORENT(IA); sul bordo del mantello della Vergine: (AV)E REGINA

Narni, Palazzo Comunale, Pinacoteca

La firma del pittore è stata letta nel corso dell'ultimo restauro, eseguito nel 1988 da Giovanni Manuali sotto la direzione di Margherita Romano[1]. Osservando a luce radente il tendaggio broccato in oro alle spalle della Vergine è apparsa una iscrizione in capitale umanistica, invisibile a occhio nudo e identica nell'esecuzione ai graffiti leggibili sul fondo oro della pala della Sapienza Nuova conservata nella Pinacoteca di Perugia. La presenza di una firma ha confermato la pressoché unanime attribuzione a Benozzo, che fu proposta per primo da André Peraté recensendo la mostra di Perugia del 1907[2], dove l'*Annunciazione* era stata presentata come opera di un pittore umbro influenzato da Beato Angelico[3].
La pala entrò nel Palazzo Comunale dalla chiesa di San Domenico di Narni, al cui interno fu vista da Mariano Guardabassi, in una cappella nella navata sinistra – "tavola a tempra - L'Annunciazione; opera del Mezzasti" –[4]; notizia confermata da Giovanni Eroli, il quale, scrivendo sullo scorcio del secolo XIX, ricordava di aver visto nella chiesa di San Domenico "una piccola tavola [...] sulla parete destra dell'altare avente in sé l'Annunziata [da] attribuire alla scuola umbra", e conservata in pessimo stato di conservazione nella raccolta comunale[5]. Qualche dubbio è stato sollevato da Anna Padoa Rizzo, con la motivazione che una tavola che ha le misure di una pala d'altare non può essere definita "piccola" e dunque il quadro visto da Guardabassi in San Domenico sarebbe un altro[6]; in genere, tra gli studiosi di Benozzo la provenienza da San Domenico è ritenuta molto probabile. Sembra che ancora nel 1901 la tavola fosse fornita di una cornice[7], della quale fu privata forse in occasione della esposizione alla Mostra di antica arte umbra di Perugia del 1907.
Sempre Peraté ne collocò l'esecuzione agli anni del soggiorno di Benozzo a Montefalco, tra il 1450 e il 1452. Anche questo paletto cronologico è stato generalmente accolto, seppure con leggere oscillazioni; a volte anticipandolo al periodo orvietano di Benozzo[8], a volte posticipandolo al tempo della pala perugina del 1456[9]. Da più parti è stata evidenziata la dipendenza da modelli dell'Angelico, soprattutto dalla figura dell'angelo nella cella n. 3 del convento di San Marco a Firenze[10]. La vicinanza di Narni con Orvieto ha sollevato il problema del possibile legame con un'opera raffigurante l'Annunciazione[11], che era stata richiesta a Benozzo da una "domina Gianna Gregorii" e che era rimasta incompleta per l'insolvenza della committente, "propter proximam futuram revolutionem". Nel dicembre 1449 Benozzo cercò di cedere il dipinto all'Opera del Duomo di Orvieto, offrendosi di ultimare a sue spese il lavoro iniziato, eccetto il costo dei materiali; i sovrastanti accettarono l'offerta dichiarandosi disposti a sostenere il costo dei colori, purché il pittore sostituisse lo stemma di donna Gianna con quello della Fabbrica del Duomo. Di questo dipinto non si conosce la sorte né quale fosse la tecnica esecutiva, ma non è escluso che la trattativa tra Benozzo e l'Opera del Duomo non sia andata in porto e che il quadro, qualora si trattasse di una tavola, sia poi arrivato in qualche modo a Narni. Un'altra possibile soluzione è che Benozzo sia entrato in contatto con i frati del convento di San Domenico di Narni per intermediazione dell'Angelico, che a Roma risiedeva nel convento di Santa Maria sopra Minerva, e che abbia dipinto la paletta a Roma nel tempo libero dagli impegni assunti con Niccolò V come principale collaboratore dell'Angelico, tra il 1447 e il 1449[12]. Si spiegano così le fortissime affinità con la materia luminosa del maestro, ma con in più una ingenuità e uno stupore che costituiscono la cifra caratteristica di Benozzo, a fronte della calma olimpica del religioso.
Nondimeno, per la presenza della firma, l'*Annunciazione* di Narni è la prima opera assolutamente certa e autonoma di Benozzo, dalla quale partire per ogni possibile ricostruzione del suo percorso nel periodo precedente l'attività nel San Fortunato di Montefalco[13].

(Elvio Lunghi)

[1] Romano 1991, p. 88.
[2] Peraté 1907, p. 8.
[3] *Catalogo della Mostra* 1907, p. 65.
[4] Guardabassi 1872, p. 134.
[5] Eroli 1898, p. 274.
[6] Padoa Rizzo 1972, pp. 32, 112.
[7] Perugia, Archivio storico della Soprintendenza, b. T 22-2.
[8] Padoa 1969, pp. 59, 61; Padoa Rizzo 1992, p. 39; Padoa Rizzo 1997b, pp. 46-49.
[9] Van Marle 1929, p. 150.
[10] Vedi soprattutto Silvestrelli 1993, pp. 36-39.
[11] Cole Ahl 1996, pp. 232-233.
[12] Lunghi 1997, pp. 8-10.
[13] Per completezza si dà qui di seguito la bibliografia dell'opera non citata nelle altre note: Bernardini 1906, p. 113; Cristofani 1907, p. 293; Gnoli 1908, pp. 32, 109; Peraté 1908, III/2, p. 647; Berenson 1909, p. 115; Pacchioni 1910, p. 440; Venturi 1911, VII/1, p. 430; Gnoli 1923, pp. 64-65; Contaldi 1928, pp. 19, 118-119; Hoogewerff 1930, p. 19; Berenson 1932, p. 95; Lagaisse 1934, pp. 28-29; Collosi 1940, p. 21; Castellani 1959, p. 19; Berenson 1963, p. 95; Scarpellini 1966, tav. VII; Bolaffi 1974, p. 124; Acidini Luchinat 1994, p. 15; Lunghi 1998, p. 81; Mencarelli 1998, p. 67; Minardi 1998, p. 237; Lunghi 2000, p. 51.

19
Bottega del Beato Angelico
Volto Santo
Inchiostro e tempera su pergamena montata su un pannello; cm 39,5 x 28,5
Iscrizioni: sull'aureola: IHESUS CRIXT(US) REX (IUDEO)RUM; sul collare: REX REGHUM ET DOMIN(US)

Assisi, Museo-Tesoro e collezione Perkins

Era tra le reliquie della sacrestia segreta nella chiesa inferiore di San Francesco in Assisi, dove lo troviamo rammentato in un inventario degli oggetti sacri compilato l'anno 1600 – una "tavola di legname col Volto Santo depento" – e nei successivi inventari del 1613 – "una pittura antica fatta in tavola con l'effigie del volto del Nro Signore" – e del 1752 – "un quadretto coll'effige del Redentore coronato di spine con cornice indorata"[1]. Fortunatamente sfuggì al saccheggio della sacrestia perpetrato dai francesi nel marzo 1798, così che il 4 novembre 1862 fu trovato nell'armadio del tesoro dai membri della commissione artistica della Provincia dell'Umbria; i quali, oltre a descriverne il soggetto e la tecnica, lo riconobbero per opera fiorentina del XV secolo – "una tavoletta recante incollata una pergamena con una testa di Cristo incoronato di spine, condotta in miniatura con molta diligenza da un artista di scuola fiorentina del 1400"[2].

Il primo a interessarsi del *Volto Santo* di Assisi fu Mario Salmi nel 1921, che lo pubblicò in rapporto con una tavoletta di identico soggetto conservata nella Pinacoteca di Perugia, dipinta da un seguace di Benedetto Bonfigli che si era ispirato a un modello fiorentino; nel disegno di Assisi era invece evidente "la tradizione del Beato Angelico" per gli evidenti rapporti con gli affreschi nelle celle del convento di San Marco a Firenze, "pur non riuscendo a scoprirvi la sua arte, bensì quella del suo miglior seguace, del Gozzoli intorno al 1450"[3]. Di avviso contrario fu *padre* Beda Kleinschmidt, che lo ritenne ferrarese[4]. Nel 1928 Roberto Longhi rese nota sotto il nome dell'Angelico una bellissima tavoletta di una *Coronazione di spine* conservata nella chiesa di Santa Maria del Soccorso a Livorno, dove era entrata per lascito di un devoto[5]; in questo dipinto Emma Zocca riconobbe immediatamente il modello seguito nel *Capo del Redentore* di Assisi, ma ritenne quest'ultimo di Benedetto Bonfigli, mentre di un diverso pittore umbro era la replica più indurita della galleria perugina[6]. La pista umbra continuò a essere seguita da Bernard Berenson, che parlò di Bartolomeo Caporali[7], seguito da Bernardino Farnetani[8], mentre recentemente Miklos Boskovits lo ha genericamente assegnato a un pittore umbro attivo nel sesto decennio[9], e Mauro Minardi è tornato a parlare di Benedetto Bonfigli[10]; di altro avviso è Pietro Scarpellini, che ne ha posto in dubbio la datazione comunemente accolta intorno alla metà del secolo posticipandola agli ultimi decenni del secolo, dicendosi perplesso persino sulla provenienza umbra dell'autore[11]. Al nome di Benozzo rimase invece fedele Mario Salmi[12], seguito da Raimond Van Marle[13]. In tempi più recenti questa soluzione è stata riproposta da Anna Padoa Rizzo, da Cristina Acidini Luchinat, da Diane Cole Ahl, che ne hanno anticipato l'esecuzione agli anni immediatamente precedenti l'arrivo di Benozzo a Montefalco nel 1450[14]. Potrebbe essere di Benozzo anche per Carl Brandon Strehlke e Pia Palladino, ma in un momento diverso della sua carriera, tra gli affreschi fiorentini di palazzo Medici e le storie di sant'Agostino di San Gimignano, cioè all'inizio o alla metà degli anni sessanta del secolo[15].

Questo minuziosissimo disegno a penna e tempera su pergamena del volto di Cristo è stato esposto sul finire del XX secolo in una mostra itinerante allestita in sedi prestigiose – a Parigi, New York, San Francisco, Milano – per far conoscere nel mondo gli straordinari tesori d'arte sacra del convento di San Francesco di Assisi, mentre erano in corso i lavori di ricostruzione delle volte crollate nella basilica superiore a causa del terremoto del 26 settembre 1997. Nel dicembre 2000 la pergamena è stata nuovamente esposta nel palazzo delle Esposizioni a Roma; in questa occasione era posta a confronto con la meravigliosa tavola livornese dell'Angelico, fianco a fianco nel percorso espositivo e nelle tavole del catalogo. Dal confronto emergevano le differenze tra le due immagini; intanto nelle dimensioni: sensibilmente più grande quella di Livorno (cm 55 x 39) rispetto a questa di Assisi (cm 39,5 x 28,5); secondo nella tecnica esecutiva: il dipinto di Livorno è una tempera su tavola, mentre la pergamena di Assisi non può essere definita né una miniatura né tantomeno un disegno, quanto piuttosto una sorta di esercizio calligrafico eseguito a penna; terzo nelle iscrizioni leggibili nel nimbo e nello scollo dell'abito, simili ma non identiche e soprattutto ben diverse nelle abbreviazioni e con evidenti errori nel quadro di Assisi. Con le differenze erano egualmente evidenti le somiglianze: il *Volto Santo* di Assisi è una copia esatta del *Volto Santo* di Livorno, sin nei minimi particolari della fronte rigata di sangue, degli occhi iniettati di sangue, della bocca rossa socchiusa, delle chiome arricciate; ma soprattutto, ciò che è straordinario è come il tipo fisico del Cristo ritratto nella pergamena di Assisi sia addirittura più "angelichiano" dell'altro: è l'uomo maturo dall'espressione imponente e dalla gran barba bionda che nelle celle del convento di San Marco a Firenze si rivela risorto alla Maddalena, è il Cristo della Trasfigurazione o che regna dalla croce: affreschi delle celle di San Marco che una acribia critica forse eccessiva vorrebbe assegnare all'intervento di un collaboratore, probabilmente Benozzo Gozzoli su disegno dell'Angelico, "Althought Benozzo Gozzoli may have paintend it, the *Noli me tangere* was surely designed by Fra Angelico himself"[16], ma che Miklós Boskovits ritiene – a mio parere giustamente – sostanzialmente autografe[17].

Qual è dunque il legame tra origi-

IHESVS
REGHVM

nale e copia e quale la funzione della copia conservata ad Assisi? Boskovits – secondo il quale il Volto di Gesù dell'Angelico potrebbe risalire alla metà degli anni quaranta piuttosto che alla fase estrema dell'attività del maestro, dopo il ritorno a Fiesole nel '50 come vorrebbe Andrea De Marchi – ha ipotizzato "che il dipinto livornese fosse portato dall'artista con sé in occasione del soggiorno perugino oppure che fosse eseguito nella città umbra"; lo dimostrerebbe la presenza in Umbria di due copie dell'icona[18]. Da parte mia, ho già avuto occasione di osservare che la pergamena di Assisi è ispirata "nell'iconografia e nello stile ad un modello dell'Angelico", riconoscibile nel dipinto ora a Livorno, ma che "entrambi le immagini sono collegate ad un soggetto tipicamente romano, cioè la reliquia della Veronica". Fra Giovanni avrebbe dipinto la sua icona negli anni del suo primo soggiorno romano, mentre la copia del Sacro Convento potrebbe essere arrivata ad Assisi nelle tasche di un pellegrino di ritorno da Roma o – perché no? – nell'occasione della sosta in città di Niccolò V nel dicembre 1449, pochi giorni prima di inaugurare solennemente a Roma l'Anno Santo, invito e *souvenir* dell'imminente giubileo[19].

La conclusione più economica dell'intera vicenda è che la copia a penna di Assisi fu richiesta all'Angelico per far dono ai frati di Assisi di una replica dell'icona livornese, allora esposta in qualche importante basilica romana o più verosimilmente in mano al pontefice; la presenza di altre repliche in Umbria non giustifica necessariamente la presenza del prototipo in una chiesa della regione, stante la vicinanza con Roma e la frequente presenza di pittori umbri nella capitale dello Stato della Chiesa. L'impianto compositivo della figura del Cristo rispecchia in pieno la maniera dell'Angelico – tutti gli autori sino a ora proposti: Benozzo, Bonfigli, Caporali, furono per una parte della loro carriera fedeli imitatori dell'Angelico – ma la sua esecuzione non regge la qualità altissima consueta nei dipinti del maestro e inciampa in ingenuità e cadute di stile, soprattutto nelle lunghe chiome e nel girocollo, per cui è probabile che l'Angelico abbia affidato l'esecuzione della replica a un garzone di bottega. Nella ricerca di questo imitatore, il nome di Benozzo è stato caldeggiato da Anna Padoa Rizzo, che ha osservato come Benozzo abbia utilizzato questa tipologia del Cristo adulto negli affreschi del convento di San Marco – dell'Angelico per Boskovits –, ma che "in altre occasioni Benozzo adotterà per il Cristo un diverso aspetto, rappresentandolo in età assai più giovanile, quasi un adolescente"[20]. Eppure, l'evidenza documentaria dimostra che la collaborazione tra l'Angelico e Benozzo a Roma alla fine degli anni quaranta non rientrò nell'ottica di una bottega medievale ma piuttosto in quella di una compagnia formata da pittori indipendenti uniti da un contratto. Personalmente mi sorride più l'idea di veder coinvolto nell'impresa un collaboratore segnato a busta paga per un compenso di gran lunga inferiore, quel Giovanni di Antonio della Checca che sembra fosse legato all'Angelico da legami di parentela e che poteva eseguire la replica in tutta tranquillità sotto il vigile sguardo dello zio, quasi si trattasse di un esercizio scolastico. Se questa ipotesi è vera, se ne ricava che, essendo stata eseguita da un discepolo, la copia uscì dalla bottega dell'Angelico con il crisma dell'autografia.

Un brevissimo cenno conclusivo va dedicato alla presunta dipendenza nell'iconografia da un passo delle *Rivelazioni* di santa Brigida di Svezia, ripreso nell'*Opera a ben vivere* di sant'Antonino, con il quale si è preteso di giustificare una ipotetica origine fiorentina del dipinto di Livorno[21]. Se non che in entrambi i testi viene fatto espresso riferimento all'adorazione di un Crocifisso, sul genere delle drammatiche sculture lignee che santa Brigida poteva allora vedere a Roma, ben più forti e realistiche della nobile testa coronata di spine dei Volti Santi di Livorno e di Assisi. Il cerchio si chiude, riportando nell'urbe il centro dell'attenzione.

(Elvio Lunghi)

1 Per le notizie degli archivi del Sacro Convento di Assisi, vedi Scarpellini 1980, pp. 55-56.
2 Carattoli-Guardabassi-Rossi Scotti 1929 [1863], p. 196.
3 Salmi 1921, p. 170.
4 Kleinschmidt 1926, p. 312.
5 Longhi 1928, pp. 153-159.
6 Zocca 1932, pp. 165-166.
7 Berenson 1932, p. 125; Berenson 1936, p. 108; Berenson 1968, p. 75.
8 Farnetani 1978, p. 8.
9 Boskovits 1994, p. 387; Boskovits 1995, p. 58.
10 Minardi 1998, p. 240.
11 Scarpellini 1980, pp. 55-56.
12 Salmi 1958, pp. 20-21.
13 Van Marle 1929, pp. 143, 212.
14 Padoa Rizzo 1992, pp. 9, 41; Padoa Rizzo 1997b, pp. 15-17; Acidini Luchinat 1994, p. 15; Cole Ahl 1996, pp. 207, 233.
15 Kanter-Palladino 1999, p. 119; Kanter-Palladino 2000, pp. 189-190.
16 Hood 1993, p. 241.
17 Boskovits 1995, pp. 32-69.
18 A. De Marchi, in Bellosi 1990, pp. 104-106; Boskovits 1994, p. 387. L'esistenza di ulteriori "copie" eseguite da pittori umbri è sottolineata da Padoa Rizzo 1997b, p. 17.
19 Lunghi 1997, pp. 15-16; Lunghi 1998, p. 83.
20 Padoa Rizzo 1997b, pp. 15-17.
21 Kanter-Palladino 1999, p. 119; Kanter-Palladino 2000, pp. 189-190, con riepilogo della letteratura precedente sull'argomento.

20
Benozzo Gozzoli o imitatore?
Angelo annunziatore
Affresco strappato; cm 45 x 40
inv. 28

Foligno, Palazzo Trinci,
Museo della città

Il frammento proviene dalla chiesa di San Domenico di Foligno, dalle cui pareti fu strappato l'anno 1863 come risulta da un catalogo anonimo della locale Pinacoteca Comunale edito nel 1893. Nell'Archivio di Stato di Foligno è conservata una documentazione della corrispondenza intercorsa tra il marzo e il giugno 1863 tra il sindaco di Foligno Serafino Frenfanelli e i restauratori Tito Buccolini e Ottaviano Ottaviani, relativa al distacco di pitture dall'ex chiesa di San Domenico, trasformata in scuderia per l'esercito piemontese in seguito all'unità d'Italia[1]. La documentazione non contiene l'elenco dei dipinti staccati, ma possiamo farcene una idea dal catalogo della raccolta del 1893, nel quale sono rammentati come provenienti da San Domenico due grandi affreschi di Pierantonio Mezzastris che raffiguravano una *Madonna in gloria tra i santi Giovanni e Domenico* e una *Crocifissione*, tre frammenti segnalati come "opera di scuola folignate" che raffiguravano un *Angelo annunziatore e le teste di san Martino e di sant'Antonio*, alcune figure e un *Presepe* assegnati a Dono Doni[2].

Nel 1870 era già stato pubblicato un opuscolo con un sommario elenco delle pitture e degli oggetti d'arte allora esposti nella chiesa di Santa Maria di Betlemme, nel quale con il n. 26 figurava un "affresco riportato in tela rappresentante un angelo", ritenuto "opera del Mesastris"; il suggerimento non fu accolto nel catalogo della raccolta edito nel 1893, che parlò genericamente di "opera di scuola folignate". Nel successivo catalogo del 1908 fu ritenuto addirittura del XIV secolo[3]. Il riferimento a Pierantonio Mezzastris fu invece accolto da Mariano Guardabassi nell'*Indice-guida* del 1872; da questi passò a Bernardini, agli "indici" dei pittori dell'Italia centrale di Bernard Berenson, alle biografie dei *Pittori e miniatori nell'Umbria* di Umberto Gnoli[4]. Il riferimento a Mezzastris fu invece decisamente respinto da Giustino Cristofani, in un inedito inventario della Pinacoteca compilato nel 1916[5]. Il giudizio di Cristofani, fine conoscitore della pittura folignate del XV secolo, merita di essere riprodotto nella sua integrità:

"29. L'Angelo Annunciatore. Entro un tondo vedesi il busto di Gabriele, di profilo, volto verso destra, col giglio nella sinistra e l'altra levata ad annunciare. Indossa tunica verde. Affresco rettangolare, larg. 0.38 alt. 0.47, rovinatissimo, dove il colore è caduto, si vedono i contorni segnati in rossiccio. Fu staccato nel 1863 dalla soppressa chiesa di San Domenico in Foligno. Il vecchio catalogo lo dice al solito del '300 e di scuola folignate; il Guardabassi aveva almeno intuito il secolo, assegnandolo a Pier Antonio, al quale assolutamente lo togliamo, anche contro l'autorità del Berenson. Mai il mediocre Mezzastris avrebbe saputo concepire ed eseguire una figura così fine e spirituale come questa; il confronto con le vicine opere del maestro non può lasciar dubbio. Bisogna uscire dalla cerchia dei pittori locali, tra cui nessuno è arrivato mai così avanti; del Gozzoli non sappiamo che abbia lavorato a Foligno, cosa non improbabile; ma anche se si tratta di lui, dovremo ammettere che l'artista ha qui adoperato un cartone del suo maestro, l'Angelico. Questi, com'è noto, dimorò nel convento di San Domenico di Foligno tra il 1409 e il 1414; il nostro affresco proviene appunto da San Domenico. Ma è così guasto che non è lecito [*risulta cancellata la frase*: prevedere ad un più sicuro accertamento, se si tratti cioè dello scolaro o del maestro] pronunciare giudizi precisi".

Il testo di Cristofani restò manoscritto e il busto angelico continuò a restare inedito, salvo figurare sotto il nome di Mezzastris nei successivi aggiornamenti dei *Pittori italiani del Rinascimento* di Bernard Berenson e nella monumentale *Storia della pittura italiana* di Raimond Van Marle[6]. A far uscire il dipinto dall'oblio fu un articolo di Anna Padoa dedicato alla prima attività di Benozzo Gozzoli, all'interno del quale il frammento di Foligno, "sebbene assai consunto", era collegato a un gruppo di dipinti attribuiti al pittore toscano – "la S. Orsola di Washington, le due tavolette compagne di Béziers e della coll. Thyssen di Lugano, il S. Gerolamo in vendita da Sotheby il 19 aprile 1967, l'*Annunciazione* di Narni" – risalenti agli anni precedenti il 1450, cioè prima dell'attività di Benozzo per il San Fortunato di Montefalco; il disegno del profilo dell'angelo era messo in rapporto con quello di una *Annunciazione* conservata nel Municipio di Narni, della quale era forse addirittura precedente[7]. Tornando sull'argomento, osservò che possibile tramite tra Benozzo e i domenicani di Foligno furono i frati del convento romano di Santa Maria sopra Minerva, per i quali aveva lavorato grazie alla protezione dell'Angelico[8].

L'identificazione con un Benozzo giovanile è stata più volte ribadita da Anna Padoa ed è stata accolta da Cristina Acidini Luchinat, da Diane Cole Ahl e da Mauro Minardi[9]. Le uniche osservazioni critiche sono vedute dall'esame dello stato di conservazione dell'affresco. Nel 1995 il frammento fu esposto all'interno di una piccola mostra di restauri curata dall'Assessorato alla Cultura del Comune di Foligno, che fu accompagnata da un *depliant* informativo a firma di Anna Maria Menichelli dove era riepilogata la letteratura più antica senza pronunciamenti sull'identità del pittore; più esplicita la scheda del restauro eseguito da Donatella Bonelli e Lorella Giovannelli, nella quale si diceva che "la tecnica usata per rimuoverlo dal supporto murario è stata particolarmente penalizzante per l'affresco che conserva frammenti sottili di colore fatti aderire con colle su tela di canapa a trama serrata. La tela, grossolanamente tagliata seguendo il disegno, era a sua volta incollata su di un'altra tela di canapa a trama larga tensionata su telaio ligneo", l'intervento di restauro si era limitato a "far aderire sul nuovo supporto la tela 'sagomata' con i frammenti di colore originale"[10].

Sulla base di queste osservazioni, anch'io ho espresso le mie perplessità sulla possibilità di giungere a un giudizio obiettivo su una pittura "ridotta in pratica ad un contorno disegnato come ha dimostrato anche il recente restauro. Troppo poco per assegnarne l'esecuzione a Benozzo, soprattutto mettendo a confronto i suoi capelli fragili e sfinati con le ciocche pesanti dell'angelo musicante a destra della *Madonna* in San Fortunato datata 1450. Verrebbe spontaneo pronunciare il nome di Pierantonio Mezzastris, che di Benozzo fu tra i pittori locali il più stretto seguace tanto nello stile quanto nelle iconografie, se non fosse per lo stato larvale in cui oggi si presenta e che dona alla bellissima idea della testa protesa nel vuoto un sapore da 'Primitivo' ottocentesco tanto poco è rimasto della materia originaria"[11].

Il San Domenico di Foligno – fondato con l'arrivo dei frati predicatori a Foligno nel 1285; sul portale si legge la data 1351, la tribuna maggiore era ancora in costruzione nel 1457[12] – è una tipica costruzione per un ordine di frati "mendicanti", a croce latina con una vasta navata coperta da capriate lignee e profonda tribuna voltata, sulla quale si innesta un transetto provvisto di cappelle secondarie. Recenti lavori di restauro, che hanno trasformato la chiesa in auditorium, hanno rimesso in luce ampi brani della primitiva decorazione, recuperando alle pareti della navata un palinsesto di affreschi devozionali collocabili tra la fine del XIV e la prima metà del XV secolo. La descialbatura delle pareti non ha portato alla luce altri frammenti della decorazione a cui apparteneva il tondo con l'angelo. Diane Cole Ahl[13] ne ha ipotizzato la provenienza dall'arco di ingresso di una cappella, nel quale il lato opposto era occupato da una figura della Vergine. Poiché le uniche cappelle della chiesa sono quelle del transetto, è verosimile che il nostro frammento sia stato staccato dall'esterno di una di queste, e proprio da una cappella del transetto Buccolini e Ottaviani staccarono nel 1863 una *Crocifissione* di Pierantonio Mezzastris, della quale è ancora visibile la sinopia alla parete. La materia pittorica del frammento è talmente povera e ripresa, che nulla possiamo dire del dipinto salvo che la figura dell'angelo è ricalcata sull'*Annunciazione* dipinta da Benozzo per Narni[14], ma questo non significa necessariamente che la sua esecuzione sia autografa. Tra i pittori umbri del XV secolo, Pierantonio Mezzastris (Foligno, notizie 1458-1506) fu il più pedante imitatore di Benozzo Gozzoli, del quale replicò le invenzioni e imitò lo stile per tutto l'arco della sua carriera, fin quasi a diventare indistinguibile, diversamente da altri pittori umbri contemporanei – il folignate Nicolò di Liberatore, i perugini Benedetto Bonfigli e Bartolomeo Caporali – che, dopo una prima adesione ai modelli dell'Angelico e di Benozzo, con la maturità seguirono percorsi indipendenti. È anzi probabile che Mezzastris abbia collaborato con Benozzo nel San Francesco di Montefalco e si sia tenuto aggiornato sui successivi spostamenti del pittore toscano. Poté così conoscere l'*Annunciazione* dipinta da Benozzo per i domenicani di Narni – città dove affrescò una cappella con storie della vita di san Francesco ispirate agli affreschi di Montefalco – e ne trasse il disegno per l'angelo di Foligno. In tal caso, è plausibile che i due tondi con l'*Annunciazione* fossero dipinti all'esterno della stessa cappella affrescata in San Domenico da Pierantonio.

La notizia, riferita da Cristofani, della presenza a Foligno del Beato Angelico nasce da una voce diffusa da Rio e da padre Marchese e accolta da Frenfanelli Cibo[15], sull'ospitalità ricevuta nel convento di Foligno da un gruppo di religiosi guidati dal futuro vescovo di Firenze fra Antonino Pierozzi, in fuga nel 1409 dal convento di San Domenico di Fiesole. Fra Giovanni da Fiesole avrebbe fatto parte del gruppo di fuggitivi e nei quattro anni trascorsi a Foligno avrebbe avuto modo di respirare il clima "mistico" della regione; cosa naturalmente non vera, perché il pittore prese l'abito dei frati predicatori soltanto nel 1420.

(Elvio Lunghi)

1 Foligno, Archivio di Stato, *Archivio Priorale - Archivio Moderno*, 1213, Belle Arti 1860-1890, serie II, cat. VI, fasc. 12.

2 *Catalogo delle pitture* 1893.

3 *Elenco delle pitture* 1870, p. 7, n. 26; *Catalogo delle pitture* 1893, p. 11, n. 26; *Catalogo del Museo Civico* 1908, p. 20, n. 22.

4 Guardabassi 1872, p. 77; Bernardini 1906, p. 70; Gnoli 1923, p. 241; Berenson 1932, p. 361; Berenson 1936, p. 310; Berenson 1968, p. 271.

5 Cristofani 1916 ca., c. 33.

6 Van Marle 1933, p. 81.

7 Padoa 1969, pp. 59, 61.

8 Padoa Rizzo 1972, pp. 32-33, 111.

9 Padoa Rizzo 1992, pp. 8, 40; Padoa Rizzo 1997b, p. 19; Acidini Luchinat 1994, p. 15; Cole Ahl 1996, pp. 220-221; Minardi 1998, p. 240.

10 Menichelli 1995, pp. 229-230.

11 Lunghi 1997, p. 15; Lunghi 1998, p. 83.

12 Sensi 1988, pp. 189-245.

13 Cole Ahl 1996, pp. 220-221.

14 Silvestrelli 1993, p. 39.

15 Marchese 1854^2, pp. 209-218; Rio 1861, p. 334; Frenfanelli Cibo 1872, pp. 94-96.

21
Benozzo Gozzoli
Studio di nudo maschile
Penna e inchiostro marrone, carta bianca leggermente tinteggiata di rosso; mm 92 (diametro)

Ginevra, collezione Jan e Marie-Anne Krugier-Poniatowski, inv. K 5244

Il foglio con uno *Studio di giovane nudo* della collezione Krugier-Poniatowski è stato riconosciuto come disegno di Benozzo da Pouncey che lo pubblicò nel 1964[1]. Successivamente Degenhart e Schmitt[2] lo hanno inserito tra le prove autografe del pittore al tempo di Montefalco, per la somiglianza della tipologia della testa con varie altre dipinte in quegli affreschi e hanno ipotizzato una povenienza illustre: il Granduca di Lucca. Ne hanno inoltre rilevato la vicinanza, dal punto di vista della tecnica, penna e chiaroscuro a tratteggio, e dell'anatomia della figura, con il *verso* del foglio Uffizi 12 E[3] in cui è tracciato un *Nudo maschile stante*. In occasione dell'esposizione del 1999 a Berlino, Venezia, Madrid e Parigi della collezione svizzera in cui è attualmente conservato, Schultze Altcappenberg[4] ne ha confermata l'autografia evidenziando l'altissima qualità di questo studio di nudo di 'garzone' dalla delicata struttura anatomica e dall'efficace effetto spaziale, e suggerendone, per la caratterizzazione fisionomica ed espressiva, una contiguità cronologica con gli affreschi medicei del 1459-60.
Tra i tanti disegni conservati di Benozzo è questo uno dei rari studi anatomici di figura. La posa del giovane modello seduto, appoggiato sul braccio destro con la mano sinistra sulla coscia, doveva essere ricorrente in questo genere di disegni se un'analoga figura compare tra gli studi di garzoni compiuti dal contemporaneo Maso Finiguerra. Nel foglio 75 F degli Uffizi[5] infatti, è rappresentato un giovane nudo nella stessa posizione ma coperto sui fianchi, con una corrispondenza che rende dubbia per entrambi la semplice derivazione dal naturale, rimandando forse a modelli figurativi di repertorio, contenuti nei taccuini e circolanti tra le varie botteghe di artisti. In ogni caso l'efficacia espressiva dello sguardo e del corpo denota la spiccata personalità interpretativa di Benozzo, e al tempo stesso la fisionomia del giovane contiene una tipicità che si ritrova, come indicavano Degenhart e Schmitt, in molte delle figure dipinte sulle pareti di Montefalco. Un simile studio figurativo potrebbe essere servito a Benozzo, reduce dall'impegno orvietano, per realizzare nel 1450 l'angelo con il tamburello che fa ala alla *Madonna in trono* della chiesa di San Fortunato (fig. 1), dove l'impostazione del corpo dell'angelo, con l'estensione del collo di tre quarti, rispecchia quella del disegno in cui la testa è semplicemente protesa dal lato opposto.

(Lorenza Melli)

1 Pouncey 1964, p. 283.
2 Degenhart-Schmitt 1968, cat. 405.
3 Degenhart-Schmitt 1968, cat. 404.
4 Schulze Altcappenberg, in Rylands 1999, cat. 4, pp. 20-21 (con bibliografia).
5 Degenhart-Schmitt 1968, I-2, fig. 859, p. 596; e Melli 1995, cat. 43, p. 74.

1. Benozzo Gozzoli, *Madonna col Bambino e angelo*, particolare, firmato e datato 1450, Montefalco, chiesa di San Fortunato.

22
Benozzo Gozzoli
Madonna con il Bambino
e due angeli reggicortina tra
san Francesco, san Bernardino
e Fra Jacopo da Montefalco
in preghiera
Tempera su tavola; cm 34,3 x 54,7
Iscrizioni: lungo il bordo del mantello della Vergine:
O GIACIOSA · VIRG/INE · MARIA · PE[R PE]/GATORI · TV · PREGHI NOCTE ET DIA DINAM/ALLVI SOL · NOSTRA · A/VOCATA · MADR/E ·[1];
nel tessuto sopra il sedile:
FG (Frater Giacobus), OM (Ordinis Minorum)

Vienna, Kunsthistorisches Museum, Gemäldegalerie, inv. 221

La Vergine, in adorazione del Bambino steso sulle sue ginocchia, siede su un cuscino, che a sua volta poggia su un sedile coperto da una stoffa sulla quale spiccano, in evidenza sul lato destro, i monogrammi del frate committente, che ne distinguono il nome e l'ordine di appartenenza. Quest'ultimo, raffigurato alla destra del gruppo centrale in proporzioni ridotte, è presentato alla Vergine da san Francesco inginocchiato alle sue spalle, cui si affianca sul lato opposto san Bernardino. Una tenda trapuntata di vaio e damascata sulla parte esterna è trattenuta da due angeli dietro il gruppo sacro, isolato in questo modo al centro di un giardino fiorito. Tale elemento è caratteristico dell'iconografia della Madonna dell'umiltà, di cui la presente composizione si può dire che costituisca una variante. Accanto alla presenza – come nella lunetta in San Fortunato – del santo fondatore e dell'appena canonizzato san Bernardino, che aveva operato come predicatore a Montefalco, la connotazione francescana del dipinto appare rafforzata dall'accento posto sull'*humilitas* di Maria, cui l'ordine nel suo ramo osservante si mostrava particolarmente devoto (cfr. Cole Ahl 1996, p. 43).
La tavola, in buone condizioni di conservazione, sembra essere stata decurtata soprattutto lungo il margine superiore, dove manca la terminazione della tenda che doveva essere appesa o sostenuta da un terzo angelo. Il supporto è stato tagliato di alcuni centimetri anche lungo il margine inferiore, nonché forse sul lato destro, poiché originariamente doveva includere le porzioni terminali del saio di fra Jacopo e di san Bernardino[2]. Tale formato favoriva una minore compressione dei personaggi in primissimo piano, di cui si comprende comunque l'inserimento in un coerente piano spaziale, definito in termini prospettici dall'arretramento degli alberi a sinistra rispetto al gruppo di destra.
Già all'epoca della sua acquisizione nelle collezioni imperiali la tavola portava un sicuro riferimento al Gozzoli[3], ribadito da Max Wingenroth, il primo a cogliere le precise relazioni di stile con l'attività del pittore a Montefalco e a riconoscere nel profilo del donatore la figura di fra Jacopo, committente delle storie affrescate nel coro di San Francesco[4]. A seguito di tale individuazione la critica non ha posto in dubbio l'originaria destinazione dell'opera all'ambiente dei francescani della città umbra, con una conseguente datazione tra il 1450 e il 1452[5], malgrado l'opinione di coloro che, sulla base di alcuni dipinti folignati in stretto rapporto compositivo con la tavola viennese, hanno postulato per quest'ultima un'esecuzione assai posteriore[6]. Essa conobbe infatti una fortuna marcata nella pittura umbra del terzo quarto del secolo, in special modo nell'opera di Niccolò Alunno, l'autore di un disegno (Monaco, Graphische Sammlung, inv. 1970:77) che copia fedelmente le figure di san Francesco e del donatore[7].
A differenza di quanto proposto da Berenson e Gronau[8], la tavola di Vienna, che doveva godere di una certa visibilità, non costituiva l'elemento di una predella, ma si ritiene che fosse destinata alla devozione privata del prestigioso committente. Le incertezze scaturiscono dalla difficoltà di reperire in ambito fiorentino altri dipinti con un taglio simile aventi in origine tale funzione; malgrado le diminuzioni della

superficie, l'originalità del formato trova comunque conferma nella venatura orizzontale del legno.
L'origine da Montefalco, al di là degli elementi forniti dall'iconografia, si evince da notazioni di carattere stilistico, che muovono dalle forti consonanze fra la figura di Maria e quella affrescata da Benozzo in San Fortunato nel 1450[9]: similissimi sono la tipologia del viso, l'orlo ondulato del manto e del velo, mentre il volto del Bambino si accosta favorevolmente alle testine dipinte nel fregio marginale e l'angelo sulla destra a quello a lato dell'affresco. Si tratta di visi arrotondati, incorniciati da riccioli folti come piccoli serpentelli, come l'Angelico aveva modellato in una delle vele della cappella di San Brizio a Orvieto, nell'estate del 1447 (Cole Ahl 1996, fig. 42). D'altra parte, anche molte

faccette che si vedono nella predella con storie della Vergine della pala già nell'altar maggiore di San Fortunato (ora nella Pinacoteca Vaticana) sono intenerite da una vivacità ammiccante e arguta che si presta a utili confronti con le figure di Vienna. Identico negli stessi episodi mariani è il tipo di vegetazione rigogliosa o la picchiettatura con brevi colpi di pennello degli alberelli posti nei fondali, che rammentano i risultati di capziosa ricchezza botanica raggiunti in altri piccoli dipinti di destinazione privata, come le Madonne di Bergamo e del Courtald Institute di Londra (M. Bollati, in Di Lorenzo-Zanni 2001, pp. 68-70), per il resto più fedeli alle intense predilezioni angelichiane mostrate dal pittore nei primi anni quaranta. Nondimeno, un valido precedente di queste figurazioni mariane immerse in un contesto fiorito dai toni quasi crepuscolari è costituito dalla tavoletta di Boston dell'Angelico (Spike 1996, p. 194), dove meno tradizionale è al confronto l'inserzione del donatore in proporzioni eguali rispetto agli altri personaggi sacri.

Le ricerche ottiche compiute dal frate pittore nel corso del quinto decennio (cfr. cat. 12) sono alla base dei valori luministici che investono l'intera figurazione: la preziosità dell'oro – steso sulle ali degli angeli, nelle ampie aureole raggiate, nei tessuti ove concorre l'uso delle lacche – è in funzione meno essenziale rispetto alla più antica tavola di Bergamo, ma cede all'influenza della luce diretta, che proviene da sinistra. È questa che mette in ombra una porzione dei visi della Vergine e degli angeli e le spalle di san Bernardino, per rifulgere lungo i sai di san Francesco e di frate Jacopo attraverso pennellate sottili e parallele che hanno un equivalente nel frequente ricorso alle lumeggiature a biacca della grafica gozzolesca. A tali risultati si rifanno gli stessi affreschi del coro di San Francesco, ove le varie immagini del santo fondatore richiamano quella qui raffigurata e altri personaggi sono modellati con la stessa trama angolosa e fratta dei panni evidente nella manica sinistra di san Bernardino. In varie scene, come nel *San Francesco che riceve le stimmate*, si riconoscono invece le qualità dei panneggi eseguiti con disegno sicuro, con pieghe verticali, ondose e scampanate a terra, che assecondano l'anatomia del corpo, permettendo alla luce riflessa di evidenziarne la corposità materiale. L'episodio della *Benedizione di Montefalco* presenta una fedele replica del profilo canuto, là in posizione inversa, del donatore, mentre in un pilastro di accesso all'attigua cappella di San Girolamo (1452) spicca un'immagine di *San Bernardino e due angeli* in sintonia con la tavola in esame (Lunghi 1997, figg. 17-18). Quanto alle sottigliezze della pelle lucida sotto l'azione di una fonte luminosa fortemente indagatrice, impropri sono i confronti con le morbidezze ricercate nelle opere anteriori alla metà del secolo, dalle miniature del ms. Harley 1340 alla *Madonna Cook* di Londra. Le affinità più precise si colgono viceversa con alcuni busti affrescati nel sottarco e nello zoccolo del coro di San Francesco, specialmente con quello di Roberto d'Angiò, laddove Benozzo riesce a tornire un volto e a farne spiccare l'individualità al pari di un ritratto.

(Mauro Minardi)

Nota sulla storia del dipinto

Nessun documento antico conferma la provenienza da Montefalco di quest'opera, ignorata sia dalle antiche descrizioni che dagli inventari della chiesa di San Francesco, cui è ipotizzabile fosse appartenuta. Numerosi sono però i pittori umbri del Quattrocento e del Cinquecento (oltre all'Alunno, i folignati Ugolino di Gisberto, Pierantonio Mezzastris, un pittore ancora non identificato, il perugino Fiorenzo di Lorenzo, e soprattutto il pittore montefalchese Francesco Melanzio) che la riprodussero o la citarono più o meno fedelmente, tanto da far desumere che in origine, o almeno qualche anno dopo la sua esecuzione, essa dovesse essere esposta in un luogo pubblico facilmente accessibile. La peculiare iscrizione posta sul bordo della veste della Madonna, peraltro trasformata dall'Alunno in una salutazione angelica, ci permette però di collegare il piccolo dipinto di Vienna a un pur vago riferimento presente in un testamento registrato a Montefalco il 27 ottobre 1452, quando Benozzo era ancora al lavoro in San Francesco. In tale documento una certa *domina* Vannuccia di Massiolo di Raino disponeva la vendita di una sua casa dopo la sua morte e che i "denarii sive pecunia dicte domus dentur dicte ecclesie Sancti Francisci pro infrascriptis rebus fiendis in ipsa ecclesia, videlicet: sex florenos pro uno missali, florenos sex pro uno paramento altaris fiendi in dicta ecclesia, libras sex pro pignitura cuiusdam pinture *nostre advocate Virginis Marie* cum filio in brachio pignende in eodem ecclesie"[10]. Si tratta solo di un vago riferimento che merita però di una certa considerazione vista la rarità con cui tali indicazioni ricorrono in questo periodo a Montefalco. Resta da dire delle sigle che compaiono alternate sul tappeto che ricopre il sedile su cui è assisa la Vergine, racchiuse entro ghirlande e con i segni abbreviativi sovrastanti: FG, OM (*frater Giacobus? Ordo Minorum?*), a tal riguardo va notato che la forma *Giacobus* anziché *Iacobus* è tutt'altro che usuale nella documentazione locale.

(Silvestro Nessi)

[1] Covi 1958, pp. 551-552.
[2] Padoa Rizzo 1997b, pp. 70-71.
[3] Engerth 1882, pp. 177-179.
[4] Wingenroth 1897, pp. 24-28.
[5] Pacchioni 1910, p. 436; Gnoli 1923, p. 64; Contaldi 1928, p. 126; Berenson 1932, p. 265; Lagaisse 1934, p. 28; Berenson 1963, p. 97; Hurm 1965, pp. 21-22; Padoa Rizzo 1972, pp. 47, 118-119; Demus 1973, p. 21; Padoa Rizzo 1992, p. 56; Acidini Luchinat 1994, p. 19; Cole Ahl 1996, p. 263 n. 82; Lunghi 1997, pp. 34-35; Mencarelli 1998, p. 68; Minardi 1998, p. 238.
[6] Faloci Pulignani 1907, p. 130, individuava per primo la derivazione costituita dalla tavola di Niccolò Alunno datata 1457 (Deruta, Museo Comunale), ritenuta invece modello per il Gozzoli da Hoogewerff 1930, p. 20 e da Vertova 1977, pp. 460-461; cfr. anche Van Marle 1929, p. 148. Le varie derivazioni sono segnalate da Nessi 1990, pp. 46-47; Padoa Rizzo 1997b, p. 71; Lunghi 1998, p. 86.
[7] Schmitt 1971, p. 250.
[8] Berenson 1896, p. 104; Gronau 1909, p. 343; in contrario, vedi *Katalog* 1928, p. 19; *Exposition* 1935, p. 94 n. 208.
[9] Cole Ahl 1996, p. 263 n. 82.
[10] Nessi c.s, pp. 25-26.

23
Benozzo Gozzoli
Cavaliere e due studi di testa di frate (recto)
San Severo in una nicchia (verso)
Penna e inchiostro marrone, acquerellature marroni, carta bianca (*recto* e *verso*); mm 235 x 158 (misure massime)
Iscrizioni: sul *recto* in alto a destra: 46 (barrato), 52 (barrato), 54; in basso a sinistra: 56. Sul *verso* in basso: GIO: DA FIESOLE / NATO L'ANNO 1386, MORTO 1455

Londra, The British Museum, inv. Pp. 1-6

Il riconoscimento del disegno sul *verso* come studio autografo del Gozzoli per la figura del *San Severo* nel coro di San Francesco a Montefalco risale a Crowe e Cavalcaselle[1] che vennero a rettificare il tradizionale riferimento al Beato Angelico attestato dall'antica scritta sul foglio stesso. L'attribuzione a Benozzo e la datazione al 1450-52, epoca degli affreschi, è stata unanimemente accolta negli studi[2] con l'eccezione di Berenson che ha preferito riferire a Domenico di Michelino il presente foglio per via dell'affinità del *Cavaliere* sul *recto* con un dipinto attribuito a quel pittore[3].
Tutti i disegni sul *recto*, contenente anche due *Studi di testa* sempre a penna marrone, erano per la loro debolezza considerati dal Salmi di mano di un assistente[4]; ma, come propongono Degenhart e Schmitt, la loro valutazione deve tener presente il fatto che si tratta probabilmente di copie di motivi fortunati, trattenuti dal pittore come repertorio. Infatti il disegno del cavaliere, nella sua secchezza, sembra derivato da un modello grafico che Benozzo ha usato più volte, come nel codice Harley 1340 (cat. 1), o nel corteo dei Magi medicei, nonché nel disegno de *L'Assedio di Perugia*[5]. La testa di frate dolente studiata due volte più in basso, deriva invece dal san Francesco dipinto dall'Angelico nel Capitolo di San Marco. Qui Benozzo sembra intento a rielaborare l'invenzione angelichiana per il suo san Romualdo, inginocchiato a destra nella *Crocifissione* della cappella di San Gerolamo a Montefalco, eseguita nel 1452 subito dopo la cappella del coro[6]. La testina disegnata a destra mostra una maggiore caratterizzazione ed è chiaroscurata con più sensibilità rispetto all'altra, forse tracciata in un secondo momento a mo' di esercitazione, come si rileva anche in altri fogli del complesso grafico gozzolesco (vedi cat. 24).
Secondo l'opinione della Testa, invece, già nel prototipo di San Marco si deve riconoscere la mano del Gozzoli, che ripropone lo stesso motivo anche nelle cornici delle vele di Orvieto[7].
Per quanto riguarda il *verso* del foglio, il santo disegnato corrisponde in modo piuttosto preciso al san Severo dipinto nello sguancio della finestra, sia nella figura che nei dettagli architettonici[8]. Osserviamo che nella prova grafica sono già previsti il punto di vista ribassato e l'indicazione delle ombre, adeguati alla posizione dell'affresco in alto a destra della finestra e quindi con la luce proveniente da sinistra. Il confronto con lo studio per il *San Luigi di Francia* (Venezia, Accademia, 102v)[9], affrescato subito sotto al san Severo, ci permette di notare il differente livello di elaborazione dei due disegni: mentre nel foglio veneziano il pittore sta ancora studiando la figura che comunque possiede già tutti gli elementi essenziali, in quello inglese siamo di fronte a un disegno disinvolto ma rifinito, che sarà seguito con minime varianti nel dipinto. Tra i cambiamenti apportati in fase pittorica notiamo ad esempio il particolare dell'architrave della finta nicchia che è decorata da tralci di fogliame (come quelli presenti sul foglio 58v di Rotterdam, Degenhart-Schmitt, cat. 455, tav. 333e), mentre nel disegno vi era un festone con testine di putti. Questo fatto esclude l'eventualità dell'inversione del rapporto tra le due opere, e cioè che il disegno sia copiato dal dipinto, confermandone la funzione preparatoria. I trafori marmorei ottenuti con un acquerello molto preciso e miniaturistico nella cuspide e nella lunetta sono ispirati ai moduli decorativi dei basamenti dei *Padri della Chiesa* dell'Angelico nella Niccolina (Nesselrath 1999, figg. 10-13, 25-26).
Secondo gli studi codicologici di Degenhart, Schmitt e Elen[10], il numero "56" in basso a sinistra è il più antico tra tutti quelli sul *recto*, e corrisponde a una antica numerazione apposta entro la metà del Cinquecento sul volume che doveva contenere questo foglio. Anche le dimensioni sono compatibili al formato del disperso libro *in quarto* della bottega del Gozzoli, a cui appartenevano anche i disegni ora a Rotterdam.

(Lorenza Melli)

[1] Crowe-Cavalcaselle 1870, II, p. 265, nota 9.
[2] Degenhart-Schmitt 1968, cat. 409 (con bibliografia); Padoa Rizzo 1972, p. 41; Cole Ahl 1996, fig. 65, p. 64; Nesselrath 1999, fig. 28, p. 95. Provenienza: J. Richardson sen. (Lugt 2183); R. Payne Knight, 1824.
[3] L'*Adorazione dei Magi* a Strasburgo (ora ritenuta di Zanobi Strozzi), Berenson 1903, II, n. 1751.
[4] Salmi 1930, p. 94. Solo le due teste sarebbero di un allievo secondo Popham-Pouncey 1950, I, cat. 87, p. 52 (con bibliografia).
[5] Questo disegno è analizzato nel saggio *Il disegno per Benozzo, infra.*
[6] Corrispondenza segnalata da Degenhart-Schmitt 1968, I-2, p. 464, nota 1 del cat. 407.
[7] Testa 1996, p. 81 e fig. p. 83.
[8] La realizzazione pittorica delle figure negli sguanci secondo la Cole Ahl 1996, p. 60, fu affidata dal Gozzoli a un assistente.
[9] Vedi nota 5.
[10] Elen 1995, cat. 23, pp. 222-226.

recto

verso

24
Benozzo Gozzoli
Una testa di vescovo (recto)
Un cardinale ed un vescovo inginocchiato (verso)
Punta metallica, leggere acquerellature, biacca, carta preparata rosa (*recto*)
Penna e inchiostro marrone, acquerellature, carta bianca; ritocchi tardi in matita rossa (*verso*); mm 222 x 161 (misure massime)
Iscrizioni: sul *verso* in basso: DEL BEATO GIO: DA FIESOLE DOMENICANO. VASARI NE SCRISSE (XVIII sec.)

Roma, Istituto Nazionale per la Grafica, inv. FC 128283 (*recto*) - inv. 128284 (*verso*)

Come hanno proposto Degenhart e Schmitt[1] anche questo foglio come il precedente sembra derivare, per compatibilità di formato, dal complesso della bottega del Gozzoli da cui forse fu asportato prima che vi venisse apposta la numerazione cinquecentesca[2]. Nel Settecento esso faceva parte della importante collezione di disegni fiorentini della famiglia Corsini (Fusconi-Prosperi Valenti Rodinò 1982), in cui era considerato di mano dell'Angelico. Fu il Berenson, nel 1903, a riconoscerlo al Gozzoli e successivamente alla sua cerchia[3]. Del foglio infatti è spesso stata notata la sovrapposizione di figurazioni non correlate sul *recto*, nonché la diversità qualitativa tra le due facce, che hanno indotto in qualche caso gli studiosi a riconoscere nel *verso* l'intervento di assistenti di bottega[4].
Sulla preparazione rosa del *recto* è stata tracciata a punta metallica una *Testa di vescovo* con lo sguardo rivolto in alto. L'attenzione è insistita sul volto, ombreggiato col pennello marrone e lumeggiato a biacca, mentre il manto e la mitria sono appena accennati ad acquerello. Rispetto al risultato naturalistico di altri disegni di testa del Gozzoli qui esposti (come ad esempio i cat. 14 e 16) notiamo che il tocco della biacca risulta meno sensibile, quasi scontato nello scegliere i punti da illuminare. In questo caso l'artista sembra intento a rielaborare un motivo di testa generica per adattarlo a un personaggio vescovile, utilizzato nel 1450 nel coro di Montefalco per il prelato di Assisi in atto di proteggere Francesco, e ancora per la testa mitriata di sant'Agostino negli affreschi di San Gimignano (1464-1465)[5].
In senso trasversale alla pagina è stato tracciato, in un secondo momento con una punta metallica più sottile, un *Nudo di giovane disteso*. La figura, probabilmente copiata dal foglio 46 del taccuino di Rotterdam (Degenhart-Schmitt 1968, I, 2, cat. 449), è eseguita con mano insicura insistendo e incidendo più volte la preparazione alla ricerca di migliori proporzioni per le gambe piegate in scorcio. È presumibile che si tratti dell'esercitazione di un allievo che tenta di replicare un disegno utilizzando una pagina dello stesso libro gozzolesco. Le tracce di matita rossa lungo i bordi sinistro e inferiore appartengono invece a una mano più tarda, di un artista della fine del XV secolo che ha usato in modo occasionale il foglio per schizzare dei dettagli di braccia, gambe e panneggi, evitando però di coprire il disegno preesistente. La lettura della sanguigna su fondo rosa è molto difficile, ma sarebbe interessante poter arrivare al riconoscimento di quell'artista che ha avuto a sua disposizione, se non posseduto, il disegno o il taccuino del Gozzoli alla fine del Quattrocento.
Sul *verso*, il *Cardinale che sorregge la mano di un vescovo inginocchiato* è condotto a penna con ombreggiature a tratteggio e acquerello. Il riferimento a un allievo, avanzato da Popham e Prosperi Valenti, è dovuto al carattere di repertorio, se non addirittura derivativo forse dall'Angelico, di questo disegno. La tipologia della figura di destra la troviamo studiata due volte, nuda e panneggiata, in una pagina di Rotterdam[6]. Notiamo inoltre che i personaggi di questa composizione sono stati singolarmente impiegati dal Gozzoli nella scena del *Miracolo di san Zanobi* (ora a Berlino) nella predella della pala della Purificazione (1461). Questo tipo di disegni costituivano un repertorio da impiegare in più occasioni, come in un *collage*, secondo una prassi tipica nel Quattrocento. Non si deve per questo escludere l'autografia gozzolesca identificabile per una certa finezza, pur abbreviata, della conduzione. Il foglio di Roma con la sua varietà di disegni sulle due facce è un esempio significativo del patrimonio della bottega del Gozzoli.

(Lorenza Melli)

[1] Degenhart-Schmitt 1968, I, 2, cat. 410, pp. 466-467 (con bibliografia).
[2] Degenhart-Schmitt 1968, I, 2, p. 478. Per Elen 1995, nota 3, p. 226, invece, la mancanza di numerazione o di altre evidenze codicologiche impedisce di accertarne la provenienza dallo stesso volume.
[3] Berenson 1903, n. 545; Berenson 1938, n. 599G.
[4] Popham 1929-30, p. 57; Prosperi Valenti Rodinò 1995, n. 1, pp. 18-19 (con bibliografia).
[5] Confronti proposti da Degenhart e Schmitt.
[6] Ames-Lewis 1995, pp. 392-393, fig. 6.

25
Benozzo Gozzoli
San Gerolamo e un compagno
Penna e inchiostro marrone, carta bianca; mm. 120 x 62 (misure massime)
Iscrizioni: in basso GIULIO DA FORLÌ (XVII sec.?)

Firenze, Gabinetto Disegni e delle Stampe degli Uffizi, inv. 1358 F

Quando il Ferri registrava nell'inventario manoscritto degli Uffizi il piccolo schizzo a penna del Gozzoli con "un frate e altra figura ammantata", non si era accorto di essere di fronte a uno studio per gli affreschi della cappella di San Girolamo a Montefalco, come rivelò il Loeser nel 1903[1] identificando i disegni connessi alla decorazione del coro nella stessa chiesa (cat. 23). Si tratta infatti di un disegno preparatorio[2] per la scena della *Partenza da Roma di san Gerolamo seguito da un diacono*, dipinta su una parete della cappella (fig. 1). Essendo gli affreschi databili al 1452, esso rappresenta come una delle prove grafiche cronologicamente sicure di Benozzo, ed estremamente significative per la possibilità di studiarne il rapporto con la sua realizzazione pittorica. Le leggere differenze della posa delle figure rispetto all'affresco, verificabile direttamente in mostra, escludono che sia una derivazione: è la carta su cui il pittore ha fissato la prima idea per queste due figure. Anche la tecnica esecutiva, cioè la penna a tratti veloci e insistiti solo su certi particolari come le ombreggiature del panneggio, e la mancanza di elementi ambientali ci indicano che si tratta di uno studio specifico per queste figure ancora a livello di ideazione. Nell'affresco, per la caduta del colore nella veste azzurra del diacono, sono individuabili a occhio nudo le linee disinvolte con cui il pittore ha indicato le pieghe essenziali, che corrispondono a quelle del disegno. Il foglio ci documenta dunque una delle fasi preliminari della creazione del dipinto. Come ha osservato Angelini, esso è tecnicamente affine agli studi a penna per gli affreschi di Santa Rosa a Viterbo databili al 1453 (cat. 26). Secondo lo studioso, il pittore ha fatto ricorso a questo medium più frequentemente in epoca tarda, dimostrando in epoca giovanile di preferire il disegno a pennello e biacca. Tuttavia la scelta della tecnica è sovente legata alla funzione del disegno e la penna ben si addice a uno studio preparatorio che, come in questo caso, nella sua velocità risulta leggermente più elaborato nel dettaglio e insistito nel chiaroscuro a tratteggio rispetto ad esempio ai disegni per il ciclo di Santa Rosa, in cui trattandosi di studi compositivi l'elemento figurale appare ancor più abbreviato.

Per quanto riguarda la scritta GIULIO DA FORLÌ, apposta probabilmente da un collezionista del XVII secolo, è stata ipotizzata una svista attributiva per i forlivesi Melozzo (Ferri) o Pietro di Giacomo, un aiutante dell'Angelico nell'impresa vaticana (Berenson).

(Lorenza Melli)

[1] Loeser 1903, pp. 173-184.
[2] Come è stato riconosciuto univocamente da Berenson 1903, II, n. 537; Degenhart-Schmitt 1968, cat. 407 (con bibliografia); Padoa Rizzo 1972, p. 45; Angelini 1986, cat. 6 (con bibliografia); Cole Ahl 1996, p. 64.

1. Benozzo Gozzoli, *San Girolamo ed un compagno lasciano Roma*, Montefalco, Chiesa di San Francesco, cappella di San Girolamo.

3. Opere dal 1453 al 1461

3.1. A Viterbo

3.2. A Roma

3.3. A Firenze

Il ciclo di Santa Rosa a Viterbo

Federica Papi

Nel 1453 Benozzo giungeva a Viterbo per eseguire un ciclo pittorico dedicato alla vita di santa Rosa commissionatogli dalle clarisse per la loro chiesa annessa al monastero[1]. Nonostante il ciclo sia andato perduto, è proprio questa commissione ad attestarci il grande prestigio raggiunto dal pittore fiorentino a questa data. Esaminando la situazione storica, politica e religiosa in cui si trovava Viterbo in quegli anni, si intuisce che l'incarico a Santa Rosa non fu una occasione fortuita, ma una commissione ottenuta probabilmente per intercessione papale, conseguente al rinnovamento politico-religioso che aveva investito la città sin dalla prima metà del Quattrocento.

A Viterbo, infatti, è solo con la fine dello scisma e l'elezione di Martino V che si attesta una notevole ripresa del culto della vergine Rosa, ma non solo il suo. Il culto per Rosa rientrava infatti in quel fenomeno di rinnovato interesse per i santi promosso da una Chiesa bisognosa di conferme, ossia in quel generale processo di ricostruzione intrapreso dallo Stato pontificio in quegli anni, attraverso la riforma degli apparati politici e il rinnovamento degli ordini religiosi. Rosa aveva abbracciato nella sua vita la spiritualità dei frati minori, tanto è vero che alla fine del Trecento la troviamo anche inserita fra i santi francescani nel *De conformitate* di Bartolomeo da Pisa. Nel Quattrocento, nell'ordine francescano particolare fortuna arrise al movimento dell'Osservanza che propagandava nuove forme di devozione e di costume, come quelle adottate dalla santa durante la sua breve vita[2].

Nel corso dei regni di Eugenio IV (1431-1446) e Niccolò V (1447-1455), oltre alla riconquista spirituale, lo Stato della Chiesa avviò anche la ricostruzione politica destinata a consolidare nel tempo la supremazia papale. I due papi furono i promotori di un importante rinnovamento socio-urbanistico che coinvolse molte città, soprattutto quelle considerate più ribelli come Viterbo. Addirittura Niccolò V assegnava a questi interventi lo stesso valore che veniva dato alle opere realizzate per Roma allo scopo di "incentivare la devozione e, inculcando timore, esprimere il senso della Fortezza"[3]. Nell'antica sede papale, a partire dal pontificato di Eugenio IV, sono infatti documentati grandi rimodernamenti che coinvolsero soprattutto l'edilizia sacra, con particolare attenzione alle chiese e ai monasteri femminili[4]. Questi lavori investirono, a partire dal 1445, anche la zona del monastero di Santa Rosa e dell'annessa umile chiesetta, che aveva subito notevoli danni a causa degli incendi del 1357 e del 1410, tanto che le sorelle si erano ritirate in un'ala discosta dal fabbricato principale vivendo nella più squallida miseria. Vennero restaurati, oltre alla chiesa riconsacrata l'8 dicembre 1450[5], anche il monastero e la zona antistante con la realizzazione della strada e del piazzale, che ne resero più agevole l'accesso. A questa data, ormai, le sorti del monastero si erano risollevate, anche e soprattutto per effetto dell'anno santo che fu certo un fatto non irrilevante per una città come Viterbo, tappa obbligata per i pellegrinaggi verso Roma. Il monastero delle clarisse era visitato da tutti i personaggi più importanti. A questi e ai pellegrini, che lasciavano elemosine, le monache offrivano dei cordoni di seta fatti passare sul corpo della santa[6]. Già nel 1450 risulta che le clarisse avessero raggiunto un capitale di cinquemila ducati d'oro, di cui il Comune cercò di appropriarsi[7]. Alle insistenze dei priori le monache opposero però il diritto di autonomia decisionale dichiarando di dipendere direttamente dal papa e dal cardinale di Fermo, Domenico Capranica, loro protettore[8]. Le risorse vennero così investite in una serie di iniziative tese a ripristinare il culto di Rosa e raggiungere la tanto aspirata canonizzazione[9].

Per prima cosa si iniziarono gli abbellimenti del nuovo santuario, dei quali rimane la memoria in un manoscritto intitolato "Memorie Antiche" conservato nell'archivio del monastero[10]. Da questa sorta di elenco-spese di lavori appare chiaro che sia l'esterno che l'interno della chiesa furono rinnovati. All'esterno vennero costruiti una scalinata e un bel portico con quattro colonne di "assai ornato intaglio"; all'interno vennero intonacate le pareti ed eseguiti sedili in pietra, rifatta la cappella della Purificazione e un'altra posta nello "spatio de socto della detta ecclesia"[11]. Il prezioso manoscritto ci tramanda anche i nomi degli artisti che ornarono il tempio, pur non fornendoci l'ordine cronologico delle esecuzioni[12]. Al foglio 4 è registrato: "Ancora per ornamento della decta ecclesia feron pengere li archi de epsa ecclesia per mano de mastro Mario de Amelia. E intorno la decta ecclesia per le sue circumferentie, per immortale memoria feron pegnere la istoria de la Sancta Rosa tucti ad colori fini et ornate d'oro per mano de Mastro Benozo da fiorenza computate le spese facte alli detti maestri et loro salarii de quelle penture montarono ducati trecento d'oro"[13]. Quando giunse a Viterbo quindi il pittore fiorentino aveva ormai acquisito il titolo di maestro[14]. D'altronde l'artista vantava una formazione autorevole: l'alunnato presso la celebre bottega del Ghiberti, poi l'esperienza con il pittore più famoso d'Italia (Vasari), l'Angelico, con il quale aveva lavorato a Firenze a Roma e a Orvieto, qui addirittura con il titolo di consocio. Dopo la sua prima importante impresa autonoma a Montefalco Benozzo poteva considerarsi il nuovo Giotto della spiritualità francescana. Che questa commissione francescana viterbese gli fosse pervenuta tramite frate Iacopo, rimasto particolarmente soddisfatto dopo la prova nella chiesa di San Francesco a Montefalco, può anche essere vero, considerato il fatto che la cura spirituale delle clarisse era da sempre stata affidata ai padri francescani[15]. I monasteri avevano però il privilegio di dipendere direttamente dal papa e gli storici ricordano come in questi anni Niccolò Parentucelli si interessò non solo allo sviluppo urbanistico di Viterbo, ma anche al monastero di Santa Rosa, dove nel 1449 inviava la madre Andreola e la sorella Caterina per visitare la salma della santa e lasciare donativi[16]. Potrebbe quindi essere stato lo stesso Niccolò V a consigliare alle monache di affidare l'incarico di tramandare la vita di Rosa a un pittore moderno, aggiornato sulle novità fiorentine, di certo più importante e alla moda degli artisti operanti in quegli anni nella città laziale. Un ruolo diretto del pontefice spiegherebbe anche la presenza della sua insegna sulla porta maggiore della chiesa e quella posta sul muro del chiostro[17].

Nella piccola chiesa Benozzo dipinse dieci scene collocate in un unico registro e separate da finti pilastri. Quattro storie erano affrescate sulla parete destra, una sulla controfacciata, tre sulla parete sinistra e due nell'abside; fonte agiografica di Benozzo fu probabilmente la *Vita di santa Rosa* redatta nella prima metà del Quattrocento[18]. Più difficile da individuare appare invece la collocazione degli archi dipinti da maestro Mario da Amelia il quale, dal pagamento ricevuto insieme a Benozzo, sembra avere lo stesso tipo di rapporto che intercorse a Orvieto tra Pietro di Nicola Baroni e il Beato Angelico[19]. La distribuzione delle scene, la data di esecuzione e la presenza della firma di Benozzo in uno dei riquadri ci sono invece state tramandate in un rogito notarile, datato 31 agosto 1632, nel quale vengono riportate sia la disposizione che l'iscrizione illustrativa posta sotto ogni scena. Il documento ci informa che fu il cardinale Tiberio Muti, vescovo di Viterbo, a ordinare al pittore Francesco Sabatini di Orvieto, visto che la chiesa doveva essere demolita, di eseguire le copie degli affreschi "ad perpetuam rei memoriam"[20]. Il 20 novembre dello stesso anno il pittore orvietano dichiarava di aver realizzato, cominciando dal lato "dell'epistole", nove copie su dieci, poiché il secondo riquadro era già andato distrutto per la costruzione di un organo e poi di una cappella. In realtà non fu in questa occasione che gli affreschi di Benozzo scomparvero. Infatti i previsti lavori di rinnovamento non vennero integralmente eseguiti, probabilmente per mancanza di fondi, così gli interventi di quegli anni si limitarono alla costruzione di una nuova cappella di Santa Rosa[21]. Questo spiega perché il ciclo viene ancora ricordato nelle due visite apostoliche del cardinale Francesco Maria Brancaccio, del 1639 e del 1646, dove si rileva che le "picturae celeberrimi Benotii de Florentia devastate et calce inficiate apparent"[22]. Gli affreschi di Benozzo erano quindi in cattive condizioni ma versavano in questo stato già da molti anni, come si rileva da un'altra visita apostolica eseguita nel 1583[23]. Va inoltre sottolineato il silenzio di Vasari sul ciclo e il non riconoscimento come opere di Benozzo da parte di Giulio Mancini[24]. Uno stato compromesso degli affreschi già in quegli anni, per infiltrazioni e umidità sulle pareti, e anche un possibile cattivo restauro giustificherebbero parzialmente le goffe copie del Sabatini, rintracciate solo nel 1872 dal canonico Luca Ceccotti. Una lettura migliore la offrono comunque le riproduzioni fotografiche dei disegni eseguite al momento del ritrovamento, in quanto appaiono meno alterate rispetto agli originali sul loro stato attuale[25]. Purtroppo anche queste riproduzioni non ci testimoniano quei colori fini e ornamenti d'oro che dovevano rendere particolarmente sontuose le scenografie ideate da Benozzo. Il pagamento corrisposto al Gozzoli farebbe infatti pensare a una ricchezza assai vicina a quella che caratterizzerà la successiva cappella Medici; però il dato naturalistico-paesaggistico così caratteristico del ciclo dei Magi è qui sostituito da una perfetta rappresentazione di Viterbo. I monumenti medievali si affiancano a quelli rinascimentali; citazioni classiche arricchiscono trabeazioni, capitelli, pilastri come a ricordarci quel rinnovamento edilizio rinascimentale che investiva Viterbo in quegli anni. Un'idea migliore dei raggiungimenti stilistici di Benozzo a Viterbo ce la forniscono senz'altro i due disegni autografi preparatori del ciclo arrivati fino a noi, che per una felice coincidenza sono relativi proprio al riquadro mancante al momento della campagna del Sabatini[26]. Soprattutto nella scena della *Tonsura di Rosa* è evidente come Benozzo avesse ormai acquisito e personalizzato i caratteri dell'arte rinascimentale: la resa dello spazio, la studiata disposizione delle figure, la narrazione continua e armonica dell'episodio. Così attraverso Benozzo la cultura toscana si irradiava a Viterbo e con essa il "benozzismo". La sua particolare sensibilità ritrattistica, la minuziosa descrizione degli abbigliamenti, la ricerca differenziata di positure e gesti saranno punti di riferimento per la prima formazione di pittori come Antoniazzo Romano e Lorenzo da Viterbo, che di lì a pochi anni realizzerà la decorazione pittorica della cappella Mazzatosta[27]. L'effettiva distruzione del ciclo di Santa Rosa avvenne nel 1849 quando l'ingegnere Vincenzo Federici fu incaricato di costruire un nuovo tempio[28]. Dal progetto dell'architetto ricaviamo, oltre alle dimensioni della vecchia chiesa, l'esistenza ancora in quell'anno dell'originale parete destra mai abbattuta. Su questa parete sarebbe riemerso subito, dopo la seconda guerra mondiale, un frammento dell'affresco di Benozzo rappresentante il Crocifisso che appare alla santa. Purtroppo, durante i lavori eseguiti dal Genio civile l'unico passaggio che conduceva al corridoio, dove riapparve l'affresco, fu richiuso impedendo ogni verifica dell'importante scoperta[29].

[1] Nella primitiva chiesa, Santa Maria, e nel monastero si osservava la regola benedettina di San Damiano d'Assisi. Le monache venivano chiamate le *rinchiuse di Santa Maria o di San Damiano*. Gregorio IX confermò alle religiose la regola e l'abito delle benedettine e donò il monastero di particolari privilegi. Solo dopo la morte di santa Rosa e la sua traslazione nella chiesa, le monache passarono alla regola di san Francesco e quindi cambiò la denominazione del monastero in *Conventus Monasterii S. M. Viterbiensis, Ordinis S. Damiani, alias vocati S. Rosae Ord. S. Clara*. Dopo i primi anni del XV secolo la chiesa verrà ricordata solo come Santa Rosa.

[2] Le date di nascita e di morte più probabili di santa Rosa sono 1233-1251. Cfr. Abate 1952, pp. 115-138.

[3] Westfall 1974, p. 129.

[4] Cfr. Madonna 1983, p. 86.

[5] Coretini 1638, p. 157: "Ioannes vero Episcopus die VI. Octobris ejusdem anni (MCCCCL.) Ludovicum de Varambone, Gallum, Cardinalem S. Anastasiae, Episcopum Maurianensem in ejus palatio excepit, qui die VIII. Dicti mensis, ipso Ioanne assistente, ecclesiam S. Rosae consacravit".

[6] Notevoli furono ad esempio i doni offerti al monastero da Federico III nel 1452 durante la sosta in città nel viaggio verso Roma per la sua incoronazione (cfr. Niccolò della Tuccia 1872, pp. 217-218; Bussi 1742, p. 250; Pinzi 1913, p. 87).

[7] Sulla disputa tra il convento e il Comune vedi le deliberazioni del consiglio comunale del 27 marzo 1450 conservate a Viterbo, Biblioteca degli Argenti, MS.II.B.7.12, ff. 177v-179v e quelle del 13 maggio in MS. II.B.7.13., f. 40r-v. Nella seduta del 13 maggio si decise di inviare a Roma come oratore Niccolò della Tuccia con il compito di esporre il problema al papa. In questa occasione il pontefice verrà esortato a riprendere i lavori per la canonizzazione, ma Niccolò V si limiterà a ordinare una pubblica offerta di cera alla chiesa di Santa Rosa nel giorno della Candelora: Cfr. Esposito 1999 e ancora Cole Ahl, Londra 1992, p. 61, n. 2.

[8] Domenico Capranica, arcivescovo di Fermo († 1458), insieme ai cardinali Bessarione e Prospero Colonna, fece parte della commissione nominata da papa Callisto III per la ripresa del processo di canonizzazione di santa Rosa.

[9] Per circa due secoli a partire dalla bolla di Innocenzo IV (25 novembre 1252), con la quale si ordinava l'avvio al processo di canonizzazione, le monache di Santa Rosa avevano infatti cercato di diffondere il culto della loro protettrice. Non solo invece il processo non fu mai portato a termine, ma nel XIV secolo la devozione popolare per Rosa sembrò quasi scomparire del tutto (cfr. Piacentini 1999).

[10] VARS (Archivio Monastero Santa Rosa), *Memorie antiche/Scancia, n. 2 B*: si tratta di un libretto senza data di compilazione e senza autore. La data più recente che vi compare è il 1462 che ne costituisce quindi il *post quem*. Piacentini 1990, p. 96, nota 1, riporta che in un "Catasto dei Beni del Monastero" redatto nel 1876 si legge: "In un antico libretto intitolato *Memorie Antiche/B* che per la forma del carattere e per la qualità della carta manifestamente palesa essere stato scritto in quel secolo, si narra, che nel 1403 erano solo otto Monache professe, e che vivevano in si gran povertà che non avevano né vino, né vigna, né grano né terreno da raccoglierne, e colle industrie appena giungevano a provvedere sette some di grano l'anno. Così continuarono fino all'anno 1410, in cui per accrescimento e sopra carico delle loro disgrazie si aggiunse un funestissimo incendio a caso acceso alla vigilia di Sant'Orsola, 20 Ottobre, sulla mezzanotte, cui devastato tutto il dormitorio, ed incendiate tutte le masserizie, e panni che erano dentro il Monistero appena colli vesti più vili poterono salvarsi le poche monache in alcune stanze separate che non soggiacquero all'incendio, colla stessa penuria vivendo sino all'anno 1418 (ff. 2-3); quando il monastero prese a riprendersi e ad avere varie cose, queste furono inventariate in un catasto [...] che possono leggersi distintamente notate nell'inventario di Niccolò Malagricci pubblico notario, per mano di esso formato doppo 47 anni, cioè nel 1465 lì 2 marzo che sta in autentica forma copiato nel libro di pergamena nel fascietto B" (ff. 3-4). In realtà però il fascicolo riporta nell'ultimo foglio la data 1476.

[11] Tutte le opere di muratura e di falegname-

ria furono eseguite da mastro Jacovo de Nofrio, mastro Domenico alias Rempiccia e Angelo della Jeminica.

[12] Andando per ordine di citazione troviamo Francesco d'Antonio Zacchi detto il Balletta, autore di una icona per la cappella della Purificazione, per la quale era stato eseguito anche un tabernacolo, e del polittico della Madonna per l'altare maggiore, a sua volta dipinto a fiori e rose. A Paolo Romano venne affidato l'ornamento del pulpito e degli organi e a Valentino Pica di Viterbo spettò la decorazione del soffitto, appena rifatto. Mastro Simone e Donato di Battista da Viterbo realizzarono la grata posta a protezione della reliquia di santa Rosa nella sua cappella. Vengono poi ricordati l'invetriatura della finestra ogivale dell'abside, opera di un monaco napoletano dell'ordine di san Benedetto, e il campanile di Stefano Lombardo (vedi documento in appendice).

Colgo qui l'occasione per ringraziare suor Maria Chiara per avermi fornito la copia del manoscritto e avermi fatto consultare e fotocopiare altri documenti e testi utili alla stesura di questo scritto. Ringrazio inoltre la reverenda badessa suora Annunziata e ancora suor Maria Chiara per la disponibilità a farmi visitare, con il prof. Toscano, il monastero. Ringrazio inoltre monsignor Ernesto Piacentini per avermi fornito alcuni testi bibliografici che non ero riuscita a rintracciare.

[13] Il brano è stato per la prima volta pubblicato da Cristofori 1888, pp. 17-19.

[14] È chiamato "maestro" già in un documento orvietano del 12 luglio 1449.

[15] Lo afferma Signorelli 1963, p. 292, senza però fornire alcuna prova documentaria.

[16] Signorelli 1963, p. 194.

[17] Ciò risulta dalla descrizione della chiesa fatta nella visita apostolica eseguita da Vincenzo Coltello, vescovo di Catania, il 29 maggio del 1583. Sul portale maggiore viene segnalata la presenza dell'insegna di Niccolò V e delle immagini di Santa Rosa, Santa Chiara e San Lorenzo: ASV (Archivio Segreto Vaticano), *Congr. Vescovi e regolari*, *Visita Apostolica*, 108, f 270.

[18] Questa *Vita* è generalmente chiamata *Vita II* per distinguerla dalla *Vita I* scritta nel XIII secolo. Una terza *Vita* anonima verrà redatta tra il 1510 e il 1520.

[19] Nessi 2001, p. 28. Sul pittore di Amelia, Mario di ser Niccolò, documentato in patria dal 1425 al 1427, non sono state rintracciate altre notizie.

[20] Tiberio Muti era stato eletto cardinale sotto Paolo V Borghese ma fu soprattutto legato alla cerchia di Francesco Barberini, la cui preoccupazione di tramandare il ricordo di antichi dipinti murali è ben nota e attestata dai celebri codici Barberiniani conservati nella Biblioteca Vaticana.

[21] Ciò si deduce dal libro della fabbrica conservato nell'archivio del monastero. Il libro inizia nel 1591 e continua fino al 1647.

[22] Archivio Diocesano di Viterbo, *Visitatio Ecclesiarum Viterbiensium*, 1639, ff. 63-66; 1646, ff. 81-91. In quest'ultima visita si ordinava anche il restauro delle pitture.

[23] ASV, *Congr. Vescovi e regolari*, *Visita Apostolica*, 108, f. 270.

[24] Riferendosi a Lorenzo da Viterbo Mancini scrive: "Non ho potuto saper altri particolari, ne di suo è la Vita di S. Rosa in Viterbo per essere più antica et di diversa maniera et sapere". Mancini 1956 [ed. 1656], pp. 185-186.

[25] Sono conservate presso VASR.

[26] Per i disegni conservati Londra e Dresda vedi le relative schede.

[27] Cfr. Cavallaro 1992, p. 17. Per l'influenza di Benozzo nel Lazio settentrionale vedi Pasti 1983 e Russo-Santarelli 1999.

[28] Fu il cardinale Gaspare Bernardo Pianetti a disporre la ricostruzione della chiesa nel 1844 affidandone il progetto all'ingegnere Vincenzo Federici, la cui relazione dei lavori si conserva presso l'archivio del monastero. La relazione è composta di un testo scritto e di alcune piante disegnate. Fra queste molto interessante è quella relativa al progetto della nuova chiesa poiché riporta anche la forma della chiesa quattrocentesca. Dalla tavola si ricava che la chiesa antica occupava una superficie di 51,98 canne viterbesi e che la nuova chiesa diventerà il triplo di quella vecchia. Dalla sacra visita eseguita dal cardinal Pianetti nel 1827 apprendiamo anche quale fosse lo stato della chiesa prima del rinnovamento del Federici: "Sulla facciata in peperino era scolpita nella stessa pietra la statua rappresentante la Santa ed al lato sorgeva il campanile quadrato aperto da ciascun lato e munito di quattro campane. L'interno era ad una sola navata a pareti lisce e riceveva la luce da una grande finestra sopra la parete laterale e da altre cinque piccole finestre in alto, a cui facevano riscontro nella parete rimpetto aderente al Monastero, cinque grate dalle quali le monache assistevano alle sacre funzioni ed altre due si aprivano sul presbiterio. Dell'antico splendore non rimaneva che il soffitto in parte dorato in mezzo al quale era l'immagine della Santa con la croce in mano scolpita nel legno ed egualmente dorata, nonché un affresco rappresentante la SS. Trinità, sopra l'altare maggiore di legno intagliato, verniciato e dorato di cattivo disegno. Gli altri quattro altari erano a stucco con quadri in tela di autori ignoti"; Signorelli 1963, pp. 245-246.

[29] Cfr. Signorelli 1963, p. 297.

26
Benozzo Gozzoli
Visione di santa Rosa
Disegno a penna su carta rosa, mm 180 x 150

Londra, The British Museum, inv, 1885-5-9-38

Fu Philip Pouncey, nel 1947, il primo a mettere in rapporto questo disegno con quello raffigurante la *Tonsura di santa Rosa* conservato al Kupferstichkabinett di Dresda[1] (fig. 1) Sempre allo stesso studioso si deve l'intuizione della loro relazione con le storie di santa Rosa dipinte da Benozzo nel 1453 a Viterbo nella chiesa dedicata alla santa. I due disegni pertanto completano la documentazione iconografica dello scomparso ciclo viterbese insieme alle nove copie che Francesco Sabatini eseguì nel 1632 su incarico del cardinale Tiberio Muti[2].
I due disegni risultano essere infatti gli studi preparatori per il riquadro che, nella ripartizione delle scene, occupava la seconda posizione sulla parete destra, ma che andò distrutto, prima del 1632, per far posto a un organo e poi a una cappella. Che in origine i due disegni costituissero un unico foglio è dimostrato dalla perfetta corrispondenza delle linee dell'architrave che, in entrambi i disegni, chiudono in alto la scena[3].
In essi sono raffigurati due degli episodi più importanti della vita di Rosa: quando con l'insorgere di una grave malattia si manifestò la vocazione religiosa della fanciulla e quando la giovane, guarita miracolosamente dopo l'apparizione della Madonna, chiese di entrare in un "Ordine", identificato dai biografi con il Terz'ordine francescano. Successivamente Rosa indossò l'abito di terziaria e si sottopose alla tonsura analogamente a santa Chiara d'Assisi. La leggenda *Sanctae Clarae virginis* narra che Chiara, lasciata la casa dei familiari, si diresse nella chiesa di Santa Maria della Porziuncola dove i frati l'accolsero e le tagliarono i capelli. Secondo la tradizione iconografica, fu lo stesso Francesco a compiere l'atto, come si vede nella tavola del Maestro di Santa Chiara a cui Benozzo sembra ispirarsi per il disegno di Dresda[4]. Nel pittore fiorentino però il modello antico viene aggiornato con un impianto compositivo rinascimentale. La scena si svolge sotto un portico classicheggiante sulle cui scale la santa è inginocchiata, mentre un frate le taglia i capelli. Assistono all'evento alcuni frati sotto la loggia e alcune popolane alle spalle della fanciulla.
Nel disegno di Londra la giovane Rosa giace nel letto a causa di una grave infermità e, all'apparire della Madonna circondata da angeli, si alza a sedere e indica la sua visione a quattro donne e tre uomini che la circondano.
L'autografia dei due disegni, quindi la sicura appartenenza al catalogo di Benozzo, è comprovata non solo dal riferimento ai distrutti affreschi di Viterbo, ma anche da alcune corrispondenze stilistiche con il ciclo eseguito da Benozzo l'anno prima nella chiesa di San Francesco a Montefalco. Ritornano infatti nel disegno di Dresda le snelle colonne del *San Francesco supera la prova del fuoco* (Berenson 1961, p. 91) e, in entrambi i disegni, sono poi riproposti quei pilastri scanalati, sormontati da capitelli classici, che arricchiscono anche molte delle scene di Montefalco. Il riuso di modelli figurativi già inventati da Benozzo è evidente ancora nel disegno di Londra, dove la figura femminile di spalle, in atto di guardare l'apparizione della Madonna, richiama quella in analoga posizione del *Presepe di Greccio*. Entrambe le figure sembrano derivare dal disegno attribuito a Benozzo conservato presso la Fondazione Custodia a Parigi[5].
I due disegni, di Londra e di Dresda, sono infine una prova lampante delle capacità organizzative di uno spazio prospettico su di un piano raggiunte da Benozzo a questa data. Uno spazio in cui le figure e gli oggetti si collocano in maniera naturale e armonica; pertanto le scorrettezze e i difetti evidenti nei disegni del Sabatini sono da attribuire solo alle scarse qualità del copista.

(Federica Papi)

1. Benozzo Gozzoli, *Studi per gli affreschi di Santa Rosa a Viterbo,* Dresda, Kupferstich-Kabinett, inv. C. 2.

[1] Pouncey 1947a, pp. 9-12; Pouncey 1947b, p. 98. Lo studioso li dice entrambi provenienti dalla collezione Richardson dove sarebbero rimasti fino al 1745. Particolare apprezzamento per i due disegni è stato espresso da Berenson 1961, I, p. 32; II, pp. 91, 94. I disegni sono stati poi pubblicati da Popham-Pouncey 1950, f. 50; Degenhart-Schmitt 1968, p. 468 nn. 413 e 414; Pasti 1983, p. 160, fig. 136; Cole Ahl 1992, p. 74, figg. 89 e 90.
[2] Per questi disegni vedi la relativa scheda.
[3] Il disegno di Dresda è a penna e acquerellato in rosa su carta bianca. Misura mm 160 x 100.
[4] Questa relazione è stata sottolineata dalla Cole Ahl 1992, p. 76.
[5] Byam Shaw 1983, n. 3.

27.1-9
Francesco Sabatini
(notizie 1632)
Copie dal ciclo di santa Rosa
Tempera e inchiostro su carta filigranata; mm 283 x 430

Viterbo, Museo Civico,
inv. 12/00428084-92

I nove disegni, rintracciati nel 1872 dal canonico Luca Ceccotti, costituiscono le copie dei perduti affreschi dipinti, nella chiesa annessa al convento delle clarisse a Viterbo, da Benozzo Gozzoli nel 1453[1]. Essi furono eseguiti, nel 1632, dal pittore orvietano Francesco Sabatini su incarico del cardinale Tiberio Muti, vescovo di Viterbo, in occasione di un progetto di ampliamento della chiesa. Un rogito notarile redatto da Pietro Rossi, notaio della Curia vescovile viterbese, il 31 agosto di quell'anno, ci documenta la commissione al Sabatini riportando anche la descrizione degli affreschi, le iscrizioni poste sotto le scene e le indicazioni sulla loro ripartizione all'interno del tempio[2].
Le storie di santa Rosa erano narrate in dieci riquadri rettangolari disposti su di un unico registro: quattro erano sulla parete destra, una sulla controfacciata, tre sulla parete sinistra e due nell'abside. Esse rappresentavano iniziando dalla parete *a latere epistole*: *Santa Rosa bambina resuscita la zia*; *Apparizione della Madonna con angeli a santa Rosa* e *Tonsura di santa Rosa*; *Apparizione del Crocifisso a santa Rosa e sua prima predica*; *Santa Rosa compare davanti al vicario imperiale e viene condannata all'esilio*; sulla controfacciata: *Santa Rosa predice la morte di Federico II*; parete destra: *santa Rosa entra in un castello e risana una cieca*; *Santa Rosa sostiene la prova del fuoco*; *Santa Rosa viene respinta dalle suore e morte di Santa Rosa*; parete dell'abside: *Sogno di papa Alessandro IV ed esumazione di santa Rosa*; *La salma di santa Rosa viene portata in processione al monastero per essere sepolta.*
Questo ciclo pittorico costituì la prima documentazione visiva, concepita in forma programmatica, della vita di santa Rosa, iniziativa che rientrò fra quelle intraprese dalle clarisse per istituzionalizzare il culto della loro protettrice dopo il forte declino subito nel corso del XIV secolo.
Nella prima metà del Quattrocento, in coincidenza con una vasta fioritura economica e umanistica di Viterbo, le clarisse avevano rimesso in moto la macchina organizzativa per la canonizzazione ufficiale di Rosa. Nei primi decenni del secolo veniva infatti composta la seconda biografia della santa, conosciuta come *Vita seconda* per distinguerla dalla precedente scritta nella prima metà del XIII secolo e andata parzialmente distrutta in un incendio del 1357. Alcuni studiosi (Esposito 1999, p. 41) ritengono autore di questa seconda *Vita* un padre francescano per la tendenza nella narrazione a esaltare le qualità di umiltà, carità e povertà che avvicinavano la santa viterbese a Francesco d'Assisi. Una selezione ponderata si avverte anche nella scelta dei soggetti raffigurati da Benozzo negli affreschi, il quale, verosimilmente, utilizzò proprio questa biografia come fonte agiografica del ciclo. Lo scopo dei dipinti era quindi quello di illustrare figurativamente i fatti narrati nella *Vita seconda*, come sembra suggerire la ricognizione fatta alle pitture, durante la causa di canonizzazione di Rosa, dalla commissione cardinalizia preposta dal papa spagnolo Callisto III (1455-1458) per verificare le testimonianze storiche[3]. Alfonso Borgia, che dieci anni prima aveva avuto una guarigione miracolosa proprio per intercessione della santa viterbese, fu il papa che riaprì, nel 1457, il secondo processo di canonizzazione attraverso il quale ci è pervenuta la *Vita seconda*[4].
I soggetti dipinti da Benozzo avevano quindi un significato propagandistico poiché erano chiaramente destinati a esaltare le qualità di visionaria, profetessa e operatrice di miracoli di Rosa e, quindi, a legittimare la sua iscrizione nell'albo ufficiale dei santi. Come fossero state concepite queste scene dal pittore fiorentino ce lo tramandano ormai solo i disegni del Sabatini il quale, il 20 novembre del 1632, giurava di averli riprodotti fedelmente[5]. Se possiamo essere certi che le copie ricalchino in miniatura le composizioni originali, è evidente che lo spirito con cui furono realizzate non era certo quello di tramandare lo stile o le capacità inventive dell'autore, ma di conservare una memoria della storia primitiva della Chiesa e dei suoi santi. La sommaria attenzione per i particolari quali volti, espressioni e dettagli decorativi denuncia il clima controriformistico durante il quale furono prodotte le copie, ambito culturale a cui apparteneva lo stesso committente Tiberio Muti, strettamente legato alla corte del cardinale Francesco Barberini[6].
Nonostante la goffaggine dei disegni, dovuta forse anche al cattivo stato in cui già versavano gli affreschi in quegli anni[7], essi ci mostrano la scelta di ambientare due momenti successivi della storia all'interno di uno stesso riquadro, secondo una soluzione compositiva che Benozzo aveva appreso dal Ghiberti, durante i lavori alla Porta del Paradiso, e che aveva adottato anche a Montefalco. Nel ciclo viterbese, questo schema ritorna sette volte; sulla parete destra viene usato sia nella *Madonna guarisce santa Rosa*, scena unita a quella della *Tonsura di santa Rosa*, sia nel riquadro con il *Crocifisso appare a santa Rosa* associato all'episodio di *Santa Rosa predica al popolo*. I due affreschi occupavano rispettivamente la seconda e terza posizione, ma il primo andò distrutto prima che il Sabatini potesse eseguirne la copia. Fortunatamente proprio di questo dipinto si sono conservati due disegni preparatori autografi, per i quali si rimanda alla relativa scheda. Del secondo, invece, cioè quello dell'apparizione del Crocifisso dove Benozzo aveva apposto la sua firma e la data, ne sarebbe sopravvissuto un frammento[8].
Analizzando i disegni del Sabatini notiamo una particolare attenzione dedicata da Benozzo alle scenografie e alla ricostruzione storica degli edifici della città. Ad esempio, nella scena della predica al popolo è chiaramente riconoscibile sul fondo la piccola chiesa delle clarisse con le due torri che, nel 1686, considerate

pericolanti, verranno diroccate (Signorelli 1963, p. 240). Queste stesse torri delle Mura castellane, su cui ancora oggi insiste un lato del monastero, ritornano anche sul fondale della vivace scena di *Santa Rosa esiliata dal podestà Mainetto Bovoli, per ordine di Federico II*. Le loro semplici linee architettoniche contrastano con le architetture, ricche di citazioni classiche, del palazzo imperiale. In questa scena le scarse qualità del copista non hanno del tutto offuscato la brillante invenzione prospettica di Benozzo e la sua attenzione verso la varietà del genere umano, come attesta la presenza curiosa del nano con il cagnolino e quella dei due bambini in primo piano.

Sulla controfacciata tutta la parete della chiesa era occupata dall'affresco raffigurante l'*Esilio di Rosa e della sua famiglia a Soriano*, dove la fanciulla predisse la morte dell'imperatore rivelatale da un angelo; seguivano poi sull'altra parete la *Guarigione di una cieca a Vitorchiano*, *La prova del fuoco* e il riquadro con la doppia storia di *Rosa cacciata dalle clarisse e sua morte*. Soprattutto in queste ultime, dai disegni del Sabatini, trapela la ricchezza compositiva e monumentale ideata da Benozzo per le ambientazioni, soluzioni che anticipano quelle complessità spaziali a cui l'artista giungerà a San Gimignano (Pasti 1983, p. 166). Nella prima è raffigurata la chiesa di San Francesco a Viterbo, riconoscibile per gli archi a sesto acuto, mentre in quella della cacciata delle clarisse il palcoscenico è costituito ancora dalla chiesa e dal monastero delle clarisse, questa volta però arricchite dalla scala e dal portico con le quattro colonne, aggiunti nel Quattrocento[9].

Il ciclo si concludeva sulla parete dell'abside, dove erano affrescati il doppio episodio del *Sogno di papa Alessandro IV ed esumazione di santa Rosa* e, in ultimo, la solenne *Traslazione del corpo della santa nella chiesa delle clarisse*. Il primo fa riferimento alla soluzione ideata da Alessandro IV, suggeritagli durante una visione notturna, di trasferire il corpo di Rosa dalla parrocchia di Santa Maria del Poggio, dove era

stata in origine sepolta, alla chiesa del monastero delle damianite[10]. Quest'espediente servì a evitare la costruzione di un nuovo luogo di culto vicino a quello delle devote di San Damiano, le quali godevano del privilegio che nessun'altra comunità religiosa potesse stanziarsi nelle loro vicinanze. Per questa scena, come in altri episodi del ciclo, l'ispirazione ai modelli iconografici francescani ad Assisi è indubbia[11]. La composizione richiama infatti al *Sogno di papa Innocenzo III*, anche per la convenzionale presenza delle due figure dormienti ai piedi del letto. Nel secondo episodio dello stesso riquadro Benozzo doveva aver dato prova delle sue doti di moderno ritrattista raffigurando i membri dell'alta società viterbese. Più affollata è infine la scena della traslazione, dove il fiorentino si attenne alla fonte biografica che ricorda la partecipazione all'evento dell'intera corte papale, delle autorità religiose e civili cittadine e di molto popolo. Queste schiere si addensano in primo piano formando una massa compatta e indistinta, mentre lo spazio che le contiene risulta notevolmente semplificato. È probabile che per questo affresco, dato l'alto numero delle figure rappresentate, Benozzo si sia avvalso di qualche collaboratore, magari di quel mastro Mario d'Amelia che, come ricordato nel manoscritto delle *Memorie antiche*, dipingeva "li archi de epsa ecclesia"[12].

Con questa monumentale opera Benozzo rinnovava il locale linguaggio pittorico ancora "medioevale e *retardataire*" (Cole Ahl 1992, p. 77). Introducendo il gusto per la narrazione, per il ritratto e per il costume sarà infatti lui ad aprire la strada del rinnovamento, in senso rinascimentale, ai pittori viterbesi della seconda metà del secolo.

(Federica Papi)

[1] Ceccotti 1872. Successivamente sono stati ripubblicati da Egidi 1903, da Papini 1910, pp. 35-42; da Padoa Rizzo 1972; da Pasti 1983, pp. 160-165 e da Cole Ahl 1992, pp. 72-73.

[2] Il documento è stato pubblicato per la prima volta da Cristofori 1888, pp. 15-19. Vedi appendice documentaria.

[3] La commissione, nominata il 14 giugno del 1456, era composta dal celebre cardinale Bessarione, vescovo di Frascati, dal cardinale Domenico Capranica, detto cardinale Fermano perché arcivescovo di Fermo e da Prospero Colonna del titolo diaconale di San Giorgio al Velabro; Abate 1952, pp. 170, 260-261.

[4] Gli atti originali del processo di canonizzazione del 1457 si conservano manoscritti presso l'archivio del monastero di Santa Rosa sotto il titolo "Registrum in causa canonizationis Beatae Rosae de Viterbio, Tertii Ordinis Minorum Sancti Francisci".

[5] Vedi appendice documentaria.

[6] Tiberio Muti fu nominato da Paolo V Borghese vescovo di Viterbo nel 1611 e cardinale nel 1615. Morì nel 1636 a settantadue anni e fu sepolto nella cattedrale di San Lorenzo.

[7] Vedi introduzione alla sezione.

[8] Vedi introduzione alla sezione.

[9] Per i restauri quattrocenteschi e le decorazioni della chiesa di Santa Rosa, vedi introduzione alla sezione.

[10] Le clarisse di Santa Chiara di Viterbo erano dette anticamente damianite dal monastero di San Damiano in Assisi.

[11] Il rapporto fra il ciclo viterbese di Benozzo e l'iconografia francescana è stato sottolineato dalla Cole Ahl 1992, pp. 76-77, la quale vi riscontra una volontaria intenzione di collegare Santa Rosa a San Francesco.

[12] Vedi introduzione alla sezione e appendice documentaria.

Note sulla cappella Albertoni all'Aracoeli a Roma e la *Vergine in gloria* della collegiata dell'Assunta a Sermoneta (1456-1458)

Beatrice Cirulli

Nella "portata" al catasto di suo padre Lese, del 1457, Benozzo è ricordato, assieme a suo fratello Bernardo – ventenne e pittore – tra le "bocche", con la significativa aggiunta che i due non risiedono a Firenze già da otto anni. Se l'attività di Benozzo compresa tra il 1448 e il 1453, anno in cui licenzia il ciclo viterbese, è ben documentabile, più problemi presenta la ricostruzione del lustro successivo. Per questi anni si dispone infatti di due sole notizie certe: la data 1456 apposta accanto alla firma sulla pala della Sapienza Nuova (Perugia, Galleria Nazionale) e il documento dell'ottobre del 1458 che lo dice attivo, assieme a Salvador de Valencia, in occasione dei preparativi per la festa dell'incoronazione di Pio II[1]. Se si considera non soltanto quanto rimane, a Roma e nel Lazio, di mano di Benozzo (il *Sant'Antonio con due donatori* della cappella Albertoni all'Aracoeli e la *Vergine in gloria* della collegiata dell'Assunta di Sermoneta, opere che possono essere ricondotte entrambe a questi anni) ma anche quanto andato perduto (il ciclo realizzato per il d'Estouteville in Santa Maria Maggiore e i lavori per Pio II) non si fatica a credere che per realizzare tanta pittura, la maggior parte a fresco, Benozzo abbia dovuto risiedere a Roma negli ultimi anni del pontificato di Niccolò V e nel corso del breve regno di Callisto III. Del ciclo ricordato dal Vasari all'Aracoeli – lo scrittore confuse le cappelle adiacenti dei Cesarini e degli Albertoni – rimane soltanto il *Sant'Antonio con due donatori* (fig. 1), essendo stata la cappella completamente ridecorata sullo scorcio del Cinquecento[2]. La tradizionale datazione di questo affresco (1455-58) è stata di recente messa in dubbio. Lo stile non coinciderebbe con quello di Benozzo negli anni cinquanta, mentre bene si sposerebbe con quello di Benozzo degli anni tra il 1447 e il 1449. Sulla base di queste considerazioni è stato ipotizzato che la cappella – terza della navata sinistra –, ancor prima che giuspatronato degli Albertoni, sia stata la cappella funeraria, completa di lastra tombale, di Antonio Cantagallini, dottore di diritto canonico (nel cui epitaffio, datato 1447, venivano ricordate le virtù di intelligenza e di religiosità proprie anche di sant'Antonio da Padova) e che spetti a lui o ai suoi esecutori testamentari la commissione degli affreschi a Benozzo. Questi lavori avrebbero poi fruttato a Benozzo, secondo questa suggestiva ipotesi, la commissione degli affreschi di San Fortunato a Montefalco. Sarebbe stato all'Aracoeli che fra Antonio da Montefalco, in quel momento vicario dell'Osservanza della Provincia Umbra, avrebbe notato Benozzo[3]. Eugenio IV aveva deciso di fare dell'Aracoeli il centro di propaganda dell'Osservanza a Roma. Egli emise, a questo scopo, cinque bolle in rapida successione per consolidare la presenza sul Campidoglio degli osservanti, cui aveva nel 1444 consegnato il convento. Con la seconda bolla, del gennaio del 1445, permise ai frati la costruzione di nuovi locali.

È dunque da credere che l'Aracoeli fosse sullo scorcio del pontificato del Condulmer un grande cantiere. Risale probabilmente a questi anni anche l'erezione di alcune cappelle lungo la navata est oltre alla cappella Albertoni, quella dell'Annunziata di patronato Cesarini e quella di San Paolo appartenente alla famiglia della Valle, quest'ultima menzionata in un manoscritto seicentesco che ne ricorda la costruzione al tempo di papa Niccolò V[4]. Se si accogliesse l'ipotesi che il committente della cappella Albertoni fu il Cantagallini, gli affreschi andrebbero fatti risalire all'inizio del primo soggiorno romano di Benozzo. Se è possibile che Antonio Cantagallini abbia acquisito il giuspatronato e abbia fatto erigere la cappella negli anni di Eugenio IV, difficilmente però avrebbe potuto commissionare la decorazione a fresco, decisione che spetterebbe ai suoi esecutori testamentari di cui si ignora l'identità. Le scarne informazioni biografiche di cui disponiamo sul Cantagallini ci informano che egli era, nella Roma del primo Quattrocento, un personaggio in ascesa[5], ma non sappiamo se egli avesse mai preso moglie, particolare questo non trascurabile visto che due sono i donatori che compaiono ai piedi di sant'Antonio da Padova nell'affresco benozzesco. La lapide dell'avvocato concistoriale, perduta, viene poi descritta dalle fonti settecen-

1. *Sant'Antonio da Padova e donatori*, Roma, Santa Maria in Aracoeli, cappella Albertoni.

2. Lastra tombale di Angelo Paluzzi Albertoni, Roma, Santa Maria in Aracoeli, cappella Albertoni.

3. Lastra tombale di Gentilesca dei Fabij, Roma, Santa Maria in Aracoeli, cappella Albertoni.

tesche all'esterno della cappella. Pur volendo ipotizzare un successivo spostamento della lapide, stupisce che padre Casimiro da Roma nelle sue *Memorie dell'Aracoeli* non abbia segnalato il passaggio del giuspatronato dai Cantagallini agli Albertoni, come accade per altre cappelle[6]. D'altra parte il codicillo del testamento di Angelo di Piermatteo Paluzzi degli Albertoni, steso nel 1479 e pubblicato da Padre Casimiro – non più rintracciabile negli archivi romani –, nel quale il nobile romano definisce di sua proprietà la cappella è documento troppo tardo per poter sostenere che i dipinti furono realizzati da Benozzo per gli Albertoni[7]. Questa ipotesi però prende sostanza se si considerano le due tombe terragne, riemerse al di sotto del pavimento cinquecentesco della cappella nel 1979. Le due lastre funerarie conservano i loro originali epitaffi che le individuano come i sepolcri di Angelo Paluzzi di Piermatteo degli Albertoni e di sua moglie Gentilesca dei Fabij, morti rispettivamente nel 1472 e nel 1492. A me sembra che le lastre si trovino nella loro collocazione originale. Esse presentano i due defunti con fattezze e abbigliamenti assai prossimi ai due committenti che appaiono inginocchiati ai piedi del sant'Antonio (figg. 2, 3). Sulla lastra tombale di Gentilesca compare, oltre al nome del padre, Antonio dei Fabij, un candelabro, segno di appartenenza alla confraternita del Santissimo Salvatore *ad Sancta Sanctorum*, una delle più antiche di Roma legata al culto del Volto di Cristo. Dallo spoglio dei documenti relativi alla confraternita è emerso che non solo

Gentilesca era membro della fraternità, ma anche il marito. Inoltre numerosi atti di Angelo di Piermatteo degli Albertoni risultano essere rogati dal notaio della confraternita, della quale fanno parte anche diversi altri componenti del casato[8]. Nell'affresco di Benozzo sia Angelo che Gentilesca indossano abiti di un bel rosso acceso che, come si ricava da una miniatura del 1435 posta a frontespizio del *Liber Societatis* di quell'anno, era lo stesso colore dell'abito degli appartenenti alla confraternita[9]. Se a questi dati si aggiunge che gli Albertoni erano, al contrario dei Cantagallina, famiglia dell'aristocrazia romana del rione di Campitelli e che il figlio di Angelo e suo erede universale portava il nome di Antonio, non sembra possa esservi dubbio che gli affreschi siano stati commissionati a Benozzo da Angelo di Piermatteo degli Albertoni. Questo potrebbe essere accaduto tra 1454 e il 1457. La notizia che Angelo Albertoni era nella primavera del 1455, custode della confraternita – massima carica della fraternità[10]– ci fa ritenere probabile che in quell'anno Benozzo realizzò la decorazione della cappella, forse per celebrare questo prestigioso incarico. La cappella, a pianta quadrangolare e di medie dimensioni, consente di ipotizzare che le diverse "storie" che componevano il ciclo dedicato a sant'Antonio si distendessero, su di un unico registro, lungo le tre pareti. Le scene della vita del santo, in numero forse di sei, scomparvero del tutto nel 1572 nel corso del rifacimento della cappella eseguito da Giacomo della Porta per un altro componente della famiglia[11]. La presenza lungo la parete destra della tomba a parete di Antonio Albertoni, morto nel 1509, induce a credere che almeno due scene non fossero già più leggibili all'inizio del Cinquecento.

Se per altre opere scomparse disponiamo di testimonianze, per gli affreschi dell'Aracoeli non si conserva alcuna memoria grafica. Non può infatti essere messo in relazione con questa decorazione, come propone la Padoa Rizzo, il bel ritratto di monaco del museo Condè di Chantilly[12]. È probabile che le storie raffigurassero gli stessi eventi della vita del santo che compaiono nell'attuale decorazione tardo cinquecentesca: *Sant'Antonio predica ai pesci*, il *Miracolo della giumenta*, *Sant'Antonio converte l'eretico*, episodi forse tratti dalla più nota e popolare biografia del santo redatta da Sicco Polentone. A questo testo pare ispirarsi la figura del sant'Antonio: nell'affresco di Benozzo il santo è raffigurato imberbe, leggermente pingue e di colorito bruno, così come lo descrive Polentone, e accompagnato dagli attributi più antichi, il libro e il fuoco[13]. La scritta che corre lungo il margine superiore dell'affresco fa ritenere che anche le altre scene fossero corredate da iscrizioni, come avviene nel ciclo dallo stesso soggetto, basato forse sulla medesima fonte agiografica, realizzato da Jacopo Vincioli in San Francesco a Montefalco prima del 1461[14]. Il ciclo montefalchese, se non può essere utile ai fini della comprensione degli sviluppi della maniera di Benozzo, è strumento interessante per formarsi un'idea sull'assetto decorativo della cappella Albertoni. Questa doveva presentare nella parete di fondo la figura del santo con i donatori all'interno di un'edicola marmorea, ai lati della quale erano due episodi della vita; le scene proseguivano poi lungo le pareti, separate da finte colonne o da cornici modanate. La qualità dell'affresco superstite – restaurato nel 1966 – fa rimpiangere la perdita delle *storie* nelle quali Benozzo deve aver dispiegato tutte le sue qualità di efficace narratore. Il volto del sant'Antonio è di un'intensità tale da sembrare un ritratto. La sua figura è costruita, sebbene con delle incertezze, con larghezza di tratto che lo rende

4. *Madonna e angeli*, Sermoneta, Collegiata dell'Assunta.

5. *Madonna e angeli*, Sermoneta, Collegiata dell'Assunta (prima del restauro).

imponente. Sicuramente ritratto dal vero è il committente; di Angelo Albertoni, Benozzo ha saputo cogliere l'espressione che è insieme devota e orgogliosa dell'impresa promossa. Più convenzionale appare la figura della donatrice. Semplice ma elegante questa creazione benozzesca testimonia che in questi anni Benozzo rifletteva sull'importanza della luce, sul suo valore. Come è infatti stato già acutamente notato, le poche note cromatiche di questo affresco, tutto giocato su tre soli colori – rosso per gli angeli e le vesti dei committenti, grigio per il saio di Antonio, blu per il drappo che fa da sfondo –, risultano essere sensibilissimi alla luce, fatto che denuncia un'attenta lettura delle vicende della coeva pittura fiorentina e dalle esperienze delle pitture franco-fiamminga[15]. Sono caratteri presenti anche nella pala della Sapienza Nuova di Perugia, firmata e datata 1456, ma dipinta probabilmente a Roma, vista la contiguità cronologica con gli affreschi romani. Nella tavola perugina, come anche nei disegni che con questa hanno relazione – si veda il *San Giovanni Evangelista* (Parigi, Louvre) –, si ravvisano le stesse caratteristiche e le stesse ricerche presenti nel sant'Antonio[16].
Queste opere costituiscono l'apice delle ricerche di Benozzo negli anni cinquanta: sperimentazioni che compaiono anche, sebbene in maniera meno palese, nella *Vergine in gloria* della collegiata dell'Assunta di Sermoneta. Attualmente collocata nella prima cappella destra della chiesa, la pala presenta però caratteri così arcaizzanti che si è portati a credere che l'artista sia qui costretto a contenere la sua personalità artistica. In nessuna opera del suo percorso, ad eccezione forse del tardo *San Tommaso d'Aquino* (Parigi, Louvre, *post* 1471), Benozzo è così decisamente retrospettivo come in questa

immagine. La forma della tavola, rettangolare cuspidata, il tipo della Vergine, la simmetria compositiva, il gioco dei filatteri in mano agli angeli sono elementi che non desterebbero meraviglia in una tavola trecentesca ma risultano essere completamente estranei alle ricerche "moderne" di Benozzo. Il ricorso alla tradizione è stato spiegato da una parte con la ripresa di un dipinto più antico e dall'altra con l'ipotesi che si tratti di un soggetto devozionale fatto eseguire dal feudatario Onorato III Caetani in concomitanza di un'epidemia di peste (fig. 4)[17].
L'unica fonte locale che registra la presenza di questa tavola è le *Memorie della Terra di Sermoneta* del canonico ed "esperto d'arte" Pietro Pantanelli (1710-1787), che afferma che l'opera arrivò a Sermoneta quale dono del Senato di Roma dopo che nell'agosto del 1456 una grande pestilenza, che aveva toccato l'intera Italia e cittadine vicino a Sermoneta, aveva risparmiato il territorio dei Caetani. Di tale donazione già al tempo del Pantanelli, dunque sullo scorcio del XVIII secolo, non si conservava più alcun documento[18]. Diverse fonti contemporanee all'evento epidemico confermano le asserzioni di Pantanelli e annotano che a questo seguì in dicembre un terremoto[19]. Questo squassò a più riprese – dal 5 dicembre ai primi mesi del 1457 – l'intera Italia centro-meridionale, devastando circa novanta centri ma risparmiando Sermoneta[20]. La tavola potrebbe essere stata dunque fatta eseguire, come correttamente annotato da Pantanelli, per celebrare lo scampato pericolo della peste – ma è da credere anche quello del terremoto – forse nei primi mesi del 1457. I sermonetani ringraziavano la Madonna loro protettrice, invocandola, come si legge sul nimbo della Vergine, col titolo di MARIA MATER GRATIE MATER MISERICORDIAE. Le altre iscrizioni sulla tavola, che compaiono in cartigli sostenuti dalle dominazioni e dagli angeli, confermano questo dato; vi si legge infatti: NOLITE NOCERE TERRE ET MARI NEC ARBORIBUS / E SUPER QUANDO VIDERITIS SIGNUM THAU NON OCCIDITE e ancora DIC ANGELO PERCUTIENTI CESSUM MANUM TUAM. Si tratta di due passi, rispettivamente tratti dall'Apocalisse (7.1) e dalle Cronache (1.21.15), che bene illustrano lo stato d'animo dei sermonetani che dovevano sentirsi segnati da tanta grazia per gli scampati flagelli. Appare dunque improbabile che possa trattarsi di un dono del Senato di Roma, mentre è più verosimile che i sermonetani siano ricorsi a un tramite per ingaggiare a Roma il più "celebre pittore di quei tempi"[21]. La storia della pietà mette in rilievo infatti come, in ogni occasione di calamità o epidemie, sin dal XIV secolo, città e borghi ricorrano all'intercessione della Vergine invocandola con i più vari titoli. In queste occasioni sono di norma le comunità cittadine a gestire i soccorsi agli abitanti e, passato il pericolo, a erigere alla Vergine nuovi templi o edicole o a promuovere la realizzazione di dipinti o l'ammodernamento di una antica immagine di culto. Nel corso del Trecento e per tutto il Quattrocento, come nei secoli successivi, la vicenda storica e le fortune di Sermoneta furono strettamente legate a quelle dei Caetani. Pur rimanendo sempre nella piena dipendenza e soggezione del suo signore, da piccolo *castrum* Sermoneta assunse sempre più una fisionomia marcatamente cittadina in termini di partecipazione dei suoi abitanti alla gestione degli interessi collettivi, un atteggiamento dunque sempre più simile a quelli di un Comune[22]. Non sorprende dunque che possa essere stata la comunità ad allogare a Benozzo la tavola. La corte sermonetana di Onorato III, decentrata sia rispetto a Roma che a Napoli, potrebbe però aver fatto da tramite. Periferica ma non provinciale, la corte è com-

posta per lo più da uomini di legge di Sermoneta e Bassiano ma può contare sulla collaborazione e sulla consulenza di personaggi ben addentro al mondo curiale romano, come Lorenzo da Pisa, Ludovico da Visso, Michele da Prato, procuratore fiscale di Niccolò V, e Luca de Tozolis, avvocato concistoriale e maresciallo della curia capitolina. Se a questo si aggiunge l'amicizia e la protezione potente del cardinal Scarampo di Mezzarota, camerlengo di Santa Romana Chiesa, già legato di Roma, Patrimonio, Campagna e Marittima, si comprende bene come alla corte del Caetani giungano rapidamente gli echi di quella romana[23]. A Benozzo l'"amico di curia" potrebbe aver fatto una dettagliata richiesta circa il soggetto della tavola che doveva essere posta nella collegiata di Santa Maria, indicazioni che non è escluso che includessero l'obbligo per il pittore di seguire un modello più antico. La rubrica delle feste religiose da rispettare a Sermoneta, inserita nel 1412 negli statuti della città, prova infatti assieme ai patrocini delle chiese che la comunità era fortemente legata a valori religiosi tradizionali[24]. Posta forse in origine sull'altare maggiore della chiesa, la tavola fu poi spostata nella cappella de Marchis all'inizio del XVII secolo. Ancora prima però aveva ricevuto una nuova e importante cornice in legno intagliato dorato e decorato con agli angoli superiori due figure di profeti che sostengono cartigli nei quali si legge: DILIGIT DILIGENTES SE / VIGILANS INVENIT EAM. Sulla cornice si legge la sigla S.P.Q.R. Dal Pantanelli apprendiamo che il piede della tavola nel 1783 recava la scritta: MDXVII AVE REGINA COELORUM AVE DOMINA ANGELORUM.

La data 1517 si sposa bene con i caratteri stilistici della cornice (fig. 5). È possibile che il dono del Senato romano di cui si conservava la documentazione nell'archivio della collegiata sia stato non la tavola bensì la cornice, considerata la sigla S.P.Q.R. che vi compare. Non è possibile, nonostante le ricerche effettuate, stabilire le ragioni che indussero il Senato di Roma a concedere questo donativo alla città di Sermoneta, salvo prendere in considerazione un collegamento tra la famiglia Caetani o la comunità di Sermoneta con il senatore di Roma, il fiorentino Pietro Squarcialupi[25]. Non si può però escludere che la decisione di procedere a un nuovo allestimento della tavola sia stata dettata non da un mutamento di gusto o da una occasione legata al culto, ma da danni subiti dall'opera. Quanto giunto fino a noi potrebbe, infatti, essere soltanto una parte di un dipinto più grande e articolato realizzato da Benozzo nei primi mesi del 1457[26]. La tavola, se nata così, non può però dirsi, come è stato affermato, una commistione tra l'*Assunta* e la *Madonna della Misericordia*[27]. A nessuna di queste tipologie iconografiche possono essere ricondotti gli elementi che costituiscono la peculiarità di questa raffigurazione di Maria. Il tipo originale da cui muove questa Vergine riteniamo sia la Madonna in trono, modello sul quale a partire dal XIV secolo si sviluppò il tipo iconografico della Maestà che, quando patrona della città, viene raffigurata circondata da angeli e santi. In queste raffigurazioni della Vergine non è inconsueto che essa porti sul capo una corona, che non ha però la forma della tiara, e la Vergine non tiene poi tra le mani il modello di una città. L'unica raffigurazione della Vergine che presenti l'attributo della tiara è la *Madonna di Loreto*, nella quale assume il significato di piena potestà sul territorio. Con la Vergine lauretana la tavola di Sermoneta condivide anche il motivo dell'ampio mantello, le pietre preziose lungo la bordura dell'abito e la presenza degli angeli, elementi che fanno ritenere la *Madonna di Loreto* il prototipo di questa raffigurazione sermonetana, visto che quest'ultima era invocata quale protettrice dalla peste, e che a lei si usava donare il modello della città in segno di grazia ricevuta[28]. Non è però con questa tavola che Benozzo si congeda da Roma, ma con gli stendardi realizzati con Salvador de Valencia per l'incoronazione di Pio II. Il consistente pagamento di questi lavori consente di immaginarli di grande qualità e ricchezza. Esso testimonia poi che Benozzo anche a Roma, come a Viterbo e in Umbria, usò collaborare con altri artisti e questa collaborazione ha certamente determinato anche nel Lazio, come già in Umbria, una veloce e capillare diffusione delle sue invenzioni.

[1] Padoa Rizzo 1992, p. 151; Müntz 1983 [1872-82], I p. 330.
[2] Vasari 1986 [1568], p. 403.
[3] Cole Ahl 1996, p. 251.
[4] Brancia De Apricenna 2000, pp. 92-113; BAV (Biblioteca Apostolica Vaticana), Chigi, G.V. 143, c. 52.
[5] Chigi, G.V. 143, c. 157; Crollalanza 1886-1890, I p. 218.
[6] Casimiro da Roma 1736, pp. 211-213.
[7] Casimiro da Roma 1736, pp. 218-224. L'intera documentazione della cappella potrebbe essere conservata nell'archivio Altieri di proprietà privata.
[8] ASR, *Ospedale del Santissimo Salvatore*, b. 1008; Spinola 1995, pp. 16, 37-39.
[9] ASR (Archivio di Stato di Roma), *Ospedale del Santissimo Salvatore*, b. 1009, c. 1.
[10] ASR, Ospedale del Santissimo Salvatore, b. 179 cc, 2 e 27 e b 164 sotto la data 16 marzo 1455; Pavan 1978, p. 50.
[11] Vichi 1969, pp. 283-286; Heideman 1982, pp. 127-135; Brancia de Apricenna 1978, pp. 111-113.
[12] Padoa Rizzo 1972, p. 51.
[13] Fausti 1932, pp. 3-17.
[14] Toscano 1984, pp. 62-75; Toscano-Montella 1999, p. 44.
[15] *Mostra antologica*, 1966, p. 188; Padoa Rizzo 1972, p. 50.
[16] Mencarelli 1998, pp. 63-79.
[17] Toscano 1990b, p. 197-198; per le diverse datazioni proposte per questa tavola cfr. Cole Ahl 1996, p. 262.
[18] Pantanelli 1911, I, pp. 82, 470-473.
[19] Infessura 1890, p. 60.
[20] *Catalogo dei forti terremoti* 1995, I, pp. 229-233.
[21] Pantanelli 1911, p. 471.
[22] Vendittelli 1999, pp. 46-47.
[23] Caetani 1926; Pavan 1990, p. 146.
[24] Barone 1999, p. 81
[25] Pompili Olivieri 1886, pp. 268-269; Pantanelli 1911, pp. 360, 552-553.
[26] Non è stato possibile prendere visione della relazione del lungo restauro (1969-1975) a cui la tavola è stata sottoposta dall'ICR essendo questa mancante nella sua cartella d'archivio. Di questo intervento si conosce soltanto il nome del restauratore, Angelini. Dalla sua ricognizione sull'opera, inserita della stessa cartella, si ricava che nel corso di un precedente restauro dello stesso istituto (1948) fu eseguito il trasporto dalla tavola originale su tela. In questo intervento fu conservata la camottatura e l'imprimitura originale e la tela fu montata su di un telaio mobile a tiranti meccanici. Nel 1955, come si apprende dalla stessa fonte, il dipinto era stato di nuovo preso in esame dall'ICR. In questa occasione furono eseguite delle saldature di colore. In nessuna di queste carte compare il nome dei diversi direttori dei restauri.
[27] Cole Ahl 1996, p. 262.
[28] Comunicazione orale di Giovanni Pozzi che ringrazio; sull'iconografia della Madonna di Loreto cfr. Bisogni 1997, pp. 330-347.

La cappella d'Estouteville in Santa Maria Maggiore a Roma

Patrizia Di Benedetti

L'attività di Benozzo nella basilica di Santa Maria Maggiore non sfugge allo sfortunato destino delle opere romane dell'artista la cui conoscenza, nell'assoluta mancanza di documentazione diretta, si fonda su laconiche citazioni delle fonti, frammentarietà di quanto sopravvissuto e in genere uno stato di conservazione di non facile lettura. Elementi che determinano una situazione di sostanziale "assenza"[1] dell'opera che penalizza fortemente il nostro tentativo di ricostruirne l'integrità.

La prima notizia dell'attività di Benozzo in Santa Maria Maggiore[2] risale all'edizione giuntina (1568) delle *Vite* di Vasari: "[...] et in Santa Maria Maggiore, all'entrar di chiesa per la porta principale, fece a man ritta in una cappella, a fresco, molte figure che sono ragionevoli"[3]. Poiché non c'è alcun accenno nell'edizione del '50, si può presumere che l'aggiunta fosse dovuta a una verifica. Un'eco della citazione vasariana si ritrova nel *Riposo* di Borghini, pubblicato nel 1584: "[...] & in Santa Maria Maggiore parimenti un'altra Cappella con molte figure"[4]. L'ultima segnalazione si deve a Giulio Mancini che per la prima volta stabilisce una relazione fra l'attività di Benozzo e la committenza Estouteville, fornendo un'indicazione più precisa dell'ubicazione della cappella nella navata destra della chiesa. Infatti nelle *Considerazioni sulla pittura* (circa 1621) afferma: "[...] et la cappella in S. Maria Maggiore per il cardinale di Rovano di Benozzo da Fiorenza [...]"[5]. E ancora nel *Viaggio per Roma* (circa 1623-24): "[...] A man destra dell'entrata v'è la sagrestia nuova condotta dal Passignano; doppo la cappella di Benozzo fatta per il cardinal Rotomagense"[6]. Vasari, Borghini e Mancini costituiscono le uniche fonti per l'attribuzione della decorazione pittorica quattrocentesca della cappella d'Estouteville in Santa Maria Maggiore.

La prima sommaria descrizione della cappella si deve a una scheda di Panvinio (circa 1570) che sfortunatamente ignora la decorazione pittorica ma permette di ricostruire la struttura architettonica: "[...] post capella card.is Rothomagen. Fornicata depicta, emblemata pavimentata, cum choro et claustris lapidis et ferruis [...]"[7]. L'attendibilità di questa descrizione è confermata dalla pianta pubblicata dal De Angelis che rappresenta la chiesa prima degli interventi sistini e borghesiani (fig. 1)[8]. La cappella d'Estouteville, intitolata ai Santi Michele Arcangelo e Pietro ad Vincula, è la prima sulla navata destra: corrisponde in larghezza a circa due intercolunni; appare l'unica provvista di abside il cui prospetto esterno sembra rifarsi consapevolmente a quello della cappella maggiore. Un passaggio sulla parete destra introduce in un ambiente più piccolo, il *Sacrarium sancti Michaelis sacelli*.

La documentazione d'archivio permette di seguire le modifiche che interessarono la cappella a partire dalla fine del XVI secolo. Nella visita apostolica effettuata da Clemente VIII nel 1592 si registrano danni dovuti all'umidità (peraltro ricorrenti in questa parte della basilica) e si invita a rinnovare *pa-*

1. *Veteris Liberianae Basilicae Adivnctorumque aedificiorum vestigium*, tavola da De Angelis, *Basilicae S. Mariae Maioris de urbe Descriptio et Delineatio...*, Roma 1621.

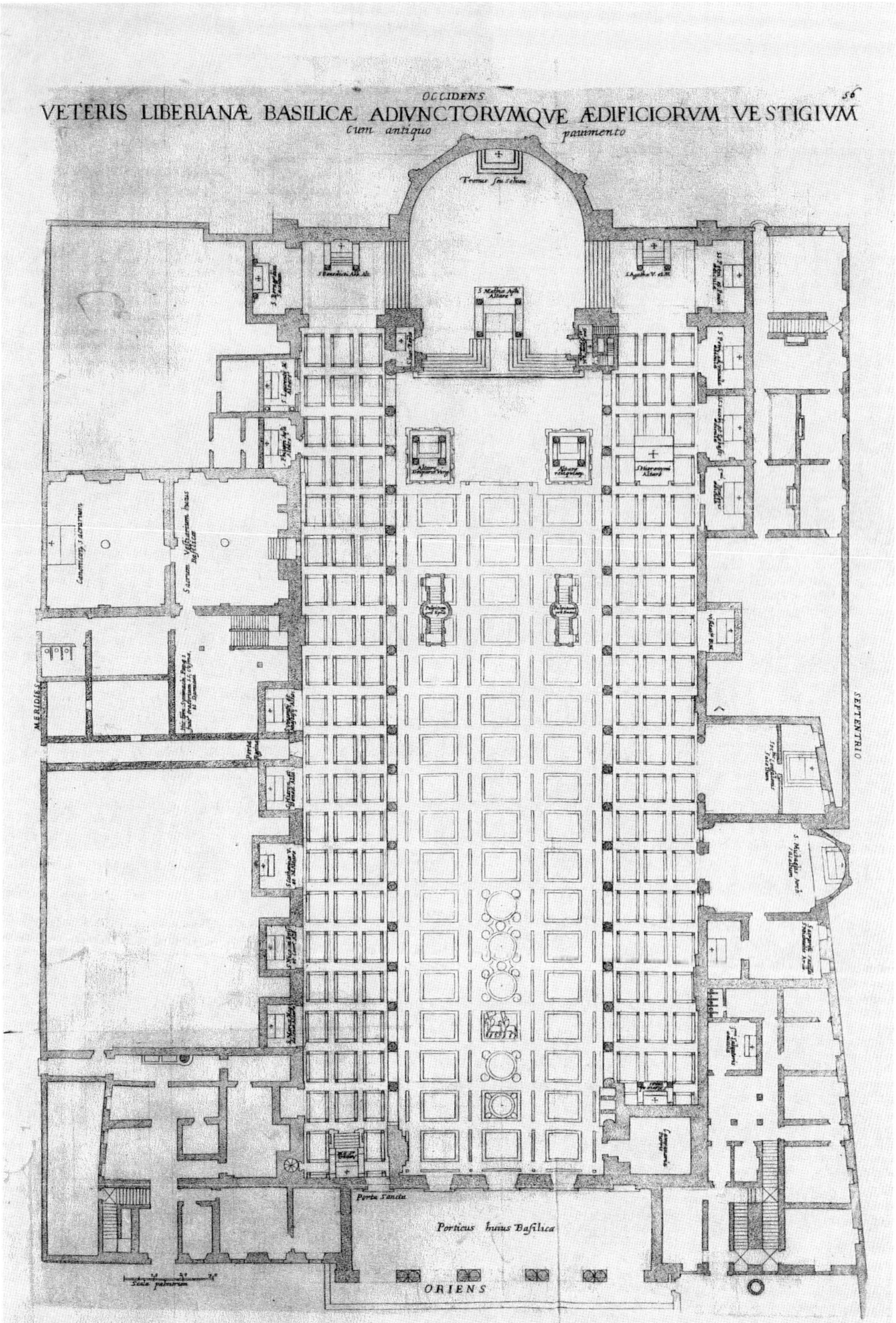
OCCIDENS
56
VETERIS LIBERIANÆ BASILICÆ ADIVNCTORVMQVE ÆDIFICIORVM VESTIGIVM
Cum antiquo pauimento
MERIDIES
SEPTENTRIO
Porta Sancta
Porticus huius Basilica
ORIENS

2. Ignoto pittore, della metà del XV secolo, *Evangelisti*, Roma, Santa Maria Maggiore, ex cappella dei Santi Michele Arcangelo e Pietro ad Vincula, volta.

rietum picturae[9]. Le trasformazioni volute da Paolo V per costruire il palazzo dei Canonici comportarono l'eliminazione della sacrestia e del coro della cappella con conseguente risistemazione interna[10]. Una memoria di epoca barberiniana[11], oggi murata sulla parete della scala d'accesso alla loggia, testimonia un'ulteriore riduzione della cappella che la nuova sistemazione delle navate laterali di Fuga (1745-1750) ridusse a un ambiente di servizio per i cantori. Qui all'inizio del secondo decennio del Novecento, in seguito alla rimozione di un soppalco nell'ambiente accanto al battistero, fu scoperta una volta affrescata con figure di *Evangelisti* (fig. 2, 3) e altri frammenti di affreschi riemersero in occasione dell'ultimo restauro conclusosi nel 1981[12]. Attualmente l'ex cappella di San Michele è utilizzata per la vendita di souvenir. Si tratta di un ambiente coperto da volta a crociera sostenuta da costoloni terminanti su peducci angolari poggianti in origine su semicolonne addossate. Una cornice all'altezza dei peducci correva sulle quattro pareti definendo il limite inferiore delle lunette. Vi si accede attraverso una porta sulla parete sinistra del battistero. La parete est sembra aver mantenuto la lunghezza e la posizione originarie. Qui in origine si apriva il passaggio nel *Sacrarium sancti Michaelis sacelli* probabilmente destinato ad accogliere le spoglie del cardinale d'Estouteville (che fu sepolto in Sant'Agostino). Sulla lunetta è riemersa la sinopia della scena di *San Michele che lotta contro il drago e due angeli*. La lunetta della parete sud è chiaramente divisa in due parti: in quella superiore è ricomparsa la scena di *Cristo sorretto dagli angeli*; il resto presenta una muratura a cortina. La suddivisione forse doveva correggere una differenza di altezza della lunetta rispetto alle altre. Su questa parete si apriva l'ingresso alla cappella fino ai lavori del Fuga. La parete ovest è evidentemente ricostruita in una posizione più avanzata rispetto al-

3. Ignoto pittore, della metà del XV secolo, *San Luca*, Roma, Santa Maria Maggiore, ex cappella dei Santi Michele Arcangelo e Pietro ad Vincula, particolare della volta.

l'originaria. Infine la parete di fondo su cui sono state aperte la porta che dà sull'esterno e due finestre probabilmente al tempo dei lavori di Fuga. Sono evidenti le tracce della muratura di due finestre laterali. Fra queste è riemerso un frammento di affresco con i *Santi Michele Arcangelo e Pietro* risalente al XVI secolo. Su questa parete si doveva aprire l'abside segnalata dalla scheda di Panvinio e dalla pianta pubblicata dal De Angelis.

La struttura originaria della cappella suggerisce un carattere di accentuata autonomia rispetto alla basilica che può essere riferito alla volontà del committente. Promotore dei lavori fu infatti il ricchissimo cardinale francese Guglielmo d'Estouteville (circa 1412-83)[13]. Personaggio di primo piano nell'ambiente curiale, ebbe una prestigiosa carriera ecclesiastica che lo portò a sfiorare la tiara. Il suo ruolo di committente è celebrato dalle fonti contemporanee e successive con rapidi accenni; tuttavia è risultato finora impossibile ricostruire la rete dei contatti che egli necessariamente dovette stabilire con gli artisti.

Nel 1443 fu nominato arciprete della Basilica Liberiana e sotto il suo protettorato ebbe inizio una serie di lavori strutturali contemporaneamente a interventi papali. Ciò è attestato da numerose fonti: Ciacconio, Panvinio, De Angelis, che citano in particolare la copertura a volta delle navate laterali e dell'arco che precede l'abside maggiore, l'apertura delle due porte ai lati dell'abside, i lavori di consolidamento e innalzamento della torre campanaria. Iscrizioni e stemmi segnalavano il suo operato. Il suo patrocinio non si limitò ai lavori di consolidamento delle strutture: egli, infatti, provvide a dotare la chiesa di insigni opere d'arte e preziose suppellettili. Fra queste la più celebrata era il ciborio dell'altare maggiore realizzato da Mino da Fiesole (1461)[14] e rimosso dal Fuga. Nel testamento del 1483 il cardinale stabilisce

4. *Cristo sorretto dagli angeli*, Roma, Santa Maria Maggiore, ex cappella dei Santi Michele Arcangelo e Pietro ad Vincula.

cospicui lasciti alle sue cappelle[15] in Santa Maria Maggiore: oltre a quella dedicata a San Michele Arcangelo e a San Pietro ad Vincula, è ricordata la cappella di Sant'Antonio di difficile individuazione.

A fronte di tale eccezionale attività di patrocinio artistico i documenti pervenuti relativi a d'Estouteville sono sorprendentemente scarsi. Tuttavia è possibile ricostruire approssimativamente le fasi dei lavori.

Il 1453 può essere considerato come termine *post quem* per un nuovo impulso ai lavori nella basilica. In quello stesso anno il cardinale faceva ritorno a Roma dopo un periodo di circa due anni trascorso in Francia come legato pontificio. Alcuni documenti pubblicati da Müntz[16] risalenti al 1455, durante il pontificato di Callisto III, testimoniano di un'intensa attività nella basilica nonché la presenza di Francesco dal Borgo architetto e sovrintendente in stretti rapporti con la Curia. È pertanto plausibile, come già sostenuto da Pinelli[17], che in questa fase si collochino anche i lavori nella cappella dei Santi Michele Arcangelo e Pietro ad Vincula. Si trattò di un radicale rifacimento di un ambiente preesistente. L'ultimo restauro ha infatti rivelato che lo stemma del cardinale sostituì la precedente chiave di volta. Inoltre la pianta del De Angelis mostra che l'asse della cappella non è ortogonale rispetto a quello della navata.

A questo periodo si può far risalire l'intervento di Benozzo ricordato da Vasari. Dopo la conclusione del ciclo delle *Storie di santa Rosa* a Viterbo, datato 1453, Benozzo dovette far ritorno a Roma, dove è documentato nel 1458[18], impegnato nei preparativi per l'incoronazione di Pio II. Una conferma per questa ipotesi può essere rappresentata dal documento della portata al catasto del padre di Benozzo relativa al periodo 1456/57 dove si afferma che l'artista e suo fratello Bernardo sono assenti da Firenze per lavoro da ben otto anni[19].

Lo stato estremamente compromesso della decorazione pittorica non deve indurci a rifiutare frettolosamente le affermazioni vasariane.

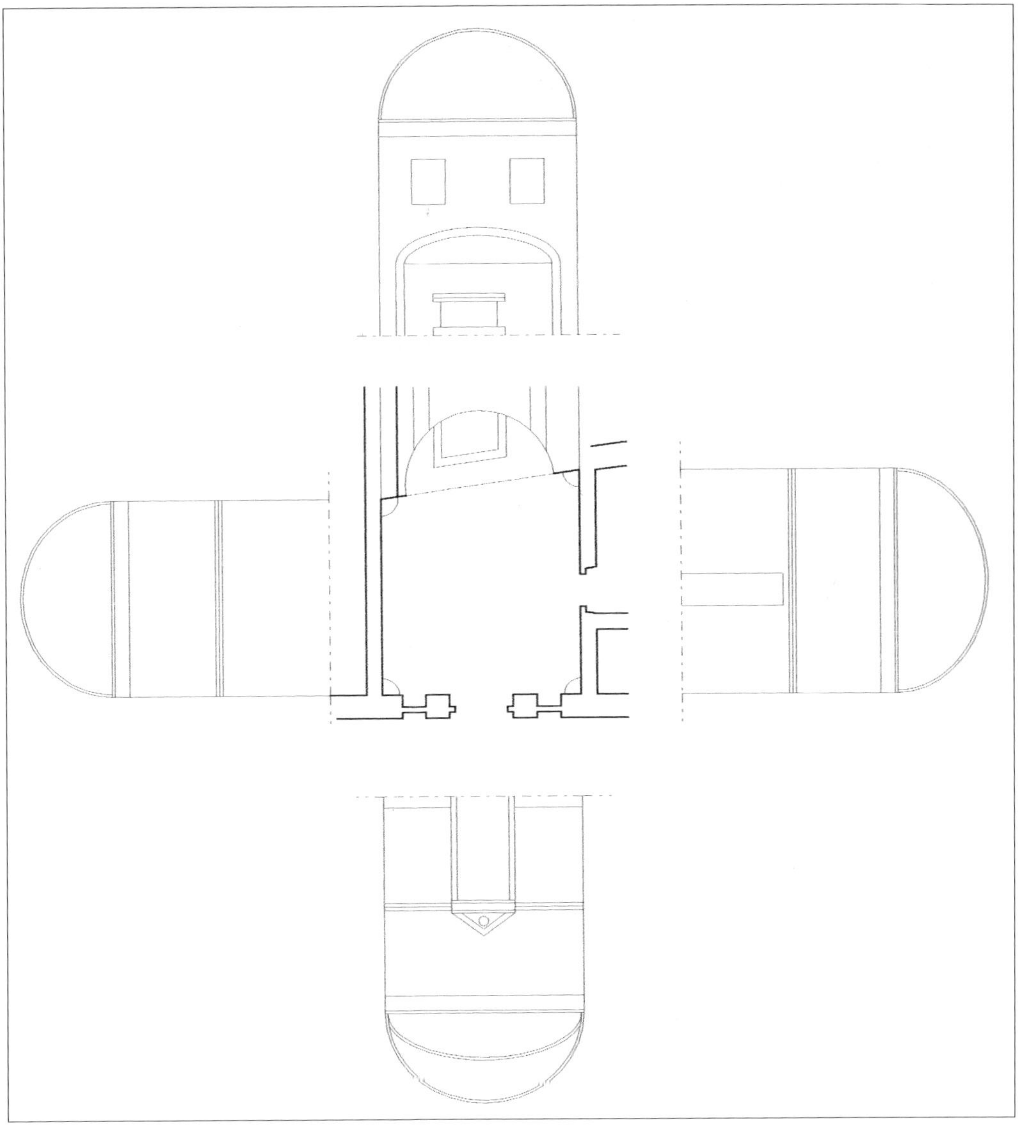

5. Prospetti e pianta della cappella dei Santi Michele Arcangelo e Pietro ad Vincula (rilievo di R. Baldassarre).

La fortuna critica degli *Evangelisti* (figg. 2-3) comincia all'inizio del XX secolo allorché, rimosso lo scialbo che ricopriva la volta, Biasiotti[20] non ebbe esitazioni a riconoscere nelle figure appena scoperte i resti della decorazione benozzesca ricordata da Vasari e Mancini. La proposta rimase senza seguito dopo che Longhi nel 1927 attribuì la figura di *San Luca* a Piero della Francesca, esempio "dell'arte vastamente sintetica del maestro"[21]. Tuttavia non tutti riconobbero l'autografia di Piero, e vennero proposte diverse attribuzioni[22]. Nel contributo già ricordato Pinelli è tornato alla proposta di Longhi datando l'intervento di Piero al 1455, sullo scorcio del pontificato di Niccolò V in occasione di un soggiorno non documentato, e limitandolo alla realizzazione degli affreschi della volta. La partenza di Piero avrebbe lasciato il campo libero a Benozzo.

In effetti la monumentalità e l'impostazione spaziale delle figure sono estranee ai caratteri degli *Evangelisti* che ricorrono nei cicli di Benozzo e che con lievi varianti restano fedeli al modello della cappella Niccolina in Vaticano. Tuttavia il carattere "pierfrancescano" del *San Luca* è poco convincente. Con la cautela imposta dalle precarie condizioni di conservazione in cui la figura è pervenuta, occorre rilevare quanto la marcata fisionomia del volto e il robusto modellato della mano siano lontani dal nitore idealizzante di Piero. Inoltre le pieghe del panneggio sembrano costruite dalla luce anziché definite da ombre scure e nette come nelle figure delle *Storie della vera Croce* ad Arezzo.

Nella lunetta con il *Cristo sorretto da angeli* (fig. 4) si riscontra un più accentuato carattere benozzesco, anche se le figure appaiono prive della morbidezza di modellato che si riconosce nelle opere autografe del maestro. Tuttavia si può condividere con Pinelli che l'affresco può essere un indizio per la presenza di Benozzo e dei suoi collaboratori, considerata la posizione marginale che occupa.

Sono ancora visibili tracce di fregi ornamentali che suggeriscono l'idea di una decorazione estremamente preziosa: il motivo a foglie embricate interrotto da roselline dipinto sui costoloni della volta, ricorrente nei cicli di Benozzo (ad esempio sui costoloni della volta della cappella di San Brizio a Orvieto), e un altro fregio a palmette e spighe alternate che delineava il contorno delle vele.

La difficoltà di attribuire i frammenti supestiti a Benozzo non nega dunque l'attendibilità di Vasari al riguardo. Analogamente ai cicli che precedettero (Le *Storie di santa Rosa* a Viterbo) e seguirono (la cappella Medici) la commissione d'Estouteville, la decorazione pittorica doveva svilupparsi sull'intera superficie disponibile (fig. 5) ed è probabile che l'artista riservasse per sé le parti più impegnative. Tanto più che il giudizio vasariano, l'unico sulle opere romane, suggerisce che l'intervento dell'artista doveva riconoscersi in soggetti narrativi. La *ragionevolezza* che egli riscontra nelle *molte figure* non può che riferirsi alla loro definizione prospettico-spaziale, una delle cifre stilistiche caratterizzanti nei grandi cicli che l'artista realizzò[23].

La presenza di maestri diversi (attivi nella volta e nella lunetta) conferma la prassi consolidata delle grandi botteghe di associare temporaneamente altri artisti e testimonia della capacità imprenditoriale di Benozzo in questi anni. La mancanza di documenti diretti suggerisce una grande cautela, ma le opere riconducibili a questo secondo soggiorno romano[24] confermano che Benozzo era ormai a capo di una bottega ben organizzata in grado di provvedere a richieste diversificate.

[1] Toscano 1998, pp. 15-33.

[2] Per le vicende storico-artistiche di Santa Maria Maggiore si rimanda a Pietrangeli 1988.

[3] Vasari 1971 [1568], III (testo), p. 379.

[4] Borghini 1967, p. 356.

[5] Mancini 1956, p. 73

[6] Mancini 1956, p. 276.

[7] Cod. Vat. Lat. 6781, f. 151.

[8] De Angelis 1621.

[9] ASV (Archivio Segreto Vaticano), Misc. Arm. VII, N. 3, f. 22.

[10] Schwager 1983, pp. 259-260, nn. 90, 108-110.

[11] Forcella 1869-1884, XI, p. 72.

[12] Colalucci-Mancinelli 1983, pp. 101-110.

[13] Sul card. D'Estouteville si veda Esposito Agliano 1980, pp. 309-342, e Esposito 1993, pp. 456-460. Imparentato con il re di Francia, fu creato cardinale da Eugenio IV nel 1939 e nominato arcivescovo di Rouen (da cui Rotomagense) da Niccolò V nel 1453, titolo che mantenne insieme al successivo vescovado di Ostia assegnatogli da Pio II nel 1461.

[14] Caglioti 1987, pp. 15-32.

[15] Marx 1915, pp. 50-55.
[16] Müntz 1983 [1878-82], I, p. 200.
[17] Pinelli c.s. [1998], che ho potuto consultare sul manoscritto inviato al prof. Bruno Toscano. Nel 1463 il Capitolo di Santa Maria Maggiore dona una casa al cardinal d'Estouteville per i cappellani delle sue cappelle. Tuttavia il valore di termine *ante quem* per questa circostanza non implica necessariamente l'indicazione del termine dei lavori nella cappella dei Santi Michele e Pietro ad Vincula. Cfr. Ferri 1907, doc. CCXXXI.
[18] Müntz 1983, p. 330.
[19] Cfr. il saggio di A. Padoa Rizzo in questo catalogo.
[20] Biasiotti 1913, pp. 76-86.
[21] Longhi 1963, pp. 52-53.
[22] Per una sintesi delle proposte si veda Olivetti 1998, pp. 177-182 e Pinelli c. s. [1998].
[23] La Gill ha avanzato la suggestiva ipotesi che uno dei soggetti affrescati nella cappella fosse l'apparizione di san Michele a Gregorio Magno. Si tratta dell'episodio in cui il papa, per sconfiggere la peste a Roma si recò da Santa Maria Maggiore a San Pietro portando in processione l'icona della *Salus Populi Romani* conservata nella Basilica Liberiana. Nei pressi del Vaticano l'arcangelo Michele sarebbe apparso sulla sommità della Mole Adriana, il *castrum Crescentii*, nell'atto di rinfoderare la spada segnalando in tal modo la fine della pestilenza. La Gill (1996) e la Olivetti (1998) ritengono che la scelta dei soggetti del ciclo fosse legata ai vani tentativi di organizzare una nuova crociata dopo la caduta di Costantinopoli.
Tuttavia la scelta di san Michele potrebbe essere legata al fatto che d'Estouteville era l'abate commendatario dell'abbazia di Mont-Saint-Michel. Inoltre il culto di san Michele era stato fortemente promosso da Niccolò V. Cfr. Mercalli 1987, pp. 95-119.
[24] Cfr. l'intervento di B. Cirulli in questo catalogo.

28
Benozzo Gozzoli
Pala della Sapienza Nuova
Nella tavola centrale: *Madonna col Bambino e i santi Pietro apostolo, Giovanni battista, Girolamo e Paolo apostolo*;
nella predella: i *Santi Tommaso, Lorenzo,* la *Vergine*, *Cristo morto*, i *Santi Giovanni evangelista, Sebastiano e Bernardino*; alle estremità, *Stemma del vescovo Guidalotti*; sui pilastrini:
a sinistra, i *Santi Domenico, Francesco* e *Pietro martire*;
a destra, le *Sante Caterina d'Alessandria, Elisabetta e Lucia*
Tempera su tavola,
cm 122 x 212
Firmata e datata
Iscrizioni: nel fondo oro della tavola centrale OPVS BENOTII DE FLORENTIA MCCCCLVI

Perugia, Galleria Nazionale dell'Umbria, inv. n. 124

Il dipinto[1] fu eseguito nel 1456 per il Collegio Gerolimiano, detto della Sapienza Nuova, istituito nel 1427 dal vescovo Benedetto Guidalotti per ospitare studenti forestieri che frequentavano l'università perugina. La pala rimase nella sua sede fino al 1816, anno in cui venne donata all'Accademia di Belle Arti; nel 1872, Mariano Guardabassi[2] la segnala tra le opere conservate nella Pinacoteca cittadina, mentre Gustavo Frizzoni[3] avvicina alla pala di Benozzo la *Madonna col Bambino e sei angeli* della stessa Pinacoteca ritenuta da alcuni opera del maestro ma che lo stesso Frizzoni considera di un seguace, forse Bartolomeo Caporali, entrando così nel dibattito sulla produzione di Caporali giovane, a volte significativamente confusa con quella del Gozzoli.
In tutta la letteratura settecentesca e ottocentesca che cita e descrive la tavola non è mai fatta parola sulla sua originaria struttura; i riferimenti sono sempre rivolti ai contenuti iconografici e raramente si spingono oltre la generica osservazione dei pilastrini laterali e del gradino o basamento sottostante. L'aspetto attuale denuncia chiaramente la mancanza di uno o più elementi di completamento della parte superiore e solo il Santi[4], in tempi più recenti, ha ipotizzato, senza addurre motivazioni, che il dipinto potesse essere sovrastato da una lunetta. Tuttavia ciò che oggi rimane consente comunque di apprezzare quella che in origine doveva essere una "tabula quadrata et sine civoriis", esemplata sul dipinto di forma analoga che Benozzo dipinse verso il 1450 per la chiesa del convento di San Fortunato di Montefalco (Roma, Pinacoteca Vaticana).
Il piano iconografico appare improntato da forti finalità educative in considerazione del pubblico al quale era diretto. Il richiamo all'educazione morale e spirituale è evidenziato dalla folta presenza di santi rappresentati con un libro in mano a significare la loro importanza di "dotti", da san Gerolamo, nelle sue vesti di dottore della Chiesa e titolare del collegio, ai santi Tommaso, Domenico e Pietro martire. Da non dimenticare la presenza di san Francesco e san Bernardino, predicatori per eccellenza, particolarmente cari alla città, ai quali nel 1445, insieme a san Girolamo era stata intitolata una fraternita, ancor prima del 1450 quando Bernardino venne canonizzato da Niccolò V e a Perugia gli fu dedicato l'omonimo oratorio.
La paternità dell'opera è certificata dalla firma di Benozzo incisa sul fondo oro sopra le teste dei santi. La data apposta, 1456, costituisce un elemento basilare non solo per la collocazione temporale del dipinto nel percorso artistico gozzolesco ma anche per comprendere quale fu l'evoluzione del pittore in un decennio cruciale della sua attività, il periodo "umbro", dopo la collaborazione romana con Beato Angelico, che chiude gli anni quaranta, e prima del ritorno a Firenze nel 1458.
Il dipinto si segnala per la realizzazione formale di grande raffinatezza e qualità e una scelta iconografica abbastanza rara, che unisce gli elementi della sacra conversazione con quelli mariani della Madonna dell'umiltà. Le figure, rese con for-

te senso della monumentalità, sono unite tra di loro a gruppi ma anche dagli sguardi e dai gesti, oltre che da una diffusa luminosità che indica chiaramente come in questo periodo il pittore si stia avvicinando a "quegli ideali di pittura lucida e assolutamente perspicua" (Bellosi 1990, p. 45) che gli derivano dall'aver preso coscienza delle novità artistiche maturate a Firenze negli anni cinquanta. In tal senso i dati più interessanti emergono nelle figurette della predella e dei pilastrini, dove l'attenzione per gli effetti luminosi e la cura dei dettagli della pelle delle cose sortiscono l'apice nelle figure di *San Giovanni*, della *Madonna* e del *Cristo in Pietà*. A confronto con il primo sta il disegno dell'École des Beaux-Arts, di Parigi (cat. 29); che si tratti o meno di un studio preparatorio, esso co-

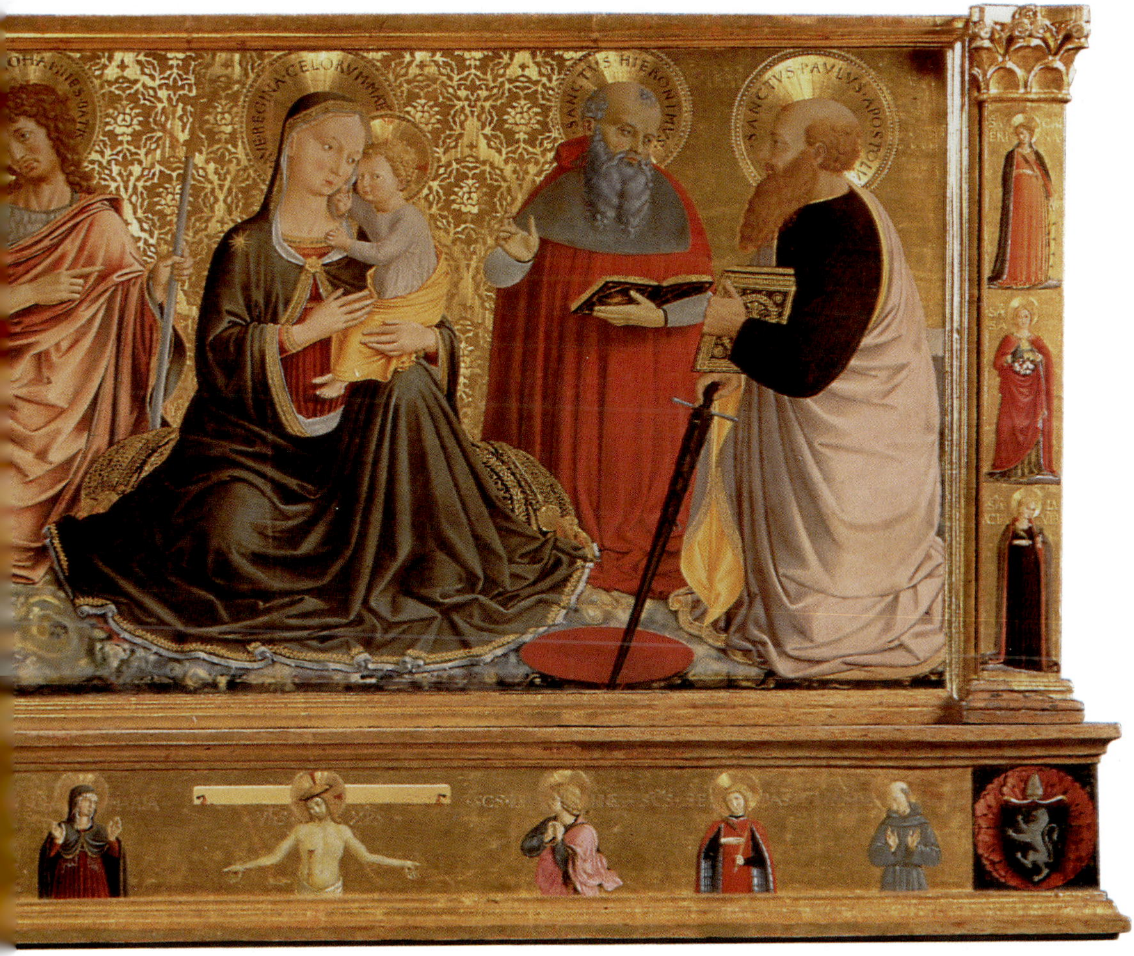

stituisce la testimonianza dell'abilità grafica di Benozzo oltre che del livello di raffinatezza di esecuzione, perfettamente riscontrabile nella stesura del colore sulla tavola..
Infine, nella composizione generale dell'opera non sfugge l'uso di un fondo "estofado e oro"; quello che potrebbe essere giudicato come un elemento arcaico è da ritenersi invece il frutto di contatti e collaborazioni che Benozzo aveva avuto in anni precedenti a Roma anche con pittori stranieri, probabilmente iberici, dai quali mutuare il gusto per particolari decorativi di straordinaria varietà e qualità[5]. La commistione di tutti questi elementi rende la pala di Perugia un'opera cerniera tra la produzione e gli insegnamenti passati e nel contempo l'antefatto imprescindibile verso le successive opere fiorentine.

(Rosaria Mencarelli)

[1] L'opera è stata oggetto, insieme al Polittico Guidalotti di Beato Angelico, della mostra *Beato Angelico e Benozzo Gozzoli. Artisti del Rinascimento a Perugia. Itinerari d'arte in Umbria*, a cura di Vittoria Garibaldi, Perugia, Galleria Nazionale dell'Umbria, 13 dicembre 1998 - 14 aprile 1999. Al catalogo che accompagnava la mostra si rimanda per un più approfondito esame storico e critico del dipinto, nonché per la bibliografia. La scheda qui pubblicata è pertanto una sintesi del contributo a quel catalogo (Mencarelli 1998, pp. 63-79).

[2] Guardabassi 1872, p. 223: "Tavola a tempera adorna di pilastrini e predella. La Vergine seduta all'orientale…".

[3] Frizzoni 1880, p. 7.

[4] Santi 1985, p. 10.

[5] Mencarelli 1998, pp. 72-73.

29
Benozzo Gozzoli
San Giovanni dolente (recto)
Figura femminile seduta con bambino (verso)
Punta metallica, biacca, carta preparata rosa (*recto*)
Punta metallica, acquerellature marroni, biacca, carta preparata marrone olivastro (*verso*);
mm 172 x 157
Iscrizioni: sul *recto* in basso:
GADDO GADDI

Parigi, École Nationale Supérieure des Beaux-Arts, inv. Mas 2286
Provenienza: J. Masson (Lugt 1494a)

Il foglio dell'École des Beaux-Arts di Parigi, recante i disegni di *San Giovanni dolente* sul *recto* e di *Figura femminile con bambino* sul *verso*, rappresenta un significativo documento grafico dell'attività del Gozzoli in Umbria. L'opinione berensoniana che fosse di un artista umbro come Bartolomeo Caporali[1] è legata agli influssi stilistici effettivamente determinati dal nostro pittore in questa regione. Fu Longhi[2] a proporre l'autografia di Benozzo constatandone il rapporto con il san Giovanni a mezza figura (fig. 1) nella predella della pala della Sapienza Nuova di Perugia dipinta nel 1456 (cat. 28). Secondo Degenhart e Schmitt si tratta dello studio preparatorio per quella figura[3], ipotesi accolta dalla Ahl e dalla Mencarelli[4]. Quest'ultima sottolinea l'identità del trattamento accurato e raffinato sia nello studio grafico che nella pittura, per riconfermare l'autografia del Gozzoli anche di questa parte del dipinto che era stata messa in dubbio dalla Ahl. È evidente che le due figure corrispondono perfettamente nelle forme delle membra e nelle pieghe del panneggio, nonché nella distribuzione di luci e ombre rispettivamente tramite filamenti di biacca e striature di colore scuro, che nel disegno sono rese a punta d'argento. Ma tale sovrapponibilità rende dubbia l'ipotesi che si tratti di un disegno preparatorio, facendo piuttosto pensare a una copia eseguita da Gozzoli stesso, data la corrispondenza anche stilistica, dal proprio dipinto. Lo scopo avrebbe potuto essere quello di trattenere un ricordo di una sua creazione per ulteriori repliche del soggetto. Anche la preparazione del supporto e la finitezza esecutiva parlano in favore di un modello da conservare nei repertori di bottega.
Sul *verso* la *Figura femminile* che tiene in grembo un bambino avvolto da un velo è anch'essa ritenuta dai due studiosi tedeschi un disegno preparatorio autografo che Gozzoli ha utilizzato anche in opere tarde, come per la nutrice di Giacobbe negli affreschi del Camposanto di Pisa. La comparazione tra disegno, sinopia e affresco permette di seguire le modalità di impiego di un disegno e le fasi di creazione di un dipinto. Mentre la Ahl ha indicato la relazione con la *Madonna dell'umiltà* della pala perugina (cat. 28), alla Mencarelli[5] sembra possibile un collegamento con opere precedenti, ancora del tempo di Montefalco: la figura panneggiata e accovacciata era già sperimentata nelle vele della cappella di San Gerolamo, come testimonia il disegno di *San Matteo* a Cambridge[6], poi sviluppata in opere successive come la predella della pala della Purificazione del 1461 (cat. 33-37).
Il disegno è eseguito con una tecnica simile a quella del *recto*, ma le ombreggiature sono rinforzate a pennello e la carta è preparata in marrone. Il carattere seriale di questo disegno, piuttosto che di studio preparatorio, è rivelato non dalla debolezza qualitativa – l'esecuzione è infatti molto fine e tipica di Benozzo (cfr. cat. 17) – ma dalla sensazione come di scollamento tra le due figure per cui il bambino sembra quasi 'galleggiante' con effetto simile all'infante sul 70 E del GDSU (cat. 31), databile intorno al 1460, per il quale è appurata la derivazione da un esempio plastico. La datazione al 1456 per il disegno sul *recto* sembra possibile anche per la restante faccia, sebbene questa tipologia di origine angelichiana ricorra nell'opera di Benozzo già al tempo della pala di San Fortunato, nel san Giuseppe della predella. Il foglio parigino era dunque un tipico foglio di modelli e forse proviene da uno dei libri di bottega: anche le sue dimensioni sono compatibili con i fogli di Rotterdam (mm 229 x 157), se si considera che è probabilmente stato un po' decurtato in senso verticale.

(Lorenza Melli)

1. Benozzo Gozzoli, *San Giovanni*, Pala della Sapienza Nuova, particolare, Perugia, Galleria Nazionale dell'Umbria.

[1] Berenson 1938, n. 559D.
[2] Longhi 1960, 123, pp. 3-7.
[3] Degenhart-Schmitt 1968, I, 2, cat. 415 (con bibliografia); seguita da Cole Ahl 1996, p. 241.
[4] Mencarelli 1998, pp. 69, 73, 76, fig. 15.
[5] Mencarelli 1998, p. 68, fig. 7.
[6] Degenhart-Schmitt 1968, I, 2, cat. 402. Si segnala la diversa opinione di Nesselrath 1999, p. 91, fig. 22, che non riconosce la mano di Benozzo per queste copie dall'Angelico.

Il ritorno a Firenze e la cappella dei Magi

Marco Bussagli

Il ritorno di Benozzo a Firenze, nel racconto di Vasari, è liquidato con una frase stringata che, in sostanza, rammenta soltanto che, da qui, l'artista si diresse a Pisa dove avrebbe atteso all'impresa degli affreschi del Camposanto[1]. Il riferimento oltremodo sintetico al soggiorno fiorentino è giustificato dal fatto che, per la verità, la cappella medicea realizzata per il palazzo di via Larga e le altre committenze ricevute in quel frangente, per quanto prestigiose, furono poca cosa nell'economia della produzione del Gozzoli, anche se costituirono una fase assai importante nella carriera del pittore il quale, in ogni modo, prima di prestare la sua opera a Pisa si sarebbe impegnato negli affreschi della chiesa di Sant'Agostino a San Gimignano e nel restauro della *Maestà* di Lippo Memmi nel palazzo comunale della stessa città[2]. In sostanza, per Vasari, come per gli altri suoi contemporanei, il nome di questo artista era indissolubilmente legato agli affreschi pisani che erano considerati il suo capolavoro e costituivano un punto di riferimento per la pittura di allora. I danneggiamenti provocati dal bombardamento del 1944 su Pisa e il conseguente deterioramento degli affreschi, sfigurati da un incendio o, addirittura, irrimediabilmente perduti, hanno impedito una serena valutazione dell'opera di Benozzo a Pisa[3]. Per questo la cappella medicea che per Vasari era un lavoro secondario, anche perché comunque relegato al godimento privato, oggi, visto l'ottimo stato di conservazione, si configura come il capolavoro dell'artista[4]. In ogni modo fu proprio la prestigiosa committenza della cappella medicea nel palazzo che la famiglia possedeva in via Larga a ricondurre Benozzo in patria. L'artista, dopo le esperienze romane e la lunga collaborazione con l'Angelico che gli stessi Medici avevano potuto apprezzare nell'impresa del convento di San Marco, si presentava ora come l'erede diretto del grande pittore domenicano[5]. Il ricco carteggio con il committente Piero il Gottoso, che da Careggi seguiva il prosieguo dei lavori, anche grazie alla mediazione di Roberto Martelli, dimostra quanto la famiglia tenesse all'opera e quale fu l'impegno del pittore per esaudire tutte le richieste del proprietario[6]. Proprio questa cura nelle scelte giustifica l'idea, peraltro ampiamente avvalorata dalla presenza di un gran numero di ritratti familiari nel corteo dei Magi, che l'intero ciclo di affreschi, al di là del soggetto religioso, costituisse una celebrazione della schiatta medicea[7]. Bisogna prima di tutto ricordare la particolare devozione – resa nota grazie alle ricerche di Hatfield – per i Magi da parte dei Medici, i quali partecipavano alla "Festa dei Magi" voluta dalla compagnia de' Magi che, ogni anno, nel giorno dell'Epifania, organizzava la sacra rappresentazione e il relativo corteo a ricordo dell'episodio narrato nel vangelo di Matteo[8]. In quest'occasione, Firenze diveniva una novella Betlemme e il corteo dei Magi attraversava le strade della città passando proprio dinanzi al palazzo di via Larga[9]. Questo clima pare giustificare in pieno l'ipotesi, recentemente avanzata, che le figure dei Magi rappresentati nell'affresco gozzoliano siano state scelte in

1. Benozzo Gozzoli, *Banchetto di Erode*, particolare, Washington, National Gallery of Art, Samuel H. Kress Collection.

relazione al desiderio di celebrare la famiglia Medici come virtualmente appartenente al rango regale. Se il mago d'età matura è riconosciuto dalla critica come l'imperatore di Bisanzio Giovanni VII Paleologo, un fondato confronto fisionomico sembra aver chiarito che il mago anziano sia l'imperatore Sigismondo e non il patriarca Giuseppe come prima si riteneva[10]. La presenza di un folto cespuglio di alloro dietro la figura del mago giovane, infine, rende assai probabile il riferimento al giovane Lorenzo de' Medici, qui rappresentato in forma ideale[11]. Conferma l'idea il fatto che il corteo che accompagna il mago in questione ospita le principali personalità della casata. A questo punto, Lorenzo-mago sarebbe il terzo dei sovrani imperiali che rendono omaggio al Cristo Bambino[12]. Non solo, ma la stessa scelta di ambientare tutto l'affresco in un clima venatorio si spiegherebbe con il riferimento astrologico al pianeta Giove, protettore dei cacciatori e dei banchieri. Bisogna ricordare che la caccia, attività regale per eccellenza, rientra fra le occupazioni favorite da questo pianeta sommamente benefico, sicché enfatizzarla significava porre l'intera rappresentazione, i cui protagonisti erano i Medici, ossia banchieri, sotto l'egida di una buona sorte a loro particolarmente propizia[13]. Alla grande cura per l'impianto simbolico corrisponde, da parte del pittore, altrettanta diligenza nell'esecuzione dell'opera che consta di un discreto numero di disegni preparatori e di studi, qui in parte presenti, i quali testimoniano, sia pure in forma frammentaria, il lungo lavorio che ha preceduto l'esecuzione finale[14]. Una particolare attenzione, anche in questo senso, è stata rivolta da Benozzo alle figure degli angeli salmodianti dipinti sulle pareti della piccola scarsella. Vale la pena di notare che quelli dipinti in primo piano posseggono quattro ali e, pertanto, possono essere individuati come cherubini, sia pure in ragione di particolari passaggi iconografici che non si possono riassumere in questa sede[15]. La scelta è oltremodo coerente perché rimanda all'idea del Cristo come nuova Arca dell'Alleanza, fulcro cioè del nuovo patto fra l'uomo e Dio di cui i Magi e, per conseguenza, anche i Medici, si rendono testimoni e garanti nei confronti dell'umanità[16]. Iniziata nella primavera-estate del 1459, la cappellina doveva essere sicuramente ultimata nel 1461. Il 23 ottobre di quell'anno, infatti, Benozzo stipulò il contratto per la realizzazione della tavola per la compagnia della Purificazione[17]. Oggi conservata presso la National Gallery di Londra, la grande pala, secondo il contratto, avrebbe dovuto riprendere l'impianto di quella dipinta dall'Angelico per il convento di San Marco, cui lo stesso Gozzoli aveva partecipato in qualità di aiuto[18]. Tuttavia, la relazione pare generica e, in sostanza, circoscrivibile all'inserzione del paesaggio sullo sfondo come alla presenza del muro divisorio ornato da un ricco drappo. Per il resto, Benozzo predilige una composizione priva di presenze architettoniche (il grande trono centrale dell'Angelico), sicché trasferisce sulle figure, Maria in trono con Gesù Bambino, angeli e santi, un turgido senso monumentale. Completavano la tavola le cinque tavolette della predella, attualmente smembrate in varie collezioni e tutte presenti in mostra (cat. 33-37). I soggetti erano tratti dalla vita dei santi, presenti nella pala, Domenico e Zanobi, patrono della compagnia (per entrambi la resurrezione di un bambino), e dal Vangelo: la *Danza di Salomè* (da porsi in relazione con la presenza del Battista), la *Presentazione di Cristo al Tempio* e la *Caduta di Simon mago*, scelta per via di Pietro che completa il gruppo dei santi con Francesco e Girolamo. Agli estremi erano i pilastrini laterali, dei quali quello sinistro era stato iniziato da Domenico di Michelino, cui forse, in un primo tempo, venne affidata la pala. Il pilastro destro, oggi conservato alla Galleria dell'Accademia di Firenze, fu invece realizzato da Benozzo che vi dipinse sopra san Bartolomeo, san Giovanni e san Jacopo[19]. Fu questa la più importante commissione fiorentina, dopo la cappella medicea, avuta da Benozzo in quel breve torno di tempo. Tuttavia, bisogna aggiungere a essa la realizzazione della predella per l'altare Alessandri in San Pier Maggiore. Questa andava a completare l'antico polittico dipinto da Lippo di Benivieni ed era costituita verosimilmente da cinque tavolette. Quattro, giunte fino a noi, sono conservate al Metropolitan di New York, e rappresentano una splendida *Conversione di Saulo*, una *Caduta di Simon mago* vicinissima a quella della pala della Purificazione, un *San Zanobi che resuscita un bambino* (che invece rinnova l'impianto della tavoletta di Berlino) e un *Totila davanti a san Benedetto*[20]. Ancora a una pala non meglio identificata appartengono le tempere conservate nel Museo di San Marco, che mostrano lo *Sposalizio di Santa Caterina d'Alessandria*, il *Cristo passo con la Maddalena e san Giovanni evangelista* e *Sant'Antonio abate con sant'Egidio*[21]. Concludono la produzione degli anni fiorentini le tavole con l'immagine della Madonna, come quella della collezione Bruschi a Firenze, presente in mostra (cat. 38), che va affiancata, per stile e qualità, alla *Madonna con il Bambino e cherubini* della collezione Ford a Detroit[22]. Dello stesso ambito, anche se molto rovinata, la *Vergine con il Bambino* del Fogg Art Museum a Cambridge (U.S.A.) che, per la presenza del fondo oro, rimanda al modello perugino della pala della Sapienza Nuova[23].

[1] "Da Roma tornato Benozzo a Firenze, se n'andò a Pisa..." (Vasari 1991 [1568], p. 429).
[2] Cole Ahl 1996, pp. 121-155; Padoa Rizzo 1997a, pp. 55-57.
[3] Padoa Rizzo 1992, p. 110; Cole Ahl 1996, pp. 157-190.
[4] Acidini Luchinat 1993.
[5] Padoa Rizzo 1992, pp. 8-9.
[6] Cole Ahl 1996, pp. 276-277.
[7] Cardini 1991; Cardini 2001.
[8] *Matteo*, II, 1-9; Hatfield 1970, pp. 107-161.
[9] Cardini 1991, pp. 65-69.
[10] Bussagli 1992.
[11] Bussagli 1998.
[12] Bussagli 1992, p. 14.
[13] Bussagli 1998, p. 189.
[14] Cole Ahl 1996, p. 105.
[15] Bussagli 2002.
[16] Bussagli 2002, p. 40.
[17] Padoa Rizzo 1992, pp. 72-76.
[18] Padoa Rizzo 1992, p. 72.
[19] Bernacchioni, in Padoa Rizzo 1997a, pp. 41-42.
[20] Bernacchioni, in Padoa Rizzo 1997a, pp. 51-52.
[21] Bernacchioni, in Padoa Rizzo 1997a, pp. 43-44.
[22] Padoa Rizzo 1992, p. 71.
[23] Padoa Rizzo 1992, p. 70.

30
Benozzo Gozzoli
Madonna sotto un baldacchino e angeli (recto)
Studi di angeli e mani (verso)
Matita nera, penna e inchiostro marrone, acquerellature marroni, carta preparata in rosa (*recto*)
Penna e inchiostro marrone, acquerellature marroni, biacca, carta bianca tinteggiata di rossiccio (*verso*); mm 179 x 169
Iscrizioni: sul *recto,* a sinistra in senso trasversale: B 63 (XV sec.); sul *verso*: GIOV. FRANCO RUSTICI (più tarda)

Leeds, Harewood House Trust, 2001.4.43
Provenienza: J. Richardson sen.
Per gentile concessione cel conte e della contessa di Harewood e dei Trustees del Harewood House Trust

La relazione del foglio nella collezione Harewood con gli affreschi della cappella Medici del Gozzoli fu segnalata per primo da Colvin[1], che riconobbe sul *verso* gli *Studi preparatori per gli angeli* della scarsella[2]. Lo studioso inglese rilevava anche che sul *recto* una diversa tecnica e qualità era imputabile forse a uno sfalsamento cronologico.
Il *verso* è preparato con una tempera rosso chiaro. Le figure ammantate, in piedi e inginocchiate, senza particolari distintivi della qualità angelica, sono disegnate a penna e acquerello con particolare attenzione agli effetti plastici dei panneggi, sottolineati da intense lumeggiature a biacca. L'incompletezza del disegno delle figure, così come il fatto che nessuna corrisponde in modo preciso agli angeli dell'affresco, è indizio di studi preparatori, ispirati al naturale, per elaborare attitudini e sperimentare la caduta delle vesti[3]. I corpi sono posizionati con angolazioni leggermente diverse l'una dall'altra per formare un semicerchio attorno alla Natività ora sull'altare: il pittore aveva già concepito la composizione generale della scena[4]. In alto a destra sono schizzati i dettagli di un orecchio e di due mani che corrispondono al gesto dell'angelo con la veste rosa in piedi nella parete sinistra. Potrebbero però anche attagliarsi alle mani di quello con la tunica stellata sulla parete opposta, se la mano che dovrebbe reggere la stola bianca non fosse nascosta dalla punta dell'ala davanti (fig. 1). In qualità di studi preparatori questi disegni dovrebbero risalire a un tempo molto vicino all'esecuzione degli affreschi, realizzati nella seconda metà del 1459 (Padoa Rizzo 1993, pp. 359-360) partendo proprio dalla decorazione della scarsella.
Il soggetto "singolare", segnalato da Colvin sul *recto* del foglio, una *Madonna sotto un baldacchino* sorretto da angeli, è stato riconosciuto da Degenhart e Schmitt come la *Madonna di Loreto* secondo l'iconografia del miracoloso trasferimento della Santa Casa. Il disegno è realizzato solo a penna e inchiostro marrone su carta tinteggiata in rosso, mentre tracce di matita nera rinforzano la struttura del baldacchino. Sembrerebbe uno studio per questo soggetto votivo molto diffuso in territorio umbro-marchigiano per tutto il XV secolo[5], che solitamente era realizzato ad affresco su pareti di capelle e tabernacoli (Grimaldi 1995 e Bisogni 1995). A prima vista esso non sembra avere alcuna relazione col *verso* a cominciare dal soggetto e dalla tecnica che è quella veloce di un abbozzo, sebbene di grande qualità. A una osservazione attenta emergono però alcune incongruenze compositive. I due angeli che in primo piano dovrebbero sostenere le colonne, in realtà ne fanno solo il gesto: quello di sinistra è in atto di reggere un oggetto più grosso rispetto alla colonna, a cui sembra abbracciato e che appare disassata; quello di destra invece un oggetto più sottile, come un cero. La composizione complessiva non risulta plausibile. Probabilmente ciò è dovuto al fatto che i due angeli sono stati schizzati per primi e che la restante edicola è un'espansione dell'abbozzo iniziale. Notiamo inoltre che essi hanno una stringente relazione con gli angeli della cappella Medici: soprattutto l'ondeggiamento del corpo e la caduta del mantello nel primo, ritornano nell'angelo con lo sguardo in alto nella zona di sinistra (fig. 1). Non è da escludere che l'idea iniziale fosse in qualche modo ancora legata agli affreschi medicei, o che da quelli abbia preso le mosse.
La cifra sul *recto,* in scrittura quattrocentesca, potrebbe essere interpretata come una indicazione mensurale di "braccia 63", anche se non appare direttamente correlata al disegno.

(Lorenza Melli)

1. Benozzo Gozzoli, *Angeli adoranti*, Palazzo Medici, cappella dei Magi, particolare della parete orientale della scarsella.

[1] Colvin 1914-15, 10, n. 1. A quel tempo il foglio era nella collezione Spencer Churcill, (Lugt 2709a).
[2] L'individuazione è unanime negli studi successivi: Degenhart-Schmitt 1968,

verso

recto

I, 2, cat. 417 (con bibliografia); Wiemers 1987, pp. 456-458; Padoa Rizzo 1993, p. 360, Cole Ahl 1996, pp. 105-107, fig. 125; Ames-Lewis 2000a, p. 42, fig. 22.

[3] Come osservato da Degenhart e Schmitt, che indicano le corrispondenze con alcune figure della parete occidentale, e da Ahl che ritiene che qui Benozzo crei dei tipi ideali facili da riprodurre e che possono aver ispirato i cartoni per il trasferimento del disegno sul muro.

[4] In schizzi simili a quelli esistenti per il ciclo di Viterbo, come indica Wiemers.

[5] Noto a Firenze almeno dal 1483 quando venne pubblicata "La dichiarazione della chiesa di Sancta Maria de Loreto e come ella venne tucta intera", come ha dimostrato Zanandrea 1991, p. 60.

31
Benozzo Gozzoli
Filemone e l'asino, Gesù Bambino benedicente, Re Mago
Penna e inchiostro marrone, acquerellature marroni, biacca, carta bianca tinteggiata di rosso chiaro; mm 182 x 212
Iscrizioni: sul *verso* in alto: 13 (XV sec.)

Firenze, Gabinetto Disegni e Stampe degli Uffizi, inv. 70 E

Il foglio 70 E apparteneva all'antica collezione del cardinal Leopoldo de' Medici, dove era considerato di mano di Paolo Uccello. Nell'inventario settecentesco lo troviamo così descritto: "Un moro che ha una specie di reliquiario in mano, un fanciullino nel mezzo e dall'altro lato una figura panneggiata ed un giumento che mangia qualcosa in un piatto"[1]. È stato il Ferri[2] a riconoscervi la maniera di Benozzo Gozzoli, dopo averlo in un primo momento ritenuto di anonimo fiorentino del XV secolo e averne segnalata, nell'inventario manoscritto, la vicinanza a Filippino Lippi. Se per Berenson[3] si tratta di una copia dal disegno di Gozzoli al British Museum (fig. 1), arrivando a indicarne l'esecutore nel cosiddetto "Alunno di Benozzo", alcuni studiosi successivi hanno preferito lasciare il foglio nell'anonimato della cerchia del nostro pittore[4]. Più recentemente Angelini[5], seguito dalla Ferro e dalla Padoa Rizzo[6], ne ha riconsiderato l'autografia riconoscendovi una qualità degna di Benozzo e della sua cultura nel sesto decennio del secolo.

Il disegno è condotto a penna e inchiostro marrone acquerellato con intense lumeggiature a biacca su una carta tinteggiata di rosso chiaro. Le figure sono finite ma non correlate tra loro. Come hanno riconosciuto Degenhart e Schmitt, la prima a sinistra corrisponde all'iconografia del commediografo greco Filemone con l'asino, testimoniata dalle cronache universali figurate del XV secolo quali il *Libro di Giusto*, che morì in preda a un riso irrefrenabile per asino che mangiava fichi. Le due figure a sinistra invece rappresentano il Bambino Gesù benedicente e il Mago moresco Baldassarre di una *Adorazione dei Magi*, copiati da una versione grafica[7] o plastica[8] di un'opera probabilmente di Rogier van der Weyden.

Sul foglio 70 E sono dunque presenti tre soggetti distinti, copiati da fonti precise e non necessariamente fra loro correlati, come a costituire un intenzionale repertorio iconografico. Degenhart e Schmitt hanno riconosciuto che esso, insieme al foglio 1112 E degli Uffizi (cat. 32), di cui condivide tecnica e stile, nonché vicende storiche e critiche, faceva parte di un taccuino di disegni di un collaboratore del Gozzoli. Si può ritenere, in accordo con Angelini, che i due fogli possono ben corrispondere allo stile del Gozzoli nei secondi anni cinquanta senza dover pensare ad un altro artista. Si confronti l'uso della biacca nella *Testa di giovane* a Windsor (cat. 17r), tenendo presente che quel soggetto è di ideazione gozzolesca, mentre nel 70 E si tratta di disegni copiati da altre fonti. È inoltre significativa la somiglianza del panneggio di Filemone con il manto con cui il Gozzoli ha rivestito il san Giovanni Battista nella pala della Sapienza Nuova (cat. 28). In questo foglio sembra dunque possibile riconoscere la mano del maestro intento a creare un repertorio intenzionale di modelli dall'arte classica e nordica secondo l'autentica tradizione del 'Musterbuch'. La presenza del numero 13

1. Benozzo Gozzoli, *Studio di un giovinetto ammantato e di un re Mago*, Londra, British Museum, 1895-9-15-444.

sul suo *verso*, una cartulazione quattrocentesca finora sfuggita agli osservatori, suffraga l'appartenenza a un taccuino di bottega.

In questa ottica è interessante indagare il rapporto con il disegno inglese (fig. 1), disputato anch'esso tra l'autografia di Benozzo[9], che pare condivisibile, e la mano incerta di copiatore[10]. Sembra infatti che il prototipo fiammingo del Mago Baldassarre, che Gozzoli aveva registrato in una pagina del suo taccuino, sia stato poi trascritto sul foglio inglese in una versione "italianizzata"[11]: prima nella figura sulla destra, e poi studiato sulla sinistra con veloci tratti a penna, ormai senza attributi e con il probabile ricorso a un garzone in posa per elaborarne l'andatura e la gestualità[12]. Il risultato lo vediamo nel paggio col levriero sullo sfondo del corteo dei Magi mediceo. Il foglio inglese contiene quindi i primi stadi dell'elaborazione grafica del modello costituito dal 70 E, in vista della realizzazione della figura dipinta. Gozzoli continuava a farvi ricorso per un analogo soggetto del Camposanto pisano negli anni settanta[13].

(Lorenza Melli)

[1] Pelli Bencivenni 1793, IV, n. 7.

[2] Per le vicende inventariali vedi Petrioli Tofani 1986, p. 34 (con bibliografia).

[3] Berenson 1903, n. 550.

[4] Degenhart-Schmitt 1968 in Petrioli Tofani, cat. 470 (con bibliografia); Wiemers 1987, p. 453, fig. 20; Akker 1991, p. 11; Cecchi 1992 in Petrioli Tofani, cat. 6.1, pp. 128-129; Ames-Lewis 1995, p. 391-39, fig. 4, nota 12; Cole Ahl 1996, 108, fig. 129.

[5] Angelini 1986, cat. 9, pp. 24-25 (con bibliografia).

[6] Ferro, in Bellosi 1990, cat. 19, pp. 122-123; Padoa Rizzo 1993, p. 360.

[7] Secondo Degenhart-Schmitt un disegno come quello di artista renano del tardo XV secolo conservato a Coburg (fig. 667). Per Angelini l'esempio di riferimento può essere stato un disegno dello stesso pittore fiammingo circolante in Italia nel 1450.

[8] Cecchi propone che si tratti di un rilievo, magari in avorio.

[9] Degenhart-Schmitt, Ahl, Wiemers e dubitativamente Ames-Lewis, che considerano il 70 E di bottega e quindi entrambi derivazioni indipendenti da uno stesso prototipo fiammingo.

[10] Angelini 1986 e Cecchi.

[11] Ames-Lewis 1995, p. 392.

[12] Wiemers 1987, pp. 450-451.

[13] Il paggio nel *Viaggio di Abramo e Loth*, 1472 (Wiemers 1987, p. 451; fig. 24, p. 454).

32
Benozzo Gozzoli
Due figure maschili nude e due cani che dormono
Penna e inchiostro marrone, acquerellature marroni e rossicce, biacca (in parte ossidata), carta bianca filigranata tinteggiata di marrone-rossiccio;
mm 175 x 237
Controfondato, mancante dell'angolo in alto a destra e di vari frammenti reintegrati
Filigrana: *Forbici* secondo Petrioli Tofani (Briquet 6271), o *Chiavi*

Firenze, Uffizi, Gabinetto dei Disegni e delle Stampe, inv. 1112 E

Il disegno 1112 E condivide le vicissitudini storiche del 70 E (cat. 23), insieme al quale faceva parte della collezione di Leopoldo de' Medici. Tra i fogli di Paolo Uccello era così descritto: "Due figure nude presso un monticello con due cani che dormono, e veduta di una piccola città a piè di un monte da un lato"[1]. Anche la sua storia attributiva ha seguito le vicende del foglio compagno; infatti dopo il riconoscimento della comune provenienza da un taccuino di ambito gozzolesco, distinto dal complesso di Rotterdam, da parte di Degenhart e Schmitt[2], l'autografia del maestro è stata proposta da Angelini[3], che ne ha rivalutato le qualità stilistiche inquadrandole nell'opera di Benozzo tra il quinto e il sesto decennio del secolo. Per Wiemers[4] il prototipo della figura di destra risale al *Pothos* di Scopas, lo stesso da cui derivano anche un *Adamo* del Pollaiolo (GDSU, inv. 95 F) e un astante alla *Morte di Adamo* di Piero della Francesca, mentre Gozzoli se ne è servito per elaborare la figura di un pastore nella cappella Medici (fig. 1), dove la ricezione dell'antico si integra in modo esemplare con la tradizione del libro di modelli. Per Ames Lewis[5] il punto di vista diverso che ciascuna derivazione presenta, fa pensare che il modello fosse una copia plastica esistente nel XV secolo. Sisi[6] ha segnalato per la figura di sinistra la colta rielaborazione del tipo del *Pedagogo* del gruppo dei Niobidi, citato anche da Andrea del Castagno in un suo *David*: il modello antico studiato da Gozzoli nel disegno 1112 E diviene parte integrante del suo lessico, rendendolo disponibile per impieghi narrativi affatto diversi, come appunto i pastori dell'*Adorazione* medicea.

1. Benozzo Gozzoli, *Un pastore*, Palazzo Medici, cappella dei Magi, particolare della paretina occidentale.

In cerca dell'individuazione di questo soggetto, possiamo anche notare che le due figure compaiono leggermente variate nella *Composizione di nudi su struttura geometrica* a Stoccolma, un enigmatico complesso di studi dal naturale e dal modello statuario (Petrioli Tofani 1992, n. 7.9). Inoltre la possente figura di schiena corrisponde ad alcune rappresentazioni vascolari di Ulisse, dal tipico copricapo coniforme e in quella postura comune a molte altre raffigurazioni nell'arte greca. In questo caso potebbe esserci una connessione tematica con l'approdo dell'eroe omerico a Itaca tra i pastori. Questa scena campestre, in cui i cani sembrano vivificati dallo studio del naturale[7], ha certo molto in comune il mondo pastorale in attesa dell'annuncio, dipinto dal Gozzoli sulle paretine della cappella Medici[8], tra scarne roccette e turrite città sulle cime dei colli lontani.

(Lorenza Melli)

[1] Pelli Bencivenni 1793, IV, n. 6. Per le vicende inventariali vedi Petrioli Tofani 1986, p. 468 (con bibliografia).
[2] Degenhart-Schmitt 1968, I, 2, cat. 471 (con bibliografia) ed anche: M. Ferro in Bellosi 1990, al cat. 19, pp. 122; e L.B. Kanter in Morgan Grasselli, 1995, p. 47, fig. 2.
[3] Angelini 1986, cat. 8, pp. 22-23 (con bibliografia).
[4] Wiemers 1987, pp. 449-450, fig. 11-13.
[5] Ames Lewis 1995, p. 399.
[6] C. Sisi, in Petrioli Tofani 1992, cat. 22, p. 43.
[7] Come ha proposto Angelini 1986.
[8] Si veda anche Acidini Luchinat 1993, p. 257.

33-37
Benozzo Gozzoli

San Zanobi resuscita un bambino
Tempera su tavola; cm 24 x 34
Berlino, Staatliche Museen, Gemäldegalerie, cat. 60 *c*

Banchetto di Erode
Tempera su tavola;
cm 23,8 x 34,5
Washington, National Gallery of Art, Samuel H. Kress Collection, n. 1952.2.3

Presentazione di Gesù al tempio
Tempera su tavola;
cm 21,9 x 37,5
Philadelphia, Philadelphia Museum of Art, J.G. Johnson Collection, n. 38

La caduta di Simon mago
Tempera su tavola;
cm 24,3 x 34,5
Londra, The Royal Collection, inv. 403372, per gentile concessione di Sua Maestà la Regina Elisabetta II

San Domenico resuscita un bambino
Tempera su tavola; cm 25 x 35
Milano, Pinacoteca di Brera, n. Reg. Cron. 1221

Si tratta degli elementi della predella della tavola dell'altare della compagnia della Purificazione della Vergine, una confraternita di adolescenti, che al tempo dell'esecuzione del dipinto aveva la sede presso il convento di San Marco. La commissione al Gozzoli è del 23 ottobre 1461 e, stando al contratto, il lavoro dovette essere completato entro il primo novembre dell'anno successivo. Nel 1506 la compagnia si trasferì in un oratorio appositamente costruito all'altro lato dell'odierna via Cavour e trovò la sua sede definitiva, nel 1570, in un edificio di via San Gallo. Dopo la soppressione delle compagnie religiose nel 1785 la pala, già privata della predella, fu venduta. La tavola principale, raffigurante la *Madonna col Bambino in trono circondata da sei santi* (Giovanni Battista, Zanobi, Girolamo a sinistra e Pietro, Domenico e Francesco a destra) *e cinque angeli*, pervenne in epoca imprecisata alla famiglia Rinuccini, che nel 1855 la cedette alla National Gallery di Londra (n. 283, cm 162 x 170). La larghezza della tavola, che risulta accorciata di una decina di centimetri in basso, corrisponde a quella complessiva dei cinque elementi della predella, e la circostanza conferma l'appartenenza di questi ultimi alla pala oggi a Londra; la *Presentazione* doveva stare al centro, e ogni storia sotto l'immagine del rispettivo santo. La predella conteneva, oltre alle storie di quattro dei sei santi raffigurati nel registro principale, anche l'immagine di "due fanciulli vestiti di biancho cholle grillande dello ulivo in chapo, che tenghino in mano lo scudo drentovi queste lectere, cioè P.S.M.", abbreviazione di *Purificatione Sanctae Mariae*. Queste ultime, oggi perdute, dovevano collocarsi sulla base dei pilastri laterali della cornice, come specifica il contratto. Dal momento che il documento di commissione non ne parla, è lecito supporre che non fossero previste raffigurazioni sui pilastri della cornice. Tuttavia Anna Padoa (in Padoa-Casini Wanrooij 1985) ha tentato di identificare i perduti pilastri laterali con quelli oggi appartenenti alla Galleria dell'Accademia (nn. 8620, 8621), eseguiti rispettivamente dal Gozzoli e da Domenico di Michelino. La proposta, favorita dalla vicinanza stilistica dei tre santi del pilastro dipinto da Benozzo alla tavola dell'altare della Purificazione, sembra essere smentita però dalla presenza tra essi del Battista, raffigurato anche sulla pala (Cole Ahl 1996, p. 215). Quei pilastri potrebbero forse appartenere piuttosto alla predella oggi conservata al Museo di San Marco, che ospita al centro il *Vir dolorum con san Giovanni e la Maddalena* e ai lati il *Matrimonio mistico di santa Caterina e due altri santi*. Uno di questi, Egidio, forse allude, come pensa la Cole Ahl (1996, p. 218), alla provenienza dell'opera dalla chiesa di Sant'Egidio.
Il *Miracolo di san Zanobi* era la prima storia da sinistra della predella della pala qui discussa. Dopo essere passato nelle collezioni romane Curti, Lepri e Carnici, nel 1898 pervenne in quella di Rodolphe Kann a Parigi, e quindi nel 1909 alla sede attuale. La tavola è in discreto stato di conservazione, a parte alcune più o meno piccole cadute di colore, integrate in occasione di un vecchio restauro.
Il *Banchetto di Erode*, oggi a Washington, pervenne alla collezione del conte Vittorio Cini probabilmente nel 1942, quando questi ottenne alcune importanti tavole fiorentine

33

del Quattrocento dalla raccolta Coccapani Imperiali di Modena (cfr. Zeri e Natale in Zeri-Natale-Nottola Molfino 1984, pp. 23, 29). Un sigillo di ceralacca sul retro del dipinto sembra riprodurre lo stemma di questa famiglia (alla quale l'opera pervenne dalla raccolta di Alfonso Tacoli Canacci; gentile comunizione di Vincenzo Buonocore), mentre un altro sigillo con l'emblema dell'ape regina circondata dalle operaie ne indica l'appartenenza alla raccolta del granduca Ferdinando de' Medici (1551-1609). Se ne deduce che già all'epoca del trasloco in via San Gallo la predella dovette essere separata dalla tavola principale e, con ogni probabilità, smembrata. Poco dopo l'acquisto, il conte Cini cedette il dipinto alla casa antiquaria Wildenstein's di New York, da dove questa passò a Samuel H. Kress e quindi, nel 1952, alla sede attuale. Lo stato di conservazione è anche in questo caso soddisfacente; vi si notano solo piccole cadute di colore, che sono state integrate.

La *Presentazione di Gesù nel tempio* di Philadelphia, nel 1910 apparteneva alla raccolta di Don Jaime de Bourbon a Schloss Frohsdorf in Austria, e fu acquistata l'anno dopo da John J. Johnson. L'opera, in buono stato di conservazione a parte alcuni piccoli ritocchi, è stata sottoposta a pulitura nel 1993.

La *Storia di Simon mago* nelle collezioni reali d'Inghilterra fu acquistata a Firenze, probabilmente tra il 1791 e il 1798, da William Young Ottley, dalla cui famiglia pervenne nel 1846 in proprietà di Alberto di Sassonia Coburgo, principe consorte della regina d'Inghilterra. La superficie del dipinto è in uno stato di conservazione complessiva-

mente discreto, ma la pellicola del colore è leggermente abrasa e danneggiata da numerose piccole cadute di colore che sono state integrate.

Il *Miracolo di san Domenico* giunse nel 1900 alla Pinacoteca di Brera da una famiglia milanese tramite lo scultore Achille Alberti. Ricoperta da uno strato di vernice ingiallita, l'opera è in condizioni discrete, benché riveli numerose piccole cadute integrate soprattutto nelle zone marginali.

Prima ancora che venisse stipulato il contratto tra il Gozzoli e la compagnia della Purificazione, il pittore aveva già iniziato a occuparsi del progetto della pala d'altare. Infatti l'8 settembre la compagnia effettuò un pagamento a Benozzo "per parte di pintura di detta tavola" (cfr. Cole Ahl 1996, p. 277). Ciò non implica che l'artista ne avesse iniziata l'esecuzione vera e propria; doveva trattarsi piuttosto del compenso del modellino, cioè del disegno di presentazione dell'opera, sottoposto al giudizio dei committenti in genere prima della definitiva assegnazione del lavoro. La somma pagata poteva comprendere inoltre un anticipo, perché Benozzo acquistasse i materiali occorrenti e facesse eseguire l'ingessatura del supporto ligneo e la doratura della cornice. Sebbene il contratto prevedesse il primo novembre del 1462 come termine di scadenza e minacciasse sanzioni in caso di ritardo, i documenti pervenutici registrano piccoli pagamenti effettuati al pittore fino al febbraio 1463 (Cole Ahl 1996, p. 244). Anche in questo caso però non è necessario pensare al mancato rispetto degli accordi, non avendo alcun'altra indicazione in proposito. Le cifre pagate dopo il termine di consegna potevano riguardare qualche ulteriore richiesta del committente ri-

34

35

guardo la tavola (cfr. in proposito Bietti 1983). L'esame degli elementi del complesso rivela, in ogni modo, lo scrupoloso rispetto di un'altra condizione prevista dal contratto, cioè che l'artista dovesse "detta tavola di sua propria mano tucta chon ogni debita diligenza dipignere": la condotta pittorica e la qualità dell'esecuzione risultano infatti del tutto uniformi e sull'abituale livello sostenuto delle opere di Benozzo realizzate in questo suo momento fiorentino.

Non fu rispettata invece – ma sicuramente con il consenso dei responsabili della compagnia – la clausola secondo cui il pittore doveva seguire nell'immagine della Madonna col Bambino il modello dell'Angelico nella tavola d'altare per San Marco. Forse non tanto per lo spazio più ridotto dell'oratorio della confraternita, che comunque doveva essere, secondo una recente ricostruzione (Matchette 2000), lungo non meno di 22 metri, quanto per il desiderio del Gozzoli di poter avvicinare maggiormente i suoi personaggi ai fedeli, questi sono collocati su un palcoscenico piuttosto ristretto e il loro aspetto esterno è descritto con scrupolosa attenzione per ogni dettaglio. La composizione è diversa dall'opera angelichiana anche dal punto di vista iconografico: il Bambino della pala di San Marco è seduto solennemente sulle ginocchia della madre che lo indica ai fedeli con la destra, riproponendo, in fondo, l'iconografia della Madonna *hodighitria*. Da parte sua, il Gozzoli sembra voler proporre una sorta di epifania, con Maria che porge ai fedeli il Bambin divino, il quale accenna un passo in avanti per avvicinarsi a loro. Una simile tipologia compare con sempre maggior frequenza nella pittura e scultura di metà Quattrocento (cfr. Wohl 1980, p. 67) e la particolare soluzione proposta dal Gozzoli non ha mancato di trovare seguito. Lo mostra la copia, questa volta assai fedele, in una tavola che spetta probabilmente al cosiddetto Maestro degli Argonauti, conservata sempre nella National Gallery di Londra (n. 2863).

I protagonisti della pala della Purificazione sono attorniati da cinque angeli e sei santi, identificati dai nomi iscritti nelle aureole. Al posto d'onore, alla destra del Bambino, stanno in piedi i due patroni della città, il vescovo Zanobi e il Precursore, mentre all'altro lato sono collocati Pietro, il vicario di Cristo, e Domenico, fondatore dell'ordine presso il quale la compagnia aveva trovato ospitalità. Il volto chiaramente ritrattistico di quest'ultimo dovrebbe corrispondere alle fattezze di un frate ben noto ai membri della compagnia, forse il priore o guardiano del convento. In ginocchio sono rappresentati, a sinistra san Girolamo, titolare di una confraternita di adulti (alla quale spettava, prima del trasferimento in San Marco, la supervisione dell'attività della compagnia della Purificazione), e a destra san Francesco, fondatore dell'altro grande ordine mendicante. In primo piano al centro, oltre ai due pettirossi, simboli della Passione e della Resurrezione (cfr. Friedmann 1946, pp. 7-8) e al cappello cardinalizio, attributo di san Girolamo, si trovano fiori ai quali la simbologia tardomedievale attribuisce significati mariani e cristologici: la rosa rossa, il giglio e il mughetto, simbolo dell'immacolata concezione (Levi d'Ancona 1967, pp. 221-222).

Mentre la composizione nella tavola principale riflette ancora gli orientamenti del linguaggio di Benozzo di qualche anno prima, del tempo del dipinto della Galleria Nazionale di Perugia, firmato e datato 1456, nella predella l'artista, pur collocando entro scenari architettonici saldamente costruiti le storie di Gesù e dei santi propone impostazioni più ariose che tendono a includere nell'azione anche gli spazi del secondo piano. La storia di *San Zanobi che risuscita un bambino* è, come varie volte osservato, una versione della composizione ghibertiana di soggetto analogo sulla *Cassa di san Zanobi* del Duomo di Firenze (cfr. Padoa Rizzo 1972, pp. 61-62) e ne accoglie anche la soluzione arcaica di raffigurare, accanto al corpo morto, il bimbo redivivo, ormai in piedi. A

differenza però del Ghiberti, o di Domenico Veneziano nella tavola del Fitzwilliam Museum di Cambridge, Benozzo presenta l'episodio in un clima emotivo meno teso. Il miracolo avviene in un'immaginaria piazza rinascimentale contornata da edifici all'antica, ed è accompagnato solo dai bisbigli e dai misurati gesti di sorpresa degli astanti. Tra essi – e questa, sì, è una novità, sebbene in qualche occasione fosse già stata sperimentata dal Beato Angelico – compaiono dei ritratti veri e propri tra cui, nel vecchio a

36

destra che osserva con le braccia conserte l'episodio, forse si può riconoscere Cosimo de' Medici.
L'arcaismo della doppia presenza di uno dei personaggi principali ricompare anche in altre scene, così nel *Banchetto di Erode*, dove Salomè volteggia in primo piano davanti a Erode e ai suoi convitati, e ricompare poi poco più indietro, nel momento di consegnare alla madre su un vassoio la testa recisa del Battista. Non contento di riunire questi due episodi, il pittore integra la composizione anche con la scena della decollazione del santo, che si svolge in una cella stretta, ricavata un po' incongruamente dallo spazio della stessa sala del banchetto. Le linee prospettiche dell'architettura che convergono verso la finestrella al centro in fondo, e le numerose comparse scalate verso la profondità della scena, conferiscono alla storia un assai efficace effetto illusionistico e attirano lo sguardo verso il momento conclusivo del racconto. Nonostante la decapitazione posta in primo piano, Benozzo mostra comunque di preferire il ruolo del pacato cronista a quello del drammaturgo. Più che sull'attesa trepida del condannato, preferisce soffermarsi sulla descrizione del vestiario del boia e sulla gustosa natura morta della tavola del banchetto che, avvolta dalla luce in primo piano, si oscura in fondo per effetto della tetra ombra della cella della decapitazione.
Più solenne e convenzionale delle precedenti è la scena della *Presentazione al tempio*, ovvero della Purificazione, l'atto di Maria che, per obbedire alla prescrizione della

legge (*Lev.* 12, 2-8), al quarantesimo giorno dopo il parto si presenta davanti al sacerdote, portando con sé due tortore per il sacrificio di espiazione. La composizione è molto simile a quella di soggetto identico nella predella della pala di San Fortunato a Montefalco (Pinacoteca Vaticana) e, come lì, tutti i presenti sono schierati in primo piano. L'edificio del tempio, le cui pareti sono articolate da eleganti lesene di gusto rinascimentale, si conclude in fondo con un'abside stretta e profonda, di stile gotico. Lo scenario richiama la *Circoncisione* e la *Presentazione al tempio*, dipinte dal Beato Angelico nell'Armadio degli argenti (Firenze, Museo di San Marco) e, come in quest'ultima, il profeta Simeone è contraddistinto da un alto copricapo conico, attribuito dalla tradizione iconografica medioevale al sommo sacerdote ebraico Ma mentre l'attenzione dell'Angelico si concentra sugli effetti complessi di luce e ombra che creano un'aura di mistero all'interno del tempio, il Gozzoli si mostra interessato soprattutto al comportamento dei suoi personaggi. Questi ascoltano assorti le parole della profetessa Anna, la quale preannuncia la grandezza del Figlio e i dolori della Madre, mentre il Bimbo giocherella placidamente con la barba canuta del profeta che lo tiene fra le braccia.

Se nel *Banchetto di Erode* il racconto iniziatosi in primo piano si conclude nel fondo, l'azione si svolge nel senso contrario nella *Caduta di Simon mago*, storia in origine collocata sotto la figura di san Pietro nella tavola principale. In lontananza si vede l'impostore mentre si alza in aria dall'impalcatura che si è fatta costruire, e in primo piano giace senza vita, precipitato per effetto delle preghiere di Pietro e Paolo, i quali ordinano ai demoni al servizio di Simone di lasciarlo alla sua sorte. L'alta impalcatura nel centro, la presenza di Nerone da un lato e dei principi degli apostoli – Paolo in ginocchio e Pietro in piedi – dall'altro (cfr. Kinder Carr 1980, p. 153) sono elementi che corrispondono alla tradizione iconografica del tema. Da parte sua il Gozzoli, pur evitando pozze di sangue o altri vistosi segni della morte violenta, conferisce alla scena un effetto di indubbia drammaticità con il cadavere fortemente scorciato in primo piano. Probabilmente per accrescere ulteriormente la tensione, il pittore in un secondo momento decise di avvicinare maggiormente la figura di Nerone al luogo dell'incidente. Il pentimento tornato alla luce con l'assottigliarsi della pellicola pittorica mostra che, rispetto alla versione finale, la sagoma della testa e delle spalle dell'imperatore originariamente si trovava un po' più a sinistra di come la vediamo oggi.

Nell'impianto compositivo del *Miracolo di san Domenico* il Gozzoli sembra tenere presente le raffigurazioni dell'Angelico nella predella dell'*Incoronazione* del Louvre e in quella del trittico del Museo Diocesano di Cortona. Nella tavola oggi a Brera la vittima, Napoleone Orsini morto cadendo dal cavallo, non è però un giovanotto come prevede la tradizione iconografica ma un ragazzino, evidentemente per avvicinare maggiormente l'episodio alla fantasia dei confratelli adolescenti, e l'artista non tralascia di impreziosire lo scenario con il loggiato di gusto brunelleschiano che delimita la piazza in fondo. L'idea di portare il cavallo impennato quasi in primo piano e di mostrare il bambino infortunato sotto gli zoccoli dell'animale non viene sfruttata dall'artista per trasformare l'accaduto in dramma: l'episodio è dominato, infatti, dalla gioia delle donne sedute che vedono il piccolo alzarsi in piedi risanato, e dalla assai composta reazione dei testimoni oculari del miracolo. Per la figura del cavallo, motivo che evidentemente interessava il Gozzoli ben più dell'Angelico, sembra che il modello fosse il celebre gruppo scultoreo di Montecavallo. Non per questo si potrà accettare però la paternità di Benozzo per il bel disegno oggi al British Museum di Londra (inv. 216847), che rivela a mio avviso la mano di un artista più sensibile di lui all'eleganza formale dell'opera classica, ed è probabilmente da riconoscere nel Pesellino.

Nel ritornare a Firenze dopo un'assenza di più di un decennio, Benozzo probabilmente pensava di potervisi stabilire definitivamente. Diversi artisti ben affermati erano venuti a mancare negli anni precedenti – il Beato Angelico, Andrea del Castagno e il Pesellino – e altri, come Giovanni di Francesco e Domenico Veneziano, scompaiono negli anni di questo nuovo soggiorno. Egli poteva nutrire dunque buone speranze di trovare spazio a Firenze, grazie anche al sostegno della famiglia Medici. La sua cartella, che possiamo immaginare gonfia di schizzi e copie tratte dall'antico durante la sua permanenza a Roma, doveva sembrare una raccomandazione particolarmente efficace nella città roccaforte di studi umanistici. Eppure le cose andarono diversamente: gli impegni di lavoro assunti a San Gimignano a partire dal 1464 sarebbero stati seguiti da altre imprese affidategli da committenti non di Firenze ed egli ritornerà nella sua città, ormai anziano e in una posizione sostanzialmente emarginata, solo nell'ultimo decennio del secolo.

L'esperienza di lavoro svolto per più di un decennio in vari centri tra l'Umbria e il Lazio ha certamente influenzato e arricchito l'arte di Benozzo, ma non l'ha cambiato essenzialmente. Egli continua a osservare e descrivere figure umane, animali, alberi o brani di paesaggio con lo stesso acuto sguardo scrutatore, con l'impegno di registrare con obiettività spassionata, quasi con distacco ma con infaticabile curiosità culturale, tutto quello che poteva integrare utilmente la sua storia, rievocando quindi con meticolosa fedeltà un numero crescente di dettagli della scena e dei personaggi. Tuttavia, mentre la sua attenzione si concentra sull'infinita varietà della pelle delle cose, non ritiene affatto necessario soffermarsi sullo stato d'animo dei protagonisti. L'espressione infatti ottiene ben scarso spazio nella gestualità e nella mimica facciale dei suoi attori. Chi scrive è convinto che tale limite della sua pittura non fosse sfuggito a coloro i quali, negli anni in cui il Gozzoli era assente da Firenze, po-

37

tevano seguire le appassionate sperimentazioni di Andrea del Castagno e di Domenico Veneziano, allo scopo di evidenziare, tramite la mimica dei volti e la gestualità, la forza morale e la potenza del sentimento delle figure di una storia. Probabilmente lo stesso Gozzoli si era reso presto conto che da lui ci si aspettava qualcosa di più. Come si sa, almeno per un determinato particolare del suo ciclo in palazzo Medici, egli dovette subire critiche (cfr. Cole Ahl 1996, pp. 276-277, dove viene pubblicata la lettera di Benozzo a Piero de' Medici con risposta alle osservazioni critiche sui serafini da lui dipinti) e probabilmente proprio per questo nelle predelle dell'altare della Purificazione, e soprattutto in quella del polittico Alessandri, oggi nel Metropolitan Museum a New York (inv. 15.106.1-4), egli mostra di voler cambiare registro. Le storie della predella Alessandri, eseguita a mio avviso dopo la serie qui discussa, riproponendone con modifiche alcune composizioni, rivelano lo sforzo di adeguarsi al nuovo clima culturale di Firenze. Le novità più vistose si notano, naturalmente, nella assai drammatica *Conversione di san Paolo*, con i suoi cavalli imbizzarriti e soldati in preda al panico, ma non meno significativi sono i pur piccoli cambiamenti delle storie, quelle della *Caduta di Simon mago* e il *Bambino resuscitato da san Zanobi*, mutuate dalla pala della Purificazione. In entrambe il punto di fuga centrale viene abbassato, conferendo maggiore imponenza ai presenti, questa volta quasi raddoppiati nel numero e disposti in modo molto più libero e vario che in precedenza. Ma colpisce soprattutto l'accresciuta attenzione del pittore alla partecipazione emotiva degli astanti, ben più viva e immediata che nella pala della Purificazione. Tale apertura sembra affievolirsi poi nelle opere successive; ma forse se avesse potuto continuare a lavorare nell'ambiente fiorentino o avesse incontrato committenti di diversa preparazione culturale, la sua pittura avrebbe avuto sviluppi diversi.

(Miklós Boskovits)

Bibliografia

Carotti 1900, p. 424; Carotti 1901, pp. 72-74; Ricci 1904, pp. 1-12; Cust-Horne 1905, pp. 377-378; Berenson 1909, pp. 113-114; Gronau 1909, p. 344; Mengin 1909, p. 67; Venturi 1911, pp. 422-423; Contaldi 1928, pp. 29-32, 150-154; van Marle, XI, 1929, pp. 168-172; Hoogewerff 1930, pp. 31-32; Berenson 1932, pp. 263-264; Lagaisse 1934, pp. 36-37; Berenson 1936, pp. 226-227; Friedmann 1946, p. 145; Davies 1951, pp. 57-59; Rusk Shapley 1952, pp. 77-88; Berenson 1963, p. 94; Micheletti 1966, p. 574; Padoa Rizzo 1972, pp. 61-62, 125-129; Gemäldegalerie 1975, p. 185; Levi D'Ancona 1977, p. 222; Rusk Shapley 1979, pp. 229-230; Shearman 1983, pp. 133-134; Padoa-Casini Wanrooij 1985, p. 5; Frulli 1987, p. 651; Bartalini 1990, pp. 111, 118; Padoa Rizzo 1992, pp. 72, 74, 77; Strehlke 1993, p. 14; Acidini Luchinat 1994, pp. 35, 39; Cole Ahl 1996, pp. 112-119, 224-226; Turner 1996, p. 260; Bernacchioni 1997, pp. 48-50; Penny 1998, p. 41; Cole Ahl 2000, pp. 46-73; Matchette 2000, pp. 79-80.

38
Benozzo Gozzoli
Gruppo di confratelli inginocchiati e in preghiera
tempera su tavola, cm 30 x 15
(cm 40,5 x 25,5 con la cornice)

Grassina (Firenze), collezione Alberto Bruschi

Sopra una pedana di marmi mischi sono inginocchiati alcuni devoti, membri di una confraternita: quattro figure vestite con una cappa bianco calce e incappucciate e, alle loro spalle, un gruppo parzialmente indistinto di laici abbigliati invece secondo il costume del tempo, di cui si contano nove teste.

La tavoletta rappresenta a tutta evidenza il frammento di una più vasta composizione raffigurante la Madonna della Misericordia, di cui il presente dipinto costituiva la parte inferiore sinistra. Della Vergine si riconosce la veste rossa che appiomba sul lato destro, mentre il consueto manto blu doveva essere ampiamente dischiuso, secondo un'iconografia assai nota e diffusa, per abbracciare in due gruppi speculari e divisi nel sesso lo stuolo dei devoti raccolti ai suoi piedi. Le cappe dei confratelli visibili in primo piano non esibiscono sigle che possano permettere l'identificazione della confraternita cui erano affiliati, che rimane pertanto generica. Simili istituzioni laiche erano peraltro numerose nella società fiorentina fra Tre e Quattrocento e, secondo stime recenti, tra il 1450 e il 1499 almeno ventidue raccoglievano flagellanti nelle loro file (Henderson 1998, pp. 133-134). L'iconografia della Vergine della Misericordia rivestiva d'altronde un ruolo precipuo nelle scelte liturgiche delle confraternite fra Medioevo e Rinascimento ed era al centro della loro devozione, spesso in connessione a funzioni assistenziali. Nel Quattrocento capillare era anche la diffusione, soprattutto in Italia centrale, di stendardi processionali su cui campeggiava la *Mater Misericordiae*, un genere di arredo liturgico vittima a Firenze di una massiccia dispersione a seguito delle soppressioni decretate da Pietro Leopoldo fra il 1784 e il 1785 (cfr., per un approccio al problema, Sebregondi 1991; Innocenti 1992).

Poiché nel corso del secolo il divario fra le proporzioni della Vergine e dei devoti tende a una progressiva riduzione, le misure ridotte della tavoletta lasciano pensare che la composizione originale non dovesse esibire un grande formato. Si può dunque reintegrare mentalmente l'immagine perduta di altri 50-60 cm, raggiungendo un'altezza totale di 80-90 cm, contro una larghezza di circa 60-70 cm; misure modeste per il pannello centrale di un polittico, ma congrue alle dimensioni consuete di una tavola devozionale o di uno stendardo di media grandezza. L'opera rientrerebbe in quest'ultimo caso in un genere praticato da Benozzo, stando ai documenti che parlano di un "chompasso" eseguito nel 1441 per la confraternita fiorentina di Santa Maria delle Laude e di Sant'Agnese, nonché di altri prodotti di questo tipo compiuti per la cattedrale di Pisa nel 1471 e più oltre (Cole Ahl 1996, p. 271 nn. 98, 105 e doc. 2).

La tavola, a venatura verticale, è stata ritagliata almeno su tre lati. Su quello sinistro completa doveva essere la visione della figura inginocchiata in primo piano e del confratello più anziano in seconda fila, mentre lungo il lato inferiore la composizione sembra integra. Il supporto, collegato alla cornice a cassetta tardo ottocentesca da alcuni sottili listelli di legno, è stato assottigliato, come si comprende dalle venature prodotte da insetti xilofagi affioranti sul *verso*. La pittura si presenta in condizioni discrete. Laddove la *craquelure* emerge con maggiore evidenza la superficie non pare aver subito danni o ritocchi, mentre alcune piccole fenditure verticali visibili sul volto del giovane devoto di sinistra e sulla manica destra dell'uomo incappucciato lasciano pensare che la tavola possa avere sofferto a causa di una spaccatura, in seguito stuccata e reintegrata.

Secondo quanto comunica l'attuale proprietario, venuto in possesso del dipinto da circa un decennio, esso fece parte della prestigiosa collezione di Stefano Bardini (1836-1922), il quale lo acquistò dall'Umbria e lo tenne sempre per cosa pierfrancescana. Tale provenienza trova conferma nella recentissima pubblicazione dell'archivio fotografico raccolto dal collezionista[1], che per la maggior parte illustra dipinti da lui realmente posseduti, benché l'opera non venga citata espressamente nell'elenco sommario di quelle già di sua proprietà (cfr. De Benedictis 1984). Si ritiene a ogni modo, sempre in virtù delle notizie fornite da Alberto Bruschi, che il frammento abbia lasciato palazzo Mozzi all'inizio degli anni sessanta, quando fu immesso nel mercato antiquario da Ugo Bardini, figlio ed erede del famoso collezionista.

L'attribuzione a Benozzo Gozzoli, formulata per la prima volta da Everett Fahy, non credo necessiti di osservazioni particolareggiate[2]. Merita invece una discussione specifica la collocazione del dipinto nell'arco della sua attività. Un primo indizio di natura esterna per la datazione può essere fornito dai copricapi esibiti dai personaggi in secondo piano. Si tratta di semplici berrette arrotondate, nient'affatto vistose, che seguono la forma del capo e che non si scorgono nelle storie affrescate a Montefalco fra il 1450 e il 1452, dove si ripete invece (ad esempio nei laici presenti nella *Rinuncia di san Francesco ai beni paterni*) un tipo solo di cuffietta che scende a coprire gli orecchi e che si rivedrà anche più tardi, negli affreschi fiorentini e di San Gimignano. Berrette di questo genere iniziano invece a fare la loro comparsa negli eleganti personaggi e nei ritratti che punteggiano le *Storie dei Magi* di palazzo Medici-Riccardi (1459), primo segnale dell'imporsi di un nuovo gusto nella moda dell'Italia centro-settentrionale, oramai definito in alcuni affreschi di palazzo Schifanoia a Ferrara (1469 circa).

Per ciò che concerne l'aspetto stilistico, le relazioni più interessanti si possono istituire con le tavole di piccolo formato prodotte dal Gozzoli nei primissimi anni sessanta, ad esempio con i dipinti ora dispersi in più musei che componevano la predella della pala della Purificazione, a lui commissionata nell'ottobre 1461. Il volto del devoto più anziano è molto vicino a quello di Erode e di un secondo commensale nella *Danza di Salomè* di Washington. Figure dall'aspetto composto e fasciate in panneggi dal ritmo scivoloso, ammorbiditi da luci radenti come quelli dei flagellanti, si vedono nella *Caduta di Simon mago* di Hampton Court, dove compare anche la stessa scelta di marmi screziati a piccole rotelline. In questa fase, meno indagata rispetto alle più note imprese monumentali, Benozzo riesce a infondere nelle piccole opere su tavola i caratteri di una pittura ancora attenta alle morbidezze del modellato e alla fusione cromatica. E in questa tendenza, visti i contatti con i dipinti sopra citati e con le tavole di predella del Museo di San Marco a Firenze, di Avignone e della collezione Thyssen, trova posto a mio avviso anche la deliziosa *Sant'Orsola* della National Gallery di Washington (Minardi 1998, p. 210 nota 35), solitamente datata sul crinale di metà secolo (Padoa Rizzo 1992, p. 44; Cole Ahl 1996, p. 266).

(Mauro Minardi)

[1] Fahy 2000, p. 41 n. 305.
[2] *Ibidem.*

4. Le *Storie di san Francesco* a Montefalco, ieri e oggi

4.1. Gli affreschi

4.2. La fortuna di Benozzo nell'Ottocento

I "cartoni colorati" di Benozzo Gozzoli e l'Ottocento

Giovanna Capitelli

Quando, nel 1872, il tuderte Eliseo Fattorini siglava con il proprio nome, la data e il luogo di esecuzione i cinque acquarelli – oggi conservati al Victoria and Albert Museum di Londra e qui esposti per la prima volta[1] – riproducenti alcuni degli affreschi di San Francesco a Montefalco, il più importante ciclo pittorico umbro di Benozzo Gozzoli era quasi completamente sconosciuto al pubblico internazionale degli eruditi e degli artisti.
Pur se menzionati nella letteratura di viaggio più illustre[2], nonché elogiati dal Rio, gli affreschi di Montefalco risultavano infatti esclusi dai riformati circuiti del *grand tour* a cui partecipava un buon numero di artisti ottocenteschi, da quegli itinerari in cui lo studio delle opere dei maestri italiani "primitivi" del Trecento e del Quattrocento era posto al servizio della ricerca di nuovi modelli utili a una riforma in senso purista dell'arte. Né tantomeno da questo ciclo erano state realizzate incisioni atte a renderlo noto.
I pellegrinaggi artistici di cui sopra comprendevano invece altre opere di Benozzo Gozzoli collocate in luoghi più canonici. Davanti agli affreschi della cappella dei Magi erano rimasti favorevolmente impressionati non solo artisti come Johann Friedrich Overbeck e compagni, bensì anche un pittore come Gustave Moreau, che tra il 1857 e il 1859 aveva trascorso qualche giornata fiorentina a disegnarli[3]. Il ciclo benozzesco del Camposanto di Pisa era risultato avvincente, come a molti prima di lui, anche allo sguardo di Jean Jacques Henner, che ne aveva copiato nel 1860 in scala 1:1 almeno due delle scene[4].
Nella prima metà dell'Ottocento – in particolare presso la vasta schiera di pittori nazareni e puristi che avevano riconosciuto nell'operosa attività di Benozzo uno dei modelli di riferimento per la rifondazione dell'arte sacra e del linguaggio artistico nella quale, con finalità diverse, erano tutti impegnati – il nome dell'artista fiorentino aveva già conquistato una certa reputazione. Molti di questi pittori consideravano Benozzo Gozzoli, come ovviamente il suo maestro Beato Angelico, una figura esemplare[5]. Ma il solo a mostrare di aver recepito formalmente l'eredità del ciclo francescano di Montefalco ci sembra essere stato Johann Friedrich Overbeck, che prima di eseguire il *Miracolo delle rose* alla Porziuncola (Assisi, basilica di Santa Maria degli Angeli) nel 1829, doveva essersi affacciato nella chiesa di San Francesco per studiare quel ciclo in cui Benozzo aveva ritratto, come Giotto prima di lui, le gesta del poverello d'Assisi[6].
A rendere nota internazionalmente la pittura di Benozzo avevano provveduto le incisioni di traduzione dai suoi affreschi al Camposanto di Pisa, eseguite da Carlo Lasinio e pubblicate nel 1812[7]. Tali incisioni, particolarmente significative per la storia della "fortuna dei primitivi", avevano permesso alle costruzioni prospettiche, alle invenzioni paesistiche, alle soluzioni narrative di uno stanco, e già mal conservato, Benozzo Gozzoli di entrare nel repertorio di modelli disponibili a una consultazione non *in situ* principalmente diretta a eruditi, ma resa feconda dal pubblico degli artisti.

Definito da Rio[8], nell'influente *De la Poésie Chrétienne* del 1836, artista mistico in grado di suggerire visioni estatiche, protagonista di un capitolo delle *Memoirs of Early Italian Painters* di Mrs. Jameson, considerato "divin pittore" da Dante Gabriele Rossetti[9], Benozzo aveva goduto nella storiografia artistica di primo Ottocento di un unanime consenso. La breve parabola positiva della sua fortuna si concludeva però bruscamente negli anni sessanta del XIX secolo quando, forse in linea con la ripresa del racconto vasariano e con il concludersi delle esperienze pittoriche a cui si è brevemente accennato, era evocato nella veste di "superficiale illustratore" da Joseph Archer Crowe e Giovan Battista Cavalcaselle[10], da Hippolyte Taine e da John Addington Symonds[11]. I severi giudizi espressi da questi ultimi storiografi susciteranno un'eco prolungata che troverà una tardiva quanto efficace cassa di risonanza nella brillante definizione coniata nel 1952 da Roberto Longhi, pronto a liquidare Benozzo Gozzoli come sopravvalutato autore di "cartoni colorati"[12].
Tra la riscoperta dell'attività del pittore operata in età di Restaurazione, dai nazareni, dalla nutrita pattuglia di esegeti e artisti di estrazione purista, dai preraffaelliti inglesi e la successiva sfortuna critica del pittore, presto di nuovo relegato al rango di operoso esecutore "privo di immaginazione", si collocano le copie ad acquerello[13] – questa volta sì "cartoni colorati" a tutti gli effetti – eseguite nel 1872 da Eliseo Fattorini[14], pittore-copista residente a Roma tra il 1864 e il 1884[15], per la più prestigiosa istituzione anglosassone impegnata nella "popolarizzazione dell'arte": l'Arundel Society di Londra.
L'Arundel Society era nata nel 1848 per opera di un gruppo di intellettuali, fra i quali Giovanni Aubrey Bezzi (1785-1879), carbonaro fuggito dall'Italia nel 1821[16], "al fine di preservare il ricordo e di diffondere la conoscenza delle maggiori sopravvivenze (*remains*) della pittura e della scultura attraverso incisioni o altri mezzi di riproduzione meccanica, di fornire contributi di valore in direzione dell'illustrazione della storia dell'arte, di elevare il livello del gusto in Inghilterra, e di esercitare una benefica influenza sulla nostra scuola nazionale di pittura e di scultura"[17]. In tale direzione, sin dai suoi inizi, questa associazione di eruditi-*amateurs* aveva pubblicato, grazie a un sistema basato sulle sottoscrizioni, volumi e riproduzioni di numerose opere trecentesche e quattrocentesche italiane, fiamminghe e inglesi, partecipando con le proprie operazioni editoriali al "revival dei primitivi" cui era sintonizzato il gusto dell'intera Inghilterra vittoriana. Nei primi dieci anni di attività, però, le motivazioni che definivano l'inclusione di opere fra quelle da riprodurre attraverso le tecniche incisorie e litografiche rispondevano in linea di principio a una selezione piuttosto generica, ovvero prevalentemente connessa alla preminenza che le opere stesse rivestivano all'interno del racconto vasariano delle vicende storico artistiche italiane[18].
A determinare una svolta nella selezione dei dipinti da tradurre per il largo pubblico, svolta di cui godettero anche gli affreschi di Montefalco, contribuì, a partire dal 1855, uno dei membri più attivi dell'Arundel Society, l'assiriologo Henry Layard (1817-1894), allora ben noto soprattutto come responsabile degli scavi di Ninive[19]. Questi aveva compiuto tra il 1852 e il 1856 lunghi viaggi in Italia, coltivando l'idea di scrivere una storia dell'affresco dall'età medievale al Cinquecento e ricavando lucidi in ogni luogo al fine di servirsene per le illustrazioni del testo. Nel corso di tali soggiorni, guidato dai suggerimenti di una rete di interlocutori locali, Layard aveva infatti avuto modo di "riscoprire" numerosi cicli che, spesso situati in località estranee ai più battu-

ti circuiti dei *tours* stranieri, rischiavano la rovina per incuria o per mal concepite pratiche di restauro.
In Umbria Layard aveva potuto contare sul sostegno e sulla duratura amicizia del conte Giancarlo Conestabile della Staffa, erudito perugino di statura internazionale[20] che in quegli stessi anni stava organizzando un'*équipe* di copisti e di incisori per realizzare le illustrazioni del suo volume *Dei Monumenti di Perugia etrusca e romana* (1855-1870)[21]. A Perugia Layard trovava inoltre uno dei centri più importanti per l'educazione di copisti di talento: presso l'Accademia di Belle Arti del capoluogo umbro si erano formati – sotto le direzioni di osservanza purista di Giovanni Sanguinetti e di Silvestro Valeri, a loro volta allievi prediletti di Tommaso Minardi – Bartolomeo Bartoccini e lo stesso Eliseo Fattorini, poi entrati nella squadra dell'Arundel Society[22].
Giunto a Montefalco nel 1853, accompagnato da Mrs. Highford Blurr, sua cordiale amica e copista dilettante, Henry Layard aveva eseguito di persona un lucido[23] dalla *Madonna benedicente* del finto polittico ad affresco della cappella di San Girolamo in San Francesco, con tutta probabilità servendosi di un'attrezzatura di fortuna costituita da uno sgabello, da un cartone e da una matita[24].
La relazione[25] su questi viaggi che Layard tenne a Londra nel 1857, un vero e proprio *cahier de doléance* dai toni aspri e in alcuni punti sconsolati, sollecitò l'Arundel Society a dare una svolta alle proprie attività. Se infatti questa associazione si era fatta fino ad allora promotrice della pubblicazione di xilografie e incisioni a contorno da opere note, spronata da Layard, la Arundel Society decise di concentrare il proprio impegno nella divulgazione di cicli ad affresco italiani, pubblicando annualmente una serie di cromolitografie, una tecnica che veniva valutata più adatta alla resa cromatica dell'affresco. Contemporaneamente, con risultati degni di un moderno Museo Cartaceo di seicentesca memoria, l'Arundel Society si fece promotrice della raccolta di un *Copyng Fund*, un fondo destinato a finanziare l'attività di realizzazione di acquerelli che potessero conservare la memoria visiva di affreschi in cattivo stato di conservazione[26]. Tra le prime imprese promosse grazie a questo fondo furono la campagna di riproduzione di tutti gli affreschi della chiesa superiore di Assisi, sotto la supervisione di Bartoccini, dell'intero ciclo della cappella Brancacci nonché quella relativa alle *Storie di sant'Agostino* di Benozzo Gozzoli a San Gimignano che il Layard aveva segnalato nel 1861 al comitato dell'Arundel Society come "fast perishing"[27].
Per procurarsi copie esatte che rispettassero i colori degli originali Layard reclutò, grazie alla fitta rete di conoscenze di cui godeva in Italia (fra le quali Giovanni Morelli, Giovan Battista Cavalcaselle[28], Tommaso Minardi), un vasto gruppo di disegnatori italiani e stranieri, che spediti nei luoghi in cui si trovavano gli affreschi avevano il compito di riprodurli ad acquerello con la massima fedeltà. Molti degli artisti ai quali furono commissionati gli acquerelli erano pittori di formazione accademica, personalità note e meno note come quelle di Cesare Marianecci[29], Eduard Kaiser[30], Christian Schultz, Emilio Costantini, Eliseo Fattorini, Luigi Desideri, Antonio Scaraviglia, William Olivier Williams, Bartolomeo Bartoccini[31].
A questa messe di materiale quasi completamente inedito[32], e costituito da oltre trecento acquerelli oggi conservati presso il Victoria and Albert Museum[33] e in collezioni private inglesi[34], appartengono le cinque carte relative alla chiesa di San Francesco a Montefalco.

Nella veste di testimonianze inedite – forse in grado di offrire qualche nuovo elemento di riflessione anche sulla situazione conservativa degli affreschi tra il restauro del 1829 di Giuseppe Carattoli, il terremoto nel 1832 e il successivo dibattuto intervento di Filippo Fiscali nel 1889 – le copie tornano oggi a confrontarsi, *vis à vis*, con gli originali da cui nel 1872 furono ricavate.

[1] Sono esposti in mostra solo quattro dei cinque acquerelli di Eliseo Fattorini dal ciclo francescano di Benozzo Gozzoli e dal finto polittico della cappella di San Gerolamo nella chiesa di San Francesco a Montefalco. Non è presente in mostra l'acquerello raffigurante la *Predica degli uccelli*.

[2] Burckhardt 1855, p. 804.

[3] Gustave Moreau, *Gruppo di angeli in adorazione dalla cappella Medici di Benozzo Gozzoli*, disegno, cm 17,7 x 11,8, Parigi, Musée Gustave Moreau, inv. Des. 4570; e altre copie in acquerello: Gustave Moreau, *Re Magi* da Benozzo Gozzoli, acquerello, Parigi, Musée Gustave Moreau, inv. cat. 332, così come il n. inv. cat. 360, stessa collocazione.

[4] Jean Jacques Henner, *Le figlie di Loth*, copia dall'affresco di Benozzo Gozzoli al Camposanto di Pisa, olio su tela, cm 172 x 120, Parigi, Musée Jean-Jacques Henner; Jean Jacques Henner, *Isacco benedice Giacobbe*, copia da Benozzo Gozzoli, dipinto, Parigi, Musée Jean Jacques Henner, inv. JJHP 102.

[5] Sulla fortuna di Beato Angelico nella pittura dell'Ottocento si veda Bon Valsassina 1998; per quanto riguarda gli spunti offerti dall'opera di Benozzo al Camposanto di Pisa agli artisti della prima metà del XIX secolo si vedano, oltre quelli già evidenziati da Cooper 1982, J.A. Ramboux, *I lavoratori nella vigna*, acquerello, mm 560 x 855, Frankfurt am Main, Städelsches Kunstinstitut, inv. n. 6830 (dalla *Costruzione della Torre di Babele*).

[6] Già nel 1813 Vogel ricordava di aver ascoltato un visitatore dire ai suoi compagni di viaggio davanti agli affreschi di Benozzo al Camposanto di Pisa: "Look how obviously Overbeck has studied these things", cit. in Andrews 1964, p. 30. Overbeck mostra di essersi confrontato direttamente con l'opera di Benozzo in dipinti come l'*Entrata di Cristo a Gerusalemme*, opera perduta, già nella chiesa di Santa Maria a Lubecca (Andrews 1964, p. 100), in cui il pittore tedesco mutua la composizione della folla dal corteo dei Magi di Benozzo in palazzo Medici, inserendovi non a caso tutti i ritratti di parenti e amici.

[7] Lasinio 1812; Spalletti 1989, p. 432; Cooper 1982; inoltre vedi Cole Ahl 1997, p. 281, nn. 7-8.

[8] Rio 1836.

[9] Rossetti 1895, pp. 125-129.

[10] Crowe-Cavalcaselle 1864.

[11] Symonds 1877, p. 243.

[12] Longhi 1975 [1952], p. 106. Longhi correggeva parzialmente la propria posizione nei riguardi di Benozzo solo qualche anno più tardi quando scopriva e pubblicava una sua primizia, la *Crocifissione* di collezione privata parigina (Longhi 1960).

[13] Cinque sono le copie ad acquerello dagli affreschi di Benozzo Gozzoli nella chiesa di San Francesco a Montefalco conservate nella Print Room del Victoria and Albert Museum di Londra. Non è esposta in mostra la copia, eseguita anch'essa da Eliseo Fattorini, della scena con *La predica degli uccelli*, Londra, Victoria and Albert Museum, Print Room, inv. E-154-1995.

[14] Toppetti 1987; F. Boco, scheda in Zappia 1995, pp. 159-160.

[15] Eliseo Fattorini realizzò per l'Arundel Society le copie ad acquerello delle seguenti opere: affreschi di Signorelli, Botticelli, Ghirlandaio nella cappella Sistina (1869-72); Perugino, *Il matrimonio della Vergine*, Spello, San Girolamo (1871); Perugino, affreschi dal collegio del Cambio di Perugia (1871-1876); Piero della Francesca, *Resurrezione*, Palazzo Comunale, Borgo San Sepolcro (1875), affreschi di Perugino, Rosselli nella Cappella Sistina (1871-1875), Pinturicchio, *La Vergine in Gloria*, Monte Oliveto Maggiore (1876); Pinturicchio, *La Natività*, Roma, Santa Maria del Popolo (1876); Girolamo Del Pacchia, *Santa Caterina con il corpo di sant'Agnese*, Siena, Santa Caterina (1877), Guido da Siena, *Vergine col Bambino*, Siena, San Domenico (1877); Pinturicchio, affreschi della cappella Bufalini in Santa Maria in Aracoeli (1876); Lorenzo da Viterbo, *Fidanzamento della Vergine*, Viterbo, Santa Maria della Verità (1877); Fiorenzo di Lorenzo, *San Bernardo cura Polissena*, *San Bernardo libera un bambino*, *San Bernardo cura un uomo*, Perugia, Galleria Nazionale dell'Umbria (1880), *L'infanzia di Bacco*, Roma, Orti Farnesi (1882), cfr. Letger 1978, appendice.

[16] Bezzi traduce e pubblica nel 1850 per i tipi dell'Arundel Society un'edizione della vita di Beato Angelico di Vasari: Letger 1978.

[17] Lloyd 1975, pp. 121-133; Letger 1978; Cooper 1978; Lambert 1987; Button 1997, p. 16, Anderson 1994.

[18] L'Arundel Society pubblicò tra il 1850 e il 1869 alcune riproduzioni degli affreschi della cappella Niccolina in Vaticano, utilizzando disegni dell'intero ciclo di affreschi che però non risultano più di proprietà del Victoria and Albert Museum. Si tratta di copie dal *San Matteo* (pubblicato nel 1850), *Santo Stefano distribuisce le elemosine* (pubblicato nel 1862), *Santo Stefano prima del martirio* (pubblicato nel 1863), *San Giovanni* (pubblicato nel 1864), *San Sisto dona i beni a san Lorenzo* (pubblicato nel 1865) e l'*Ordinazione di san Lorenzo* (pubblicato nel 1869). Cfr. Letger 1978, p. 266.

[19] Letger 1978; Levi 1988, pp. 141-143.

[20] Il rapporto tra Layard e Conestabile è documentato dal fitto scambio di missive conservato a Londra, British Library, Layard Papers, in particolare nelle filze Add. 38982-38999 (dal 1854 al 1871). Desidero ringraziare l'Accademia Nazionale dei Lincei e in particolare il prof. Oreste Ferrari per avermi concesso nel 1999 una borsa di studio finalizzata alla consultazione di questo epistolario.

[21] Fra i disegnatori facenti parte dell'*équipe* reclutata da Conestabile era anche Bartolomeo Bartoccini che fu più tardi impiegato dall'Arundel Society. Cfr. Lupattelli 1895, pp. 90-91. Non va poi dimenticato come il conte Conestabile fosse in quegli anni presidente dell'Accademia di Belle Arti di Perugia.

[22] Numerosi appaiono nelle lettere del Conestabile a Layard i riferimenti ad artisti incaricati per conto di Layard di trarre disegni da opere umbre: il 2 novembre 1855 il conte assicura l'archeologo che un certo Pampaglini è disponibile ad andare ad Arezzo (Add. 38984, f. 185r); il 31 dicembre 1855 gli raccomanda Moretti, che aveva copiato i disegni di Cesare Mariani dagli affreschi di Perugino (Add. 38984, f. 203r; si tratta probabilmente dei disegni realizzati da Mariani per la Calcografia Camerale di Roma); il 20 marzo 1856 il conte si complimenta con Layard per la decisione di utilizzare il procedimento litocromografico (Add. 38984, f. 305v); inoltre nelle sue lettere del 1856 dà notizia di aver trovato il disegnatore perfetto per le copie di Panicale (si tratta di Marianecci) e gli spedisce alcuni lucidi di Mercuri delle opere di Panicale, nonché degli artisti impegnati ad Assisi. Risulta chiaro da questa corrispondenza come Conestabile costituisse un importantissimo interlocutore per la svolta cromolitografica e per l'istituzione del Copying Fund della Arundel Society di Londra.

[23] Scala 1:1, Londra, Victoria and Albert Museum, Print Room, E.1840-1913, A.184, donato da Miss Enid Du Cane, matita, cm 52 x 69.

[24] In questi anni le pratiche di trarre lucidi o di eseguire schizzi particolareggiati dalle opere per conservarne memoria anche al fine di commentarle in seguito erano molto diffuse: si vedano le contemporanee esperienze di Cavalcaselle e Ruskin.

[25] Lloyd 1975, p. 121

[26] Lloyd 1975; Letger 1978; Cooper 1978; Anderson 1994; Button 1997.

[27] Letger 1978, p. 181. Gli acquerelli sono conservati a Londra presso il Victoria and Albert Museum, Print Room.

[28] Levi 1988.

[29] Già attivo come disegnatore per la Calcografia Camerale tra il 1845 e il 1851, Marianecci viene presentato a Layard dal conte Giancarlo Conestabile della Staffa (Add. 38985, f. 61, lettera dell'8 ottobre 1856 di G.C.C. a Layard), cfr. Miraglia 1995, pp. 84-86 per bibliografia precedente e per un'ottima trattazione dell'attività dell'Arundel Society cfr. Letger 1978. La prima commissione di Marianeci per l'Arundel Society riguarda Il *Martirio di san Sebastiano* di Perugino a Panicale (pubblicato nel 1856), a cui succede la commissione di tre copie ad acquerello dagli affreschi di Spello (lettera di Conestabile a Layard del 24 novembre 1856, Add. 38985, f. 73v), ma il permesso di copiare giunge solo nel 1858. La sua attività per l'Arundel Society termina nel 1879.

[30] Per divulgare in Inghilterra la produzione di Gozzoli, gli affreschi della cappella dei Magi di palazzo Medici vennero copiati prima a contorno e poi ad acquerello da Eduard Keiser e tre delle scene pubblicate nel 1863 e nel 1897.

[31] Letger 1978.

[32] Se si eccettuano le poche schede pubblicate nella mostra del 1975 tenutasi alla Bodleian Library di Oxford, dal titolo *An Exhibition of Printed Book containing engraved illustrations after Italian Painting* e le interessanti riflessioni sviluppate a partire dagli acquerelli dalla chiesa superiore di Assisi in Smart 1974.

[33] In passato gli acquerelli, dal 1899 fino al 1996 di proprietà della National Gallery di Londra, erano in deposito tra il Department of Fine Arts dell'University of Leeds e il Victoria and Albert Museum.

[34] Lloyd 1975.

39
Benozzo Gozzoli
Storie della vita di san Francesco
affreschi
1452

Montefalco, chiesa di
San Francesco, abside centrale

L'ampio ciclo che copre integralmente le pareti dell'abside centrale della chiesa di San Francesco a Montefalco narra, in dodici scomparti disposti su tre registri, venti episodi della vita del poverello d'Assisi[1]. La volta costolonata dell'alta cappella gotica ospita, nella vela centrale, la raffigurazione della *Gloria di san Francesco*, nelle altre vele (da sinistra a destra): i santi Antonio da Padova, Caterina da Siena, Bernardino da Siena, Rosa da Viterbo, Ludovico da Tolosa[2]. Concorrono a normalizzare in termini umanistici l'invaso gotico, e a delineare una chiara spartizione dei campi visivi, le iscrizioni in capitale classica, "all'antica", che corrono sotto gli scomparti delle pareti, e i fasci di fronde trattenuti da nastri, che decorano fino alla chiave della volta tutti i costoloni, sottolineando la struttura a "ombrello" della tribuna. Chiudono l'impaginazione del ciclo le fasce decorate con medaglioni raffiguranti i ritratti di san Francesco e dei suoi dodici compagni, nell'intradosso dell'arco, la serie di ritratti di personaggi dell'ordine minoritico[3], nella fascia sottostante il primo registro, nonché i santi francescani nelle edicole, dipinti nello sguancio della bifora.

Gli affreschi dell'abside centrale della chiesa di San Francesco a Montefalco costituiscono la prima testimonianza, a noi giunta in stato non frammentario, dell'avvenuto raggiungimento dello status di "maestro indipendente" da parte di Benozzo[4]. Restituiti ad una ottima leggibilità dal recente restauro, gli affreschi con le *Storie di san Francesco* ci permettono di comprendere quale peso avesse, nel riconoscimento dell'autonomia di un pittore cresciuto al fianco di Lorenzo Ghiberti e del Beato Angelico, la capacità di organizzare un "cantiere". Sebbene, in assenza di documenti, nulla ci sia dato sapere su quale fosse la composizione della bottega di Benozzo Gozzoli nel 1452, data in cui gli affreschi risultano compiuti, è ormai chiaro, anche grazie ai risultati degli studi sulla tecnica esecutiva, che sui ponteggi di San Francesco Benozzo non lavorasse da solo.

Per la Padoa Rizzo è ipotizzabile che il pittore avesse condotto con sé a Montefalco "qualcuno dei minori artefici con cui aveva lavorato costantemente nell'*équipe* coordinata dall'Angelico a Roma e Orvieto, e in particolare [...] quel Giovanni di Mugello, nipote dello stesso fra' Giovanni, [...] e anche [...] l'assai più giovane fratello Bernardo"[5]. Secondo Toscano "Benozzo, dopo aver programmato con grande abilità l'intero ciclo, non deve essere andato troppo per il sottile nel dare spazio a qualche collaboratore meno dotato".

Tuttavia il coro dei pittori attivi a Montefalco accanto a Benozzo è tutt'altro che privo di voci d'eccellenza. Nel *San Francesco che restituisce le vesti al padre*, brano di ammirevole tenuta complessiva, Toscano ravvisa, oltre alla mano di Benozzo, quella di un collaboratore di prim'ordine, forse lo stesso già attivo nel cantiere di Orvieto. A quest'ultimo si devono le figure dei due giovani astanti a sinistra, nelle quali "le fisionomie si inteneriscono, la luce modella soavemente gli incarnati, intride tranquilla i capelli di miele, intona le stoffe". La stessa mano, quella di un "maestro di luce", appare responsabile anche del piccolo ritratto del *Beato Angelo*, uno dei primi "compagni" di san Francesco, raffigurato nella teoria dei compagni di san Francesco nell'intradosso dell'arco[6].

Benozzo eseguì il ciclo di affreschi su commissione di fra Jacopo da Montefalco, priore del convento di San Francesco che – già lettore nel 1437 del Sacro Convento di Assisi e maestro dei novizi, dal 1441 professore di Sacra Scrittura presso l'Università di Bologna[7] – nel 1447, rientrato in Umbria, si era unito alla confraternita di San Gerolamo di Perugia. Ritratto nell'episodio della *Benedizione alla città di Montefalco* insieme a Magister Marcus, vescovo di Sarsina e forse a vari membri della famiglia Calvi[8], Jacopo da Montefalco fu probabilmente l'ispiratore del programma iconografico del ciclo, innovativo sia rispetto alla tradizione figurativa codificata dal ciclo assisiate, che nei confronti delle più autorevoli fonti agiografiche su san Francesco.

Sebbene la *Legenda Maior* di san Bonaventura e la *Leggenda dei Tre Compagni* costituiscano le fonti principali della storia narrata, soprattutto per la particolare sottolineatura del ruolo di san Francesco come *alter Christus*, concetto intorno al quale ruota l'intera impaginazione del ciclo, numerose sono le altre fonti da cui la scelta e l'organizzazione degli episodi trae spunti. Basti qui menzionare solo alcuni esempi che testimoniano di come il programma iconografico del ciclo derivi da un'ampia gamma di spunti e da una rilettura della vicenda francescana in chiave di adeguamento alla precipua realtà del territorio umbro in cui essa trova svolgimento storico. Ed è ovvio che fra essi spicchi l'episodio con *Benedizione alla città di Montefalco,* estraneo alla tradizione agiografica e occasione per il pittore di raffigurare il paesaggio sereno e luminoso della Valle Spoletana e di porre in rilievo la comunità che aveva voluto l'opera. Il riquadro in cui sono raffigurati i tre episodi: la *Nascita di Francesco*, l'*Arrivo di un pellegrino alla casa di Pietro di Bernardone* e l'*Omaggio di un uomo semplice*, deriverebbero dalla *Vita Sancti Francisci Anonyma Bruxellensis*, datata dal Van Ortroy al XV secolo, unico testo in cui la nascita di Francesco viene descritta "in stabulo", ovvero con la presenza del bue e dell'asinello[9]. Così un episodio estraneo alla tradizionale agiografia del santo è quello relativo all'*Abbraccio* con san Domenico, per la prima volta evocato nella *Vita fratorum* di Gerardo da Francheto, autore domenicano del XII secolo, poi incluso nella *Leggenda Aurea* di Jacopo da Varagine (raffigurato per la prima volta da Beato Angelico),

1

2

QVALITER·B·F·CORĀ·EPISCOPO·ASISII·RENVIT·PATRI·HEREDITATEM·PATERNAM·ET·OĪA·VESTIMENTA·ET·FEMORALIA·PATRI·REIECIT

3

QVANDO BEATA VIRGO OSTĒDIT XPO BEATV FRĀCISCV ET BEATV DOMINICV PROREPARATIONE MVNDI

4

VANDO·BS·F·FVIT·VISVS·SVSTĒTARE·ECĒLAM·ET·QVANDO·HABVIT·CONFIRMATIONEM·REGVLE·A·PP·HONO

5

CIVITAS ARETII
QVANDO·BS·F·ESPVLIT·DEMĒS·DE·CIVITATE·ARETII·DIVINA·POTENTIA·ET·PACIFICAVIT·TOTV̄·POPV

6

7

QVANDO·BS·F·FVIT·INVITATVS·APRANDIVM·ACOMITE·DECELANO·ET·TVC·B·F·PREDISIT·SVAM·MORTE

8

ma che soprattutto fu oggetto di alcuni sermoni di Bernardino da Siena, personaggio particolarmente caro alla comunità montefalchese[10]. Fermamente ancorato alla tradizione angelichiana, e alle esperienze del cantiere della cappella Niccolina che vengono evocate quasi letteralmente nelle edicole dei santi nello sguancio della finestra e in numerosissime soluzioni compositive, il ciclo di San Francesco tributa doverosi omaggi anche a Lorenzo Ghiberti, per esempio nell'ambientazione del *Presepe di Greccio* "all'interno di una stupefacente basilica fiorentina, una via di mezzo tra il san Lorenzo di Filippo Brunelleschi e la facciata del tempio nell'Incontro tra Salomone e la Regina di Saba della Porta del Paradiso, o donando all'edificio le sembianze del palazzo comunale di Montepulciano disegnato da Michelozzo, compagno di Benozzo nella bottega del Ghiberti"[11].

Negli affreschi di Montefalco il pittore fiorentino mostra doti di efficace narratore, capace di utilizzare toni affabili e sereni, di riportare in vita paesaggi perduti di forte identità. Qualità queste per le quali sarà apprezzato da un gruppo numeroso di artisti, fra i quali "Benedetto Bonfigli, Bartolomeo Caporali, Niccolò di Liberatore, Pierantonio Mezzastris, Jacopo Vincioli e una mezza dozzina di maestri senza nome [....] che poco più che ventenni alla metà del Quattrocento, ascesero tra vigne e oliveti il colle di Montefalco, per specchiarsi nelle vigne e negli oliveti dipinti da Benozzo sulle pareti di San Francesco, sotto il cielo più azzurro del paesaggio umbro..."[12].

(Giovanna Capitelli e Beatrice Cirulli)

[1] **Registro inferiore (da sinistra a destra)**, primo riquadro: *Nascita di San Francesco in una stalla, Gesù in veste di pellegrino bussa alla casa di Francesco, Omaggio del semplice al giovane Francesco* (fig. 1); secondo riquadro: *San Francesco dona il suo mantello ad un povero, Gesù mostra in sogno al santo un palazzo pieno di scudi con la croce* (fig. 2); terzo riquadro: *San Francesco rinuncia ai beni paterni* (fig. 3); quarto riquadro: *La preghiera della Vergine a Cristo giudice, L'incontro di san Francesco e di san Do-*

9

10

11

12

menico a Roma davanti alla Basilica Vaticana (fig. 4). **Registro mediano (da sinistra a destra)**: primo riquadro: *Innocenzo III vede in sogno san Francesco che sostiene il Laterano, Onorio III approva la regola* (fig. 15); secondo riquadro: *San Francesco caccia i diavoli da Arezzo* (fig. 6); terzo riquadro: *San Francesco predica agli uccelli presso Bevagna, Benedizione di Montefalco e del suo popolo* (fig. 7); quarto riquadro: *San Francesco alla mensa del signore di Celano predice la sua morte, Confessione del cavaliere di Celano, Morte del cavaliere* (fig. 8). **Registro superiore (lunette, da sinistra a destra)**, prima lunetta: *Il presepe di Greccio* (fig. 9); seconda lunetta: *La prova del fuoco davanti al sultano* (fig. 10); terza lunetta (sopra la bifora) e quarta lunetta: *San Francesco riceve le stimmate sul monte della Verna* (fig. 11); quinta lunetta: *Morte di san Francesco, ricognizione delle stimmate, esequie, assunzione dell'anima* (fig. 12).

[2] Per la bibliografia completa sul ciclo francescano di Montefalco si veda la scheda di M.R. Silvestrelli in Toscano 1990a, pp. 106-121; Cole Ahl 1997, p. 231. Per le notizie sui restauri ottocenteschi si veda la bibliografia citata nel saggio di Francesca Cristoferi *infra*; sul recente restauro cfr. Filliani, De Carolis, sulla tecnica esecutiva Bruni, *infra*; sulla fortuna del ciclo negli acquerelli dell'Arundel Society: Capitelli, *infra*.

[3] Fra i quali compaiono però anche Dante, Petrarca e Giotto.

[4] Per i disegni preparatori al ciclo, si veda Cole Ahl 1997, p. 231, nonché il disegno con *Testa di vescovo* dell'Istituto Nazionale per la Grafica di Roma (cat. 24), esposto in mostra.

[5] Padoa Rizzo, *infra*.

[6] Toscano, *infra*.

[7] Cole Ahl 1996, p. 49.

[8] Nessi 1990.

[9] Cfr. Cassiani 1998, p. 169, anche per bibliografia precedente

[10] Cassiani 1998, pp. 172-173.

[11] Lunghi 1998, p. 82.

[12] Lunghi 1998, p. 83.

40-43
Eliseo Fattorini
(Todi 1830-1887)
da Benozzo Gozzoli

La prova del fuoco davanti al sultano, San Francesco scaccia i diavoli da Arezzo, San Francesco dona il suo mantello al povero, Gesù mostra in sogno a san Francesco un palazzo pieno di scudi con una croce
Acquerello su carta applicata su cartoncino, mm 1005 x 555
Firmato e datato: ELISEO FATTORINI COPIÒ ROMA 1872
Copia dal ciclo di affreschi nell'abside centrale della chiesa di San Francesco a Montefalco

Londra, Victoria and Albert Museum, Print Room, E-156-1995

Nascita di San Francesco in una stalla
Acquerello su carta applicata su cartoncino, mm 745 x 685
Copia dal ciclo di affreschi nell'abside centrale della chiesa di San Francesco a Montefalco

Londra, Victoria and Albert Museum, Print Room, E-152-1995

San Francesco rinuncia ai beni paterni
Acquerello su carta applicata su cartoncino, mm 745 x 685
Copia del ciclo di affreschi nell'abside centrale della chiesa di San Francesco a Montefalco

Londra, Victoria and Albert Museum, Print Room, E-153-1995

Vergine e Bambino con sant'Antonio da Padova, san Gerolamo, san Giovanni Battista, san Ludovico da Tolosa
Acquerello su carta applicata su cartoncino, mm 770 x 755
Firmato e datato: ELISEO FATTORINI COPIÒ ROMA 1872
Copia del polittico dipinto ad affresco nella cappella di San Girolamo nella chiesa di San Francesco a Montefalco

Londra, Victoria and Albert Museum, Print Room, E-155-1995

40

41

42

Eseguiti nel 1872 da Eliseo Fattorini per conto dell'Arundel Society di Londra, i quattro acquerelli esposti in mostra costituiscono una testimonianza preziosa sia per la storia della fortuna di Benozzo nell'Ottocento che per la ricostruzione delle vicende conservative degli affreschi della chiesa di San Francesco a Montefalco.

Il sodalizio anglosassone, noto per il suo impegno nel "preservare il ricordo e diffondere la conoscenza delle maggiori sopravvivenze (*remains*) della pittura e della scultura attraverso incisioni o altri mezzi di riproduzione meccanica", aveva concentrato il proprio impegno sin dalla fondazione, nel 1848, nella pubblicazione di volumi e di singole stampe tratte da opere d'arte al fine di renderle note a un largo pubblico di sottoscrittori[1].

A partire dagli anni sessanta del XIX secolo l'Arundel Society focalizzava la propria selezione di opere da riprodurre a stampa sul ricco patrimonio degli affreschi italiani del Trecento e del Quattrocento, privilegiando pertanto la tecnica cromolitografica sulle altre tecniche utilizzate precedentemente: ovvero la xilografia, l'incisione e la litografia. Poiché la cromolitografia rendeva necessaria la conoscenza dei colori dell'opera da parte del litografo, questa pratica prevedeva la realizzazione di copie ad acquerello da trarsi sul posto. Fu a seguito di questa esigenza che l'Arundel Society costituì un'*équipe* di disegnatori-acquerellisti capeggiata in ordine cronologico da un pittore-copista romano, Cesare Marianecci, un allievo di Tommaso Minardi che aveva già partecipato in qualità di disegnatore alla realizzazione di alcune imprese presso la Calcografia Camerale di Roma (Miraglia 1995, pp. 84-86). A questa squadra di copisti, attivi su tutto il territorio italiano, si unì a partire dal 1868 anche il tuderte Eliseo Fattorini (1830-1897), allievo di Silvestro Valeri presso l'Accademia di Belle Arti di Perugia, già presente con il maestro nel cantiere degli affreschi oggi perduti del catino absidale e del presbiterio, nelle vetrate della cattedrale di Todi, responsabile degli affreschi nella chiesa del Monte della Pietà di Todi, nonché del restauro della vetrata della cappella di San Bernardino in San Domenico a Perugia (Toppetti 1987).

Forte della propria esperienza di pittore e restauratore di vetrate, che prevedeva l'esecuzione di cartoni preparatori colorati, Eliseo Fattorini lavorò per lunghi anni per l'Arundel Society[2].

Nel contesto di questa collaborazione, nel 1872 vennero commissionate al Fattorini le copie ad acquerello di alcuni affreschi di Benozzo Gozzoli nella chiesa di San Francesco a Montefalco. Non siamo però in grado di dire con sicurezza se i cinque acquerelli oggi conservati presso il Victoria and Albert Museum fossero gli unici a essere stati eseguiti; solo la consultazione dell'epistolario del pittore, epistolario di cui siamo venuti a conoscenza troppo tardi (A. Ferri, in Toppetti 1987), potrebbe permetterci di rispondere a tale interrogativo. Di fatto non è ancora chiaro se le copie dagli affreschi di Montefalco fossero state realizzate per essere tradotte in cromolitografie oppure se fossero uno dei numeri di catalogo delle campagne di copia promosse senza fini commerciali dall'Arundel Society per conservare memoria degli affreschi italiani la cui esistenza era considerata in pericolo. Se infatti è assai probabile che i cinque acquerelli eseguiti da Eliseo Fattorini dal ciclo francescano di Montefalco rientrassero all'interno di quest'ultima categoria, poiché di essi non vennero mai pubblicate traduzioni cromolitografiche, la sorte dell'acquerello raffigurante il finto polittico ad affresco della cappella di San Gerolamo (lo stesso brano su cui Henry Layard e la Blurr si erano cimentati quasi vent'anni prima) fu diversa. Di quest'ultimo venne infatti pubblicata nel 1878 una cromolitografia.

Nonostante il desiderio espresso nell'*Arundel Society Prospectus* del 1849, secondo cui "nell'esecuzione sarà preferita quella maniera che esprime in modo veritiero l'originale, piuttosto che quella che presenta la più grande attrazione all'occhio" non si può davvero affermare che le stampe dell'Arundel Society fossero rispettose del dato figurativo, materiale, presente nell'originale.

Quando poi venne promossa l'esecuzione delle copie cromolitografiche, l'affidabilità delle riproduzioni in acquerello divenne un argomento di dibattito costante all'interno del sodalizio.

Nel 1864, dopo un lungo scontro interno (Letger 1978, p. 103), per esempio Marianecci venne istruito a "evitare tutti i restauri delle parti danneggiate o distrutte, e cercare di rendere l'esistente piuttosto che il tono supposto originale del colore".

Non è dunque chiaro quale fosse l'affidabilità delle copie e nel nostro caso solo un riscontro tra gli acquerelli e gli originali (senza mediazione fotografica), e con la documentazione relativa ai passati restauri ci potrà permettere di giungere a delle conclusioni.

Ciononostante, a partire dagli acquerelli di Fattorini è possibile muovere alcune osservazioni. Va infatti rammentato che il ciclo francescano si presentava al copista in condizioni assai diverse da quelle odierne. Gli affreschi dell'abside centrale erano stati sottoposti nel 1829[3] a un intervento di restauro da parte di Giuseppe Carattoli, poi nel 1832 essi avevano subito danni (probabilmente limitati alla sola volta) a causa di un violento terremoto, e forse erano stati di nuovo oggetto di piccole provvidenze da parte dello stesso Carattoli. Risulta però particolarmente importante per noi e per la storia conservativa del ciclo che gli acquerelli dovrebbero (!) documentare una condizione precedente a quella determinata dalle tanto dibattute operazioni di restauro messe in atto da Filippo Fiscali nel 1889 (Brook 1998). Questi acquerelli potrebbero infatti spezzare una lancia in favore della legittimità "non invasiva" dell'intervento di Fiscali, difeso, com'è noto, dallo stesso Giovan Battista Cavalcaselle. Pur muovendosi con la massima circospezione, determinata dal fatto che Fattorini a sua volta interpreta i dati cromatici di Benozzo Gozzoli, risulterebbe confermata dall'acquerello riprodu-

43

cente le scene *La prova del fuoco davanti al sultano, San Francesco scaccia i diavoli da Arezzo, San Francesco dona il suo mantello al povero, Gesù mostra in sogno a san Francesco un palazzo pieno di scudi con una croce*, la difesa che Fiscali avanza circa la ridipintura di alcune parti, come per esempio quella relativa ai fogliami nella decorazione dei costoloni, che sarebbero state, secondo Fiscali, frutto del precedente intervento del Carattoli e non di sua responsabilità.

Nella stessa direzione sembra correre anche l'analisi dell'acquerello relativo al finto polittico ad affresco della cappella di San Gerolamo, in cui la situazione conservativa presentata da Fattorini (non sappiamo quanto fedele) risulta assolutamente distante da quella odierna, tanto da permettere di leggere con chiarezza anche i due stemmi della committenza, elemento quest'ultimo che va a rafforzare il lamento del Fiscali che nel 1893 affermava di aver trovato in questi affreschi una situazione completamente compromessa da ridipinture e lavaggi impropri.

(Giovanna Capitelli)

[1] Lloyd 1975; Letger 1978; Cooper 1978; Button 1997, Anderson 1994.
[2] A tal riguardo si veda l'introduzione a questa sezione.
[3] Comunicazione orale di Federica Giacomini, che ha portato a termine per l'Università della Tuscia una ricerca sulla figura di Giuseppe Carattoli restauratore.

Il restauro degli affreschi con le *Storie di san Francesco*

Il restauro degli affreschi con le *Storie di san Francesco*

Francesca Cristoferi, Antonella Filiani, Anna Maria De Carolis, Bruno Bruni

I restauri ottocenteschi

Il ciclo pittorico delle Storie francescane nell'abside della chiesa di San Francesco ha oltrepassato quasi indenne da sostanziali mutilazioni o irreversibili adeguamenti la vicenda degli interventi succedutisi nell'arco dei secoli XVII e XVIII per il rinnovamento dell'edificio e del suo apparato decorativo[1]; monumento nel monumento, non ha seguito la sorte toccata al complesso delle cappelle laterali e di gran parte della loro decorazione murale, né fu neppure ipotizzata la sua manomissione nel progetto del 1787 (respinto dall'ordine) per la ricostruzione del complesso francescano, che prevedeva "una vera e propria rifondazione sia del convento che della chiesa, la quale avrebbe dovuto risultare ampliata e con cupola centrale; soltanto l'abside gozzoliana avrebbe dovuto essere salvata e reinserita nel nuovo contesto"[2]. È tuttavia ragionevolmente ipotizzabile che alla fine del Settecento, secolo in cui si sono registrati devastanti eventi sismici in buona parte dell'Umbria, le condizioni dell'abside non fossero delle migliori: nel 1829 Monticelli deplora la trasandatezza degli interventi di riparazione condotti dai muratori che "hanno impiastrato i palmi intieri di muro, e per conseguenza coperto le più interessanti figure, particolarmente nella volta"[3].

Il secolo successivo, segnato da avvenimenti drammatici per la storia dell'insediamento conventuale (la soppressione del 1810 conseguente i decreti napoleonici, i terremoti del 1832, la demaniazione disposta a seguito dell'annessione al Regno d'Italia), conta due importanti interventi per la conservazione del ciclo pittorico absidale: il primo realizzato da Giuseppe Carattoli, nel 1831[4], un anno prima del sisma, a causa del quale "la detta chiesa subì gravi danni e lesioni più specialmente nelle parti posteriori dell'abside"[5]; l'altro negli anni 1889-91 condotto da Filippo Fiscali, restauratore di fiducia di Giovan Battista Cavalcaselle, all'epoca ispettore generale per la pittura e la scultura del Ministero dell'Istruzione pubblica.

Le polemiche conseguenti a questo restauro, aspramente censurato a partire da un resoconto al Ministero steso due anni dopo l'ultimazione dei lavori dall'ispettore mandamentale di Foligno Tito Buccolini, sono state ricostruite da Carolina Brook[6]: "La vicenda del restauro di Montefalco [...] viene a coincidere con l'arrivo di Adolfo Venturi alla Direzione Generale Antichità e Belle Arti del Ministero che determinerà un profondo cambiamento nella politica degli interventi conservativi e nella gestione di quella rete di operatori che Cavalcaselle aveva creato e coltivato negli anni [...] in poco tempo ciò che veniva considerato un buon intervento, rispettoso delle norme che in materia erano state definite, divenne simbolo della trasgressione con l'accusa di aver ridipinto arbitrariamente intere zone lacunose falsando i rapporti cromatici e compositivi"[7].

L'irreperibilità della documentazione fotografica precedente i restauri di Fiscali[8] rende arduo delimitare quanto del degrado delle superfici pittoriche

In apertura
1. Benozzo Gozzoli, *Storie di san Francesco: Gesù mostra in sogno a san Francesco un palazzo pieno di scudi con la croce*, particolare, Montefalco, chiesa di San Francesco.

2. Gli affreschi di Benozzo Gozzoli con le *Storie di san Francesco* (prima del restauro), Montefalco, chiesa di San Francesco.

per la perdita di finiture a secco possa essere imputato al suo intervento, e del resto gli appunti più risentiti dei suoi censori per quanto riguarda il restauro del ciclo absidale sono rivolti principalmente alla fase finale, ovvero quella "pittorica", del lavoro. In merito l'elenco dei misfatti che sarebbero stati da lui perpetrati, quale risulta dalle relazioni di Buccolini e dell'architetto Sacconi, direttore dell'Ufficio regionale, individua vari interventi in realtà non effettuati: non si è trovata traccia di ridipinture che facessero risaltare la stilatura tra i mattoni del muro di cinta del giardino nella *Prova del fuoco*, così come non erano stati ridipinti il tappeto verde, il prato, il soffitto ligneo nel *Sogno del Laterano cadente e la conferma della Regola*, né i tetti della città di Arezzo e le siepi dei campi ne *La cacciata dei diavoli*, o i fondi scuri su cui si stagliano i francescani illustri; in questi come in altri casi di presunte ridipinture, la superficie pittorica compatta e ben conservata emersa dalla rimozione delle polveri fissate dall'umidità assumeva, rispetto ad altre zone più degradate, un nitore che venne accomunato all'evidenza delle ridipinture nelle cornici, nei motivi dei finti marmi, nei fondi azzurri o nelle riprese di antecedenti reintegrazioni. In una descrizione in corso

3. Benozzo Gozzoli, *Storie di san Francesco*: *Cristo-Serafino* particolare sopra la finestra (prima del restauro).

4. Benozzo Gozzoli, *Storie di san Francesco,* particolare della volta: costolone dipinto (durante la rimozione della ridipintura sul cielo).

5. Benozzo Gozzoli, *Storie di san Francesco*: *Benedizione di Montefalco*, particolare della veduta di Montefalco (durante la rimozione della ridipintura sul cielo).

d'opera del lavoro di Fiscali si afferma: "Gli affreschi di San Francesco erano in uno stato di trascuratezza e di abbandono desolanti: in alcuni punti sparivano affatto, sembrando perduti ed è cosa che impressiona addirittura il fare un confronto tra la parte già pulita ed assicurata e quelli che non sono ancora passati sotto la mano del paziente ed accuratissimo riparatore"[9]. D'altra parte è risultato evidente nel corso di questi ultimi lavori come Fiscali abbia operato in una situazione di precedenti interventi assai spinti sul piano delle ricostruzioni, che in parte mantiene, integrandole nel nuovo restauro, in parte rimuove; ciò secondo il criterio per cui le lacune di profondità che investono le figure vengono risolte attraverso la stuccatura e la stesura di una tinta neutra – "fra i risultati più felici, ottenuti con questa tecnica, che ci abbia lasciato in eredità la filosofia del restauro del Cavalcaselle"[10] – ovvero con il mantenimento delle integrazioni imitative meglio conservate, e di dimensioni contenute, di Carattoli (parte della testa del frate confessore e della figura del Cristo-Serafino, la veduta di Assisi, il braccio dell'uomo semplice che stende il mantello). Davanti a integrazioni di partiti decorativi o di zone giudicate secondarie, il restauratore procede invece drastica-

6. Benozzo Gozzoli,
Storie di san Francesco,
particolare della volta
(prima del restauro).

7. Benozzo Gozzoli,
Storie di san Francesco,
particolare della volta
(dopo il restauro).

8. Benozzo Gozzoli,
Storie di san Francesco,
particolare
dell'iscrizione
dedicatoria
(durante la rimozione
del rifacimento).

9. Benozzo Gozzoli,
Storie di san Francesco,
particolare
dell'iscrizione
dedicatoria
(dopo il restauro).

mente riproponendo integrazioni precedenti, anche quelle che occultavano la pellicola pittorica originale, non sempre tanto degradata da giustificare simile decisione, con una complessiva ripassatura di finti marmi, cornici, fogliami, fondi azzurri stellati e no, nubi. Si tratta di un'operazione che con il proposito di restituire unità all'impaginazione del ciclo, ne ha in effetti appesantito la lettura, anche per l'esecuzione spesso assai poco curata; e a questo proposito Adolfo Venturi ebbe commenti decisamente sarcastici circa la prova data dallo stesso restauratore a Mantova[11].
Le linee d'intervento erano sicuramente state concordate con Cavalcaselle, presente a Montefalco le prime due settimane dell'ottobre 1889[12], ma è evidente che Fiscali di fronte alla necessità di un impegnativo intervento sulle reintegrazioni dovute al precedente restauro, nelle zone considerate marginali, ha optato invece per la scorciatoia della ridipintura; così accanto a un operato scrupolosamente osservante delle norme stabilite dal Cavalcaselle convivono soluzioni eccessivamente libere, oltre che di discutibile qualità esecutiva[13]. Non va però trascurata la notizia che nei vari interventi a San Francesco Fiscali si è avvalso dell'aiuto di Carlo Plini, l'impiegato comunale che dedicò gran parte della sua attività al recupero e all'attenta custodia delle opere nella chiesa dopo la demaniazione, ma sulle cui competenze in materia di restauro è lecito avanzare più di un dubbio.

(Francesca Cristoferi)

Il restauro 1998-2000

L'auspicato restauro del complesso decorativo, da eseguirsi a seguito di una approfondita ricognizione delle effettive condizioni conservative anche in rapporto agli interventi ottocenteschi[14], si è reso indifferibile a causa degli eventi sismici del 26 settembre 1997, che hanno provocato gravi danni alla struttura voltata dell'abside con cedimento dei costoloni, fratturazione dei dipinti lungo i punti di giunzione delle membrature architettoniche e distacchi dal supporto murario. Al pronto intervento per l'immediata salvaguardia, realizzato a partire dallo stesso giorno del sisma a cura dell'amministrazione comunale, ha fatto seguito un primo consolidamento e protezione delle superfici pittoriche (1997-98) così da consentire le opere di consolidamento e miglioramento antisismico sulle strutture portanti, al termine delle quali sono potuti proseguire i lavori di restauro del ciclo pittorico (1998-2000).
L'ispezione dei dipinti dai ponteggi ha permesso di constatare, al di là dei danni prodotti dal sisma, la profonda disomogeneità dello stato di conservazione, sintetizzabile in una valutazione di massimo degrado della materia pittorica sulla volta e nei due registri superiori della parete destra, soprattutto a causa di prolungate infiltrazioni d'acqua dalla copertura; l'alterazione di pigmenti e dorature, la perdita di partiti decorativi realizzati con finiture a secco; l'effettiva estensione e la qualità delle ridipinture, realizzate non solo come reintegrazione di parti lacunose o gravemente deteriorate della materia originale; la presenza di vecchi dissesti della muratura di supporto, occultati da stuccature.
La conduzione dei lavori è stata guidata, pur nell'urgenza dell'intervento, da circostanziate indagini volte a determinare entità e tipologia del degrado della materia costitutiva, a rilevare le tecniche esecutive e la composizione

10. Benozzo Gozzoli, *Storie di san Francesco,* iscrizione sotto la finestra (prima del restauro).

11. Benozzo Gozzoli, *Storie di san Francesco,* iscrizione sotto la finestra (durante il restauro).

dei materiali, a individuare la successione e distinguere le peculiarità degli interventi. Risarciti i danni prodotti dal sisma e dalle vecchie infiltrazioni d'acqua, la fase più complessa dell'intervento si è rivelato il recupero di estese porzioni dei dipinti quattrocenteschi celate da successivi rifacimenti (realizzati in parte sulla stesura di un sottile strato di intonaco e in parte direttamente colore su colore), evitando tuttavia la demolizione indiscriminata delle vecchie reintegrazioni sulle lacune di profondità, salvaguardando quelle che, con un'adeguata opera di equilibratura della cromia, potevano ancora assolvere la funzione di assicurare la continuità dell'immagine, a meno che la loro eliminazione non si rendesse indispensabile per consentire il consolidamento di lesioni nella muratura di supporto: tra gli esempi di questa operazione si può citare l'adeguamento effettuato nella grande lacuna che interessa il massiccio del Subasio nella scena VII, la cui reintegrazione può essere assegnata all'intervento di Carattoli. Nel corso del lavoro la vecchia stuccatura è stata ridotta entro i margini della lacuna di profondità, recuperando parte della materia originaria nascosta dal debordare della malta, quindi la pellicola pittorica della ricostruzione ottocentesca è stata equilibrata sulla tonalità dell'affresco quattrocentesco pulito.

Non sempre la pellicola pittorica liberata dalle ridipinture si è rivelata in buone condizioni, tuttavia in linea generale il recupero della materia quattrocentesca ha di fatto mostrato la sua incompatibilità di coesistenza con gli interventi ricostruttivi più estesi, per lo più realizzati in maniera assai libera[15]; così là dove le lacune del dipinto potevano essere ricostruite reintegrando anche la continuità della pellicola pittorica, senza dar adito a interpretazioni arbitrarie, si è optato per il rifacimento con il metodo del tratteggio, mentre dove la rimozione delle ridipinture ha messo in evidenza lacune di

profondità che per tipologia e dimensioni non consentivano una ricostruzione filologica del testo pittorico, l'intervento è stato limitato alla reintegrazione degli strati preparatori. Valga per tutti la situazione delle vele, dove il fondo stellato originale, caratterizzato da un'azzurrite in buona parte alterata in verde su una preparazione rossa in molte zone a vista, non avrebbe potuto essere reintegrato se non attraverso una forzatura difficilmente giustificabile; qui la soluzione adottata nel precedente restauro per le figure dei santi – ricostruzione in tinta neutra delle mancanze a ridefinire l'intera sagoma – è stata nuovamente proposta sulla stuccatura neutra delle grandi lacune tramite un'impronta ottenuta con la variazione di tonalità, più scura, della stessa malta[16]. L'eliminazione dei fondi ridipinti ha peraltro messo in luce le due iscrizioni quattrocentesche relative a santa Elisabetta e a santa Chiara, corrette nei restauri della prima metà del secolo XIX in santa Rosa da Viterbo e santa Caterina da Siena[17], nonché recuperato sul capo di san Ludovico di Tolosa un frammento della mitra episcopale, negata invece dalla integrazione di una corona ugualmente dovuta ai precedenti restauri; sulla stessa figura, al di sotto della "tintarella neutra", è stato riportato a vista un ampio brano del piviale azzurro decorato con i gigli angioini.
Numerosi anche gli interventi sulle iscrizioni per il recupero di testi occultati sotto nuove stesure che sovente, in corrispondenza di punti abrasi o lacunosi, avevano dato luogo a errate trascrizioni: la redazione ottocentesca dell'iscrizione dedicatoria a sinistra riportava HELZEARE anziché HEL[IS]ABETH (interpretazione in parte giustificata dalla scomparsa del nome della santa francescana dalla corrispondente figura sulla volta e dalla presenza di san *Eleasarius* tra i santi effigiati nello strombo del finestrone); la diversa lezione adottata per la reintegrazione delle lacune nell'iscrizione sotto la finestra (QVALITER PROIECIT MAGNAM), oltre che sui frammenti delle lettere recuperati sotto le stuccature, si basa sul testo della medesima trascritto nel manoscritto settecentesco "Monumenti spettanti a Montefalco" della Biblioteca comunale di Foligno[18].
La rimozione delle sovrammissioni ha portato in luce complessivamente sedici metri quadrati di pellicola pittorica, compresi i due finti pilastri decorati con girali fitomorfi all'ingresso del coro, quelli che, pur individuati – come lamenta Buccolini nel suo resoconto – Fiscali "credette bene nascondere [...] sotto una pesante tinta nerognola".
Con la demolizione di alcune stuccature nella parte inferiore del riquadro I

12-13. Benozzo Gozzoli, *Storie di san Francesco*, particolari dell'affresco trecentesco sottostante.

(*Omaggio dell'uomo semplice*) e nel sottostante fregio dei francescani illustri è stato infine possibile documentare la presenza della decorazione antecedente il ciclo delle *Storie di san Francesco*: sono emersi, seppure parzialmente, le teste di una Madonna e del Bambino, la mano che lo sorregge e, un metro a sinistra, un lembo della veste di un altro personaggio; si tratta probabilmente di una Maestà della Vergine, di dimensioni tali da occupare tutto il primo lato del poligono absidale e di cui si potrebbero trovare altre tracce dietro i postergali del coro ligneo[19].

(Francesca Cristoferi)

Lavori di consolidamento e restauro della chiesa museo di San Francesco

(Piano di interventi indifferibili e urgenti per i beni culturali colpiti dal sisma del 26 settembre 1997)

Finanziamento	Ministero per i Beni e le Attività Culturali (Mutuo Fondo Sviluppo Sociale Consiglio d'Europa e Banca Europea per gli Investimenti)
Soprintendente	arch. Costantino Centroni
Progettisti e direttori dei lavori	arch. Bruno Napoli, dott.ssa Francesca Cristoferi
Collaboratore alla progettazione e direzione dei lavori	geom. Walter Pepperosa
Coordinatore della sicurezza	ing. Fabrizio Menghini, Servizi di ingegneria-Ingegneri Associati, Trevi
Imprese esecutrici	Impresa ing. Antonio Pompa s.r.l., Napoli (consolidamento e restauro architettonico) Soc. Coop. COO.BE.C. a.r.l., Spoleto (restauro affreschi)

Lavori di restauro degli affreschi nell'abside della chiesa museo di San Francesco

Finanziamento	Gruppo Editoriale L'Espresso - divisione La Repubblica
Soprintendente	arch. Costantino Centroni
Progettista e direttore dei lavori:	dott.ssa Francesca Cristoferi
Collaboratore alla progettazione e direzione dei lavori	geom. Walter Pepperosa
Coordinatore della sicurezza	ing. Fabrizio Menghini, Servizi di ingegneria - Ingegneri Associati, Trevi
Impresa esecutrice	Soc. Coop. COO.BE.C. a.r.l., Spoleto
Misurazioni con la fluorescenza X	prof. Giovanni Gigante, Università degli Studi di Roma "La Sapienza", Dipartimento di Fisica
Indagini chimico fisiche	dott.ssa Costanza Miliani, Università degli Studi di Perugia, Dipartimento di Chimica; TSA, Padova Rosaldo Ceccarelli Laboratorio di Analisi della Soprintendenza B.A.A.A.S. dell'Umbria
Indagini microbiologiche	dr.ssa Lucia Pitzurra, Università degli Studi di Perugia, Dipartimento di Microbiologia dott.ssa Teresa Bellezza, Laboratorio di Analisi della Soprintendenza B.A.A.A.S. dell'Umbria
Riflettografia I.R.	Rosaldo Ceccarelli e Claudio Baroni, Laboratorio di Analisi e Laboratorio Fotografico Soprintendenza B.A.A.A.S. dell'Umbria
Termovisione	Tecno Futur Service, Bomporto (MO)
Documentazione fotografica	Marcello Fedeli, Spoleto Claudio Baroni, Laboratorio Fotografico della Soprintendenza B.A.A.A.S. dell'Umbria

Stato di conservazione e indagini diagnostiche preliminari al restauro

Resosi improrogabile l'intervento di consolidamento strutturale dell'abside in seguito agli eventi sismici del settembre 1997 si diede contestualmente avvio al restauro delle superfici affrescate, iniziando con una attenta ricognizione del quadro fessurativo e dei distacchi esistenti a tutti i livelli di profondità anche utilizzando la termografia computerizzata all'infrarosso[20] e procedendo con le indagini preliminari finalizzate al rilievo del degrado delle superfici pittoriche.

La volta era completamente dissestata con evidenti dislivelli e sfalsamenti di piani malamente stuccati e ridipinti nei precedenti interventi di restauro. Dissesti strutturali si individuavano anche in prossimità dell'aggancio fra la muratura del corpo dell'abside e quello della navata per la presenza di estesi interventi di stuccature[21]. Oltre ai distacchi di profondità, gli intonaci delle lunette della parte destra dell'abside e della scena di *San Francesco alla mensa del signore di Celano* presentavano diffusi sollevamenti a bolle ed erano molto decoesi sia nella materia originale che in quella di restauro (fig. 14). Questa parete infatti è stata maggiormente interessata da infiltrazioni ormai pregresse di acque meteoriche provenienti dal tetto alle quali sono probabilmente imputabili anche le macchie scure irreversibili dell'intonaco presenti soprattutto nella scena della *Morte di san Francesco.*

Al fine di valutare la quantità dei sali solubili presenti nei materiali costitutivi[22] sono state effettuate varie campionature degli intonaci interessati dal fenomeno di decoesione e polverizzazione. D'altronde già dalle prime prove di pulitura si individuava, come dato caratterizzante della materia originale, la scarsa coesione dell'intonachino, probabilmente dovuta a difetti della tecnica esecutiva o dei materiali impiegati, a fronte di una pellicola pittorica generalmente ben carbonatata. Si poneva dunque il problema del consolidamento dello strato di 5-7 mm immediatamente sottostante la pellicola pittorica[23].

Depositi di polveri erano presenti su tutta la superficie con addensamenti differenziati in funzione dei moti convettivi delle correnti d'aria; si evidenziavano inoltre depositi superficiali di diversa natura come le incrostazioni di materiale organico utilizzato dalle rondini per la nidificazione nella lunetta della *Morte di san Francesco*, e diffusi depositi di guano nelle pareti alte dell'abside.

Su diverse zone della parte alta dell'abside, in particolar modo sui ritratti dei beati francescani dell'arco trionfale, si individuavano macchie superficiali riferibili a colonizzazioni fungine. Per verificare il livello di contaminazione microbica dell'aria e delle superfici pittoriche si è proceduto alla campagna di monitoraggio al fine di valutare la necessità di un trattamento biocida[24]. Diffuse abrasioni di pellicola pittorica e strati preparatori erano visibili sotto le ridipinture degli spartiti decorativi lateralmente alla finestra e sulla scena della *Rinuncia ai beni*, dove la tipologia del danno permette di ipotizzare l'appoggio sulla parete di qualche strumento atto alla manutenzione della finestra.

In diverse zone sono stati individuati viraggi cromatici della pellicola pittorica (ad esempio l'ocra gialla è diventata rossa) attribuibili all'azione del calore delle fiamme di candele. Inoltre l'azzurrite su grandi superfici è virata in verde (malachite o paratacamite) e il cinabro risulta annerito nello strato più superficiale.

Le indagini non distruttive impiegate nella prima campagna di rilievo dello stato di degrado hanno evidenziato la presenza sulle superfici di una sostanza dall'aspetto lucido, se osservata a luce visibile, e fluorescente a luce di Wood, utilizzata probabilmente come fissativo-ravvivante in un precedente intervento di restauro[25]. Le indagini ottiche eseguite a luce ultravioletta e a luce radente hanno evidenziato l'impoverimento della materia pittorica soprattutto per la perdita di diffuse finiture a secco eseguite probabilmente con legante oleoso. Altrove si è individuato l'assottigliamento degli strati pittorici in corrispondenza di finiture eseguite a secco con legante proteico.

Ma, soprattutto, la prima indagine visiva ravvicinata degli affreschi confermava la complessità della lettura delle sovrammissioni superficiali che durante i restauri precedenti si erano andate stratificando[26] (figg. 15 e 16). Le ridipinture erano molto estese: tutti i cieli delle vele erano ripassati con colore azzurro su cui erano state dipinte stelle con colore giallo, che per diversità di tonalità ed esecuzione sembravano riferirsi a due se non a tre interventi diversi. Come già noto, a *Santa Chiara* e a *Santa Elisabetta* era stata cambiata l'identità con quella, rispettivamente, di *Santa Caterina* e *Santa Rosa da Viterbo*. Gli altri santi[27] delle vele presentavano estesi rifacimenti sia mimetici che "neutri". I racemi di alloro dei costoloni erano completamente ridipinti, come pure tutti i pilastrini. I cieli delle scene erano anch'essi ridipinti per la caduta pressoché totale dell'azzurro originale. Gravi perdite di materia originale si erano verificate anche nella parete sotto la finestra[28] sui ritratti di *Petrarca*, *Dante* e *Giotto*[29].

Estesi rifacimenti erano presenti nella lunetta con le *Stimmate di san Francesco*, nella scena della *Morte di san Francesco*, nella scena della *Rinuncia ai beni*, della *Predica agli uccelli*, nelle architetture e nel volto del frate della scena di *San Francesco alla mensa del signore di Celano*, nella scena della *Nascita di san Francesco* e piccoli rifacimenti erano diffusi sulle altre scene; inoltre erano completamente ridipinte le iscrizioni dei cartigli dedicatori e i finti marmi del primo registro. Le paraste dell'arco trionfale erano completamente ricoperte da una tinteggiatura a tempera che risparmiava qualche frammento di decorazione originale. Le aureole erano tutte annerite e presentavano due interventi di ridipintura: il primo era una vera e propria ridoratura a porporina eseguita su una preparazione gialla; la ripresa successiva si adeguava alla tonalità nerastra o, in alcuni casi, verdastra della porporina alterata.

Laddove i rifacimenti si sovrapponevano era immediatamente visibile la diversità delle materie utilizzate per le malte e per i pigmenti; ma soprattutto emergeva la diversità dell'approccio teorico che aveva orientato l'intervento di ripristino delle parti mancanti. L'intervento più antico reintegrava mimeticamente tutte le lacune, mentre l'intervento più recente, rispettoso degli interventi del precedente, si limitava a risarcire le nuove lacune con una tinta neutra[30]. Più problematica risultava la situazione dei rifacimenti neutri dei santi delle vele: il livello stratigrafico delle stuccature trattate a neutro infatti coincideva con l'intervento più antico e inoltre il loro trattamento pittorico si diversificava da quello del rifacimento della scena di *San Francesco alla mensa del signore di Celano*, certamente del Fiscali. Tuttavia non ci sembrava plausibile attribuire le integrazioni neutre all'intervento ricostruttivo e mimetico del Carattoli. È probabile quindi che Fiscali, intervenendo sui rifacimenti del Carattoli, abbia ritenuto opportuna la rimozione di alcune integrazioni giudicate "licenziose" limitandosi però all'asportazione del solo livello pittorico che poi avrebbe reintegrato con una tinta neutra. La diversità

14. Benozzo Gozzoli, *Storie di san Francesco: San Francesco alla mensa del signore di Celano*, particolare a luce radente dei rigonfiamenti a bolle e delle abrasioni degli strati preparatori (prima del restauro).

cromatica e di trattamento superficiale delle varie ridipinture neutre potrebbe forse giustificarsi con l'intervento di una seconda mano, con ogni probabilità del custode Carlo Plini.

Inoltre sulle vele sembrava a volte emergere una terza ripresa pittorica di cui non si è però trovata traccia documentaria, ma che potrebbe riferirsi a un intervento eseguito per riparare i danni causati probabilmente da una scossa tellurica degli inizi del Novecento, intervento che avrebbe previsto anche la cerchiatura e l'aggancio dei costoloni pericolanti alla struttura in ferro situata nell'estradosso della volta.

Per meglio chiarire le attribuzioni dei diversi interventi di restauro è stata eseguita una campionatura delle diverse tipologie di ridipinture di colore azzurro su stuccatura. I risultati[31] hanno evidenziato la presenza di una stesura composta da un pigmento a base di rame e di blu di Prussia sull'intervento più antico e di oltremare artificiale su quelli più recenti[32]. All'intervento più antico sono comunque da attribuire le ridipinture di tutti i fondi dei cieli delle vele con una prima serie di stelle di colore giallo, delle iscrizioni di santa Chiara e di santa Elisabetta, la ridipintura con colore coprente e opaco di tutte le cornici gialle perimetrali delle scene e delle fasce rosa delle iscrizioni delle lunette, il rifacimento di tutti i pilastrini e dei costoloni della volta e di tutti i rifacimenti mimetici delle parti figurate delle scene. Il restauro del Fiscali si configura invece come una ripresa del precedente e si caratterizza per una

15. Benozzo Gozzoli, *Storie di san Francesco*: *Santa Elisabetta*, sovrapposizioni di interventi di ridipintura (durante il restauro).

16. Benozzo Gozzoli, *Storie di san Francesco*: *La morte di san Francesco* e spicchio di vela con *Sant'Antonio da Padova*, ridipinture debordanti sull'originale (durante il restauro).

esecuzione grossolana delle stuccature e delle ridipinture, forse proprio perché il restauratore lavorò nell'abside per un brevissimo lasso di tempo, e forse si può condividere solo in parte l'estrema difesa dell'operato del Fiscali espressa dal Cavalcaselle nella *Storia della Pittura* del 1897: "Tale restauro fu recentemente eseguito con molta cura e diligenza da Filippo Fiscali, artista assai pratico ed esperto in simile lavoro; perciò non sono certamente da attribuire a questo restauro i danni della pittura, ma piuttosto ai precedenti"[33].

(Antonella Filiani)

L'intervento di restauro

I lavori di restauro del ciclo dedicato alla vita di san Francesco sono stati eseguiti nel periodo fra il febbraio 1999 e l'ottobre 2000[34] a seguito dell'immediato puntellamento di un costolone che minacciava di crollare, voluto dal Comune di Montefalco dopo la prima scossa sismica del 26 settembre 1997, e il conseguente pronto intervento promosso dalla Soprintendenza ai BAAAS dell'Umbria[35].

Il pronto intervento è consistito nella messa in sicurezza della struttura voltata, mediante un sistema di puntelli sui costoloni e il consolidamento dei gravi distacchi agli intonaci affrescati, presenti anche nelle vele, previa protezione delle superfici pericolanti con carta giapponese e garze di cotone applicate con resina acrilica[36] (fig. 17).

L'intervento di restauro vero e proprio è stato preceduto dall'adeguamento del ponteggio per rendere accessibili tutte le superfici dipinte agli operatori e anche alle visite guidate, da un ulteriore rinforzo del puntellamento della volta per permettere i lavori di risanamento strutturale dall'estradosso e dal puntellamento della volta della cripta sottostante l'abside.

La condizione generale del ciclo pittorico della chiesa francescana, al di là delle lesioni strutturali, poteva apparire dal basso abbastanza buona all'infuori di alcune scene che erano evidentemente compromesse[37]. In realtà, dopo una prima fase di studio del testo pittorico, sono stati individuati molteplici problemi, per i quali è stato necessario intervenire distintamente.

17. Volta dell'abside di San Francesco dopo la messa in sicurezza.

Il ciclo pittorico consisteva in circa 200 metri quadrati di materia policroma offuscata da addensamenti di polveri, sali solubili, colonie fungine, vecchi fissativi e diversi livelli di ridipinture a tempera.
Nell'aprile del 1999 sono iniziati i primi saggi di pulitura nella parte alta dell'abside[38], che hanno permesso di mettere a punto una metodologia di intervento sensibile ai diversi problemi della pittura murale, sia dovuti al livello di degrado materico che alle peculiarità tecniche del dipinto quattrocentesco.
Per la maggior parte della superficie pittorica si è proceduto con brevi applicazioni di soluzione satura di carbonato d'ammonio in sospensione su carta giapponese e relativa asportazione dello sporco con batuffolo di cotone e acqua distillata (fig. 18). Questa metodologia si è rivelata efficace non solo per la rimozione delle polveri coerenti e di gran parte dei vecchi fissativi, ma anche per rimuovere le stesure pittoriche posteriori[39]; in presenza di materiali pittorici delicati, come nel caso delle cornici gialle con resti del motivo decorativo in lamina di stagno completamente ridipinte con una tempera gialla, è stato necessario eseguire un preconsolidamento delle parti laminate e una pulitura a batuffolo[40].
Alquanto problematico è stato l'intervento sulle riprese di colore dei cieli, in origine eseguiti con stesure a secco d'azzurrite su di una preparazione ad affresco di terra rossa. Nei restauri che si erano susseguiti i fondi delle vele erano stati ridipinti più volte con stesure azzurre a tempera punteggiate di stelle gialle di esecuzione assai sommaria. La rimozione di queste ridipinture ha comportato complicazioni di carattere tecnico ma soprattutto estetico: infatti l'asportazione dei rifacimenti avrebbe procurato uno stravolgimento della visione d'insieme[41]. Inoltre nel caso delle campiture in azzurrite, pigmento a base di rame, non era possibile applicare l'impacco consueto perché l'ammoniaca liberata avrebbe avuto un'azione complessante del rame, quindi si è sostituita la soluzione di carbonato d'ammonio con un impacco di resine a scambio ionico del tipo anionico[42]. La pulitura delle parti voltate è stata preceduta dalla rimozione della resina utilizzata per la velatura degli intonaci pericolanti, per cui si è reso necessario l'utilizzo di solventi organici[43].

18. Benozzo Gozzoli, *Storie di san Francesco*: *Il presepe di Greccio* (durante la pulitura).

Pur se il testo pittorico di Benozzo a Montefalco non è paragonabile per la preziosità materica all'esempio sontuoso della cappella Medici-Riccardi, il pittore non ha tuttavia rinunciato ad alcune finiture a secco per le quali è stato necessario porre molta attenzione[44], come nel caso della scena della *Rinuncia ai beni* o nelle lunette raffiguranti il *Presepe di Greccio* e *La morte di san Francesco*, dove compaiono abiti preziosi, damascati, in origine ornati con pennellate di cui ora rimane la pallida traccia, visibile solo a luce ultravioletta. Il consolidamento degli strati preparatori che presentavano difetti di coesione, in particolar modo nella lunetta delle *Stimmate* e nella scena del *Signore di Celano*, ha previsto un'attenta analisi del problema, avendo riscontrato all'interno degli strati la presenza, pur se non in quantità eccessive, di solfato di calcio proveniente dalla solubilizzazione del gesso delle malte di restauro. Con la consulenza dell'Opificio delle Pietre Dure sono stati effettuati test di riconversione e consolidamento col metodo del bario, che non hanno dato però esiti del tutto appropriati alle nostre necessità in quanto all'evidente consolidamento della superficie pittorica non corrispondeva un consolidamento degli strati preparatori[45]. Si è quindi proceduto alla desolfatazione delle superfici con impacchi di carbonato di ammonio in polpa di cellulosa e ripetuti risciacqui e infine al consolidamento dell'intonaco con resina acrilica in soluzione[46]. In realtà il bario era già stato utilizzato nello strombo inferiore della finestra nel restauro eseguito negli anni 1991-92[47], e anche qui, analizzando alcuni campioni, si è riscontrata l'avvenuta reazione del bario solo in uno strato molto superficiale. Di questa zona, nel restauro attuale, si è migliorata la pulitura e sono stati demoliti alcuni rifacimenti di iscrizioni male interpretate negli interventi precedenti[48].

La pulitura della lunetta delle *Stimmate di san Francesco* e della scena del *Signore di Celano* è stata più complessa per l'estremo degrado della materia costitutiva e la presenza di stuccature ridipinte debordanti sull'originale[49]. Di grande impegno e superiore alle attese è stato il recupero del testo pittorico dalle ampie rasature di gesso che debordavano sul dipinto[50]. Si calcolano complessivamente almeno 16 metri quadrati di materia pittorica scoperta su tutto il complesso (fig. 19). Con la vecchia consuetudine di stendere delle malte debordanti sull'originale, erano stati nascosti molti dettagli utili alla giusta interpretazione del testo pittorico[51], ma anche elementi secondari, come cornici, paraste, pilastrini, costoloni, particolari figurativi e iconografici che insieme contribuiscono a valorizzare l'intero ciclo. Di pari passo alla messa in luce è avvenuta l'individuazione dei rifacimenti che avevano colmato lesioni e lacune di profondità. La loro presenza era molto estesa nella parte voltata, in alcune lunette, nella scena del *Signore di Celano* e sulla grave lesione della parete di sinistra. La demolizione di questi interventi è stata maturata con prudenza, secondo le indicazioni della Direzione dei lavori, scegliendo di lasciare le parti non ricostruibili, come nel caso del Pellegrino nella scena iniziale della *Nascita di san Francesco*[52].

Per i fissaggi degli strati preparatori e della pellicola pittorica si è intervenuto secondo la prassi ormai consueta[53], mentre più complessi sono stati quelli eseguiti nella profondità della struttura muraria[54]. Va ricordato che il restauro dei dipinti procedeva contemporaneamente a quello strutturale dell'estradosso, per il quale era stata progettata una struttura elastica in sostituzione di quella rigida preesistente. Compito degli operatori del restauro è stato anche quello di controllare le reazioni dei dipinti alle sollecitazioni provocate nell'estradosso dagli operatori edili. Agli ingegneri[55] che si occupavano del consolidamen-

19. Benozzo Gozzoli, *Storie di san Francesco*, parasta dell'arco trionfale, messa in luce della pellicola pittorica (durante il restauro).

20. Benozzo Gozzoli, *Storie di san Francesco*: *Il sogno di Innocenzo III*. Lesione con spostamento dei setti murari colmata dalle stuccature degli interventi precedenti (durante il restauro).

to strutturale è stata richiesta la valutazione delle antiche lesioni e fratture emerse dopo la rimozione delle malte di restauro. Non sono emersi problemi di instabilità strutturale ma le grandi lesioni andavano comunque risarcite con le malte testate in seguito al terremoto sugli edifici storici[56] (fig. 20). Il tentativo di far riaderire il costolone che era scivolato durante la scossa sismica ha avuto buon esito grazie all'utilizzo di un martinetto e alla rimozione delle malte incoerenti all'interno della spaccatura. Poi si è proceduto con il sistema di fissaggio sopra descritto.
Il consolidamento della volta è terminato il 5 aprile del 2000, e ha permesso lo smontaggio dei puntelli di sostegno ai costoloni. Liberata l'abside dall'intreccio dei tubi di puntellamento si è potuta terminare la svelatura e proseguire con le operazioni di restauro.
Terminati gli interventi conservativi è iniziata la riflessione sulle scelte di ripresentazione estetica. L'accurata reintegrazione si è posta lo scopo di ridare unitarietà al testo pittorico, mantenendo i rifacimenti in stile dove ricostruivano parti figurate non interpretabili e ricostruendo a tratteggio verticale con acquerelli tutte le nuove stuccature. A imitazione dell'intonaco abraso sono state risolte le zone in corrispondenza di lesioni murarie con dislivelli e sfalsamenti di piano e le ampie mancanze sulle vele. Sono state stuccate lacune di ogni dimensione, da quelle minuscole a quelle più estese, con malta di grassello di calce e sabbia di fiume[57].
Le uniche stuccature reintegrate a illusione sono quelle corrispondenti alle cadute di intonaci dai costoloni vicino alla chiave di volta, necessarie per riconferire continuità ottica alle nervature architettoniche.

(Anna Maria De Carolis)

Le tecniche esecutive

Quando Benozzo fu incaricato di eseguire la decorazione dell'abside centrale della chiesa di San Francesco a Montefalco dovette, con ogni probabilità, trovare delle murature in gran parte ancora prive di intonaci decorati o no. A differenza delle absidi laterali che erano interamente rivestite da cicli pittorici murali più o meno organici eseguiti tra la fine del Trecento e i primi decenni del Quattrocento, l'abside centrale presentava soltanto alcuni dipinti votivi eseguiti nella parte inferiore della parete di sinistra dove ampi resti sono emersi durante i lavori di restauro dalle lacune di profondità della decorazione benozzesca; i resti più consistenti appartengono a una *Madonna col Bambino* presente al di sotto della prima scena in corrispondenza dell'*Omaggio del semplice al giovane Francesco*. Nel corso della rimozione delle tinteggiature che coprivano la smussatura esterna dell'arcone è stata rinvenuta, nella parte alta del lato sinistro, anche una cornice con motivo geometrico appartenente a un riquadro che doveva essere dipinto sul fronte dell'arco e demolito, insieme a gran parte degli intonaci della navata, durante l'intervento di reintonacatura generale eseguito probabilmente nell'Ottocento.
La muratura della volta e dei costoloni è costituita da laterizi mentre le pareti verticali sono in muratura mista di laterizi e pietrame sbozzato; le superfici sono comunque abbastanza piane e regolari da non richiedere, se non in qualche punto, rinzaffature e gli intonaci soprastanti sono stesi in spessore abbastanza ridotto – sia l'arriccio che l'intonachino non superano generalmente i 5/7 mm. Le malte sono confezionate con calce aerea e sabbia locale a composizione carbonatica e quarzosa ricca di ossidi di ferro tanto che gli in-

21. Benozzo Gozzoli, *Storie di san Francesco*: *Il sogno di Francesco*, particolare a luce radente delle incisioni e delle battiture di cordino.

tonaci presentano una spiccata colorazione giallastra; la granulometria della sabbia è sempre piuttosto sottile con dimensioni variabili intorno ai 100 micron per l'intonachino[58]. In corrispondenza degli affreschi precedenti questi sono stati martellinati e utilizzati come arriccio.

Troppo poche le superfici di arriccio emerse durante il restauro per stabilire il livello di progettualità conferito alla sinopia; di fatto sono state rilevate solo alcune ripartizioni degli spazi: una linea verticale e una orizzontale, battute con il filo intriso di colore rosso, in corrispondenza della rupe della Verna e una doppia circonferenza, eseguita a compasso in nero, e linee della cornice soprastante in corrispondenza del clipeo di Dante. L'unica superficie relativamente ampia di arriccio emersa in corrispondenza della scena di *San Francesco alla mensa del signore di Celano* non presenta tracce di sinopia.

L'intonachino è steso secondo "giornate di esecuzione" piuttosto ampie; ne abbiamo rilevate circa centoquaranta per una superficie di circa 200 mq. In verità l'individuazione dei giunti di sovrapposizione non è sempre agevole e si nota una differenza sostanziale tra le partiture decorative e le singole scene: mentre costoloni e cornici presentano in genere giunzioni tra una pontata e l'altra sommariamente spatolate e quindi facilmente rilevabili, all'interno delle singole scene queste sono quasi sempre ben spatolate tanto da renderne spesso impossibile l'identificazione. I giunti di sovrapposizione tra le cornici perimetrali e le scene sono poi perfettamente leggibili in quanto, pur se ben lisciate, le malte non si sono incorporate e con il tempo si è evidenziato il netto e preciso taglio obliquo eseguito per rimuovere la malta stesa in eccesso nelle cornici e delimitare così l'area da riservare alla scena; questo sta a significare che tra l'esecuzione delle partiture decorative e le scene è intercorso un lasso di tempo tale da causare un indurimento della malta delle cornici sufficiente a ostacolare la compenetrazione della malta delle scene.

Il senso di sovrapposizione delle singole giornate ci consente di stabilire che la decorazione ha preso l'avvio dal cervello della volta ed è proceduta per singoli registri dall'alto verso il basso secondo uno schema operativo che prevedeva in genere la preliminare esecuzione delle partiture decorative rispetto alle superfici figurate a eccezione delle vele con i cinque santi che sono realizzate, forse per problemi di ponteggio, prima dei costoloni; possiamo immaginare all'opera maestranze specializzate nelle partiture decorative che, procedendo per pontate, precedevano di qualche giorno gli operatori più dotati che erano deputati a eseguire le parti figurate. All'interno di ogni singola scena il ritmo

Tav. 1a. Giornate esecutive

Giunto e senso di sovrapposizione di una giornata

Giunto e senso di sovrapposizione di una giornata spatolata

Giunto e senso di sovrapposizione di una giornata presunta

Tav. 1b. Giornate esecutive

- Giunto e senso di sovrapposizione di una giornata
- Giunto e senso di sovrapposizione di una giornata spatolata
- Giunto e senso di sovrapposizione di una giornata presunta

Tav. 2-3. Trasposizione del disegno

- Incisione diretta
- Incisione eseguita con compasso
- Battitura di filo
- Disegno preparatorio
- Foro da chiodo

Esecuzione pittorica

- Campiture e/o finiture a secco
- Lamina di stagno dorato su missione trasparente
- Lamina di stagno dorato su missione gialla
- Punzonature su lamina metallica

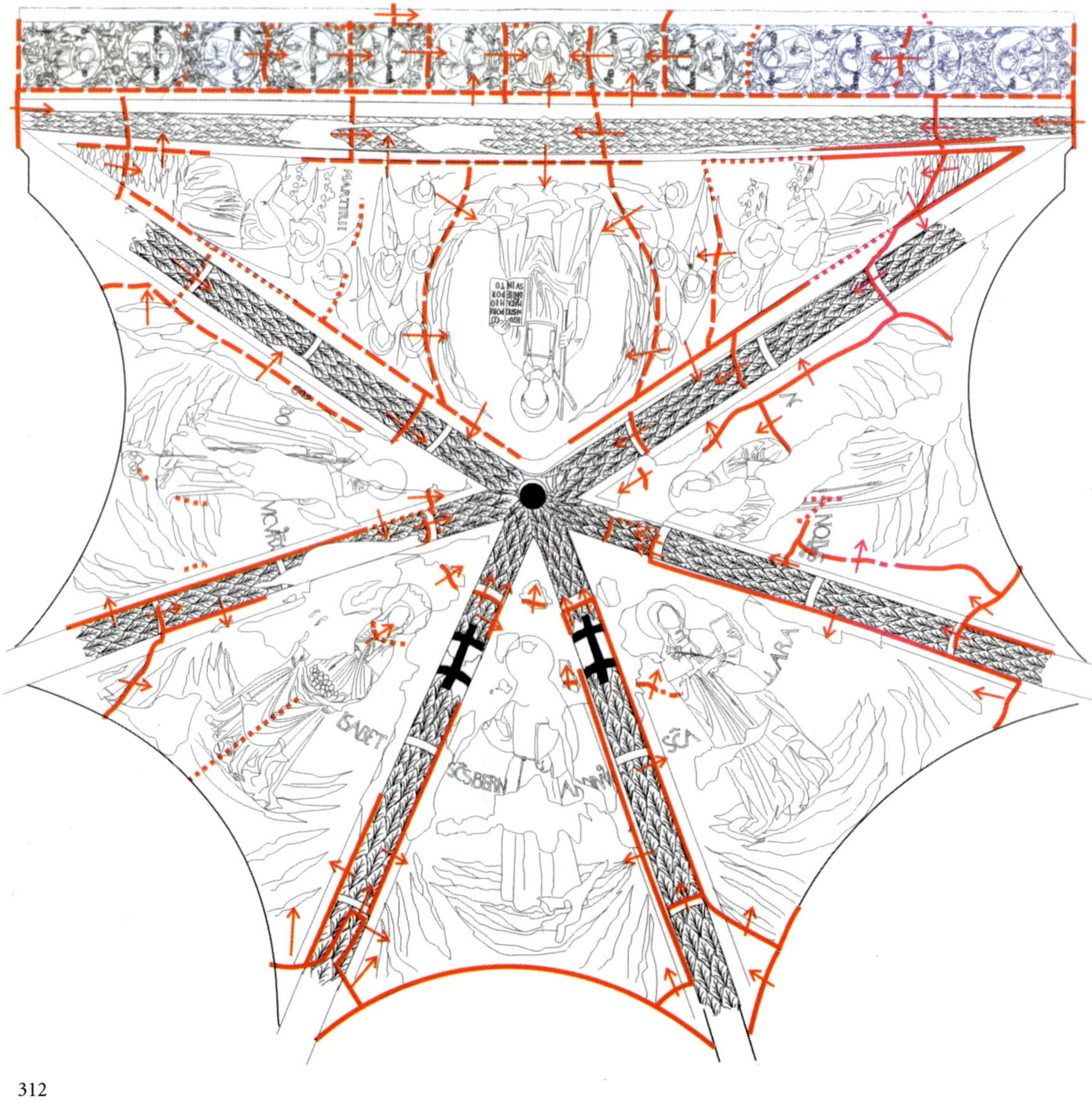

QVALITER·B·F·CORA·EPISCOPO·ASISII·RENVIT·PATRI·HEREDITATEM·PATERNAM·ET·OMIA·VESTIMENTA·ET·FEMORALIA·PATRI·REIECIT

CIVITAS ARETII
QVANDO·BS·F·ESPVLIT·DEMES·DE·CIVITATE·ARETII·DIVINA·POTENTIA·ET·PACIFICAVIT·TOT·V·POPVLV

22. Benozzo Gozzoli, *Storie di san Francesco*: *La rinuncia ai beni*, particolare del disegno preparatorio.

doveva essere abbastanza serrato, con una media di quattro o cinque giornate che comprendevano anche quattro e più personaggi o addirittura intere città come nel caso di Arezzo; nella scena della *Rinuncia ai beni* troviamo l'unico ripensamento del ciclo, ovvero la testa del personaggio alle spalle del vescovo che risulta dipinta su una piccola giornata inserita dopo aver rimosso parte di quella precedente (Tav. 1a/b).

Sull'intonaco da dipingere sono presenti le tracce delle diverse tecniche preparatorie impiegate con estrema diligenza e precisione da Benozzo. Cordicelle di sezione sottile intrise di colore rosso sono battute o impresse sull'intonaco fresco per riquadrare le scene, per ripartire gli spazi e soprattutto per tracciare le linee costruttive principali delle architetture sia verticali che spesso anche orizzontali; in alcuni casi sono evidenti le impressioni delle estremità della cordicella appoggiata sull'intonaco e a volte spostata prima della battitura.

Ampiamente impiegata è l'incisione diretta eseguita con una punta sottile e con mano leggera per evitare interferenze con la stesura pittorica; spesso è visibile soltanto a luce radente (fig. 21). Tracciata con l'ausilio della riga, serve a definire le linee secondarie o di dimensioni più ridotte delle architetture, con il compasso serve a delineare gli elementi circolari o le linee curve o oblique di archi e finestre; spesso è visibile il foro di puntamento del compasso e i vertici delle linee sono dapprima individuati tramite punti incisi o dipinti.

In generale tutte le architetture entro cui si svolgono gli episodi sono costruite con un elaborato e ben definito disegno preparatorio inciso e battuto, mentre le vedute della città di Arezzo, di Montefalco e del convento della Verna,

23-24. Benozzo Gozzoli, *Storie di san Francesco*: *La morte di san Francesco*, particolare a luce visibile e a luce ultravioletta.

composte di edifici in lontananza, sono prive di incisioni e battiture e quindi eseguite alla prima con una precisione appena inferiore che dimostra le notevoli capacità disegnative dell'esecutore (Tavv. 2 e 3)[59]. La perdita delle stesure a secco di alcuni abiti, la trasparenza di alcune campiture ad affresco e l'osservazione delle superfici con la riflettografia infrarossa consentono di verificare l'ampio utilizzo del disegno preparatorio eseguito a pennello sull'intonachino in corrispondenza delle figure per delineare le linee portanti di anatomie e panneggi (fig. 22); si tratta di tratti rapidi e sicuri eseguiti con pennello medio fine utilizzando indifferentemente colore giallo o rosso o nero ma sempre diluito per non interferire con le stesure pittoriche[60]. L'abilità disegnativa è ulteriormente confermata dal fatto che la gran parte dei particolari decorativi è eseguito a mano libera e solo raramente con l'ausilio di mascherine; l'uso di uno spolvero assai minuto è stato rintracciato unicamente nel motivo damascato della coperta del catafalco di Francesco.

La campagna di misure di fluorescenza X eseguita sulla superficie pittorica con strumentazione portatile accompagnata da alcune sezioni stratigrafiche di conferma[61] ha permesso di caratterizzare con una certa attendibilità pigmenti e leganti e di mapparne la distribuzione.

La stesura pittorica è composta da grandi campiture a buon fresco affiancate da un ampio impiego di pigmenti utilizzati a secco.

A fresco sono eseguiti tutte le partiture decorative, i fondi dei cieli, le campiture dei paesaggi, i sai dei frati e gli incarnati utilizzando la gamma cromatica delle terre gialle, rosse, brune, verdi e naturalmente il nero carbone e il bianco di calce. I volti dei personaggi sono eseguiti con grande accuratezza e definizione di particolari anche laddove la distanza non permette di apprezzarne la finezza formale. Un intreccio di pennellatine rosa, verdognole e bianche costruisce i volti, poi con un pennello sottile e colore nero sono condotti i riccioli di capelli, le barbe, le ciglia e le sopracciglia e con colore rosso sono scontornati i profili e tracciate le rughe intorno agli occhi e alle bocche.

Tra i pigmenti impiegati a secco e temperati con colla animale l'azzurrite è quella più abbondante essendo utilizzata per tutti i cieli e per molti abiti dei personaggi; è l'unico pigmento azzurro presente ma viene applicato secondo due distinte modalità. Sui cieli delle vele e in genere sui cieli e sui fondi con valenza ultraterrena l'azzurrite è applicata a stesure compatte su preparazione a fresco di colore rosso in modo da conferire una tonalità più intensa e astraente in linea con la tradizione medioevale, mentre sui cieli delle scene

25. Benozzo Gozzoli, *Storie di san Francesco*: *L'approvazione della Regola*, particolare dell'aureola in lamina metallica incisa e punzonata.

26. Benozzo Gozzoli, *Storie di san Francesco*: *La gloria di san Francesco*, particolare del pettorale e del bordo della manica con applicazioni di lamina metallica incisa con sottili linee che compongono raffinati motivi decorativi.

della vita terrena di Francesco è applicata direttamente sull'intonachino secondo stesure più liquide e modulate con colore bianco così da conferire un effetto atmosferico reale ai cieli; anche per gli abiti è applicata direttamente sull'intonaco.

A secco è ampiamente utilizzato anche il verde malachite specie per la definizione di gran parte delle specie arboree che si contrappongono ad altre eseguite a fresco con terra verde; in entrambi i casi i verdi sono poi modulati e schiariti a secco con pigmenti a base di piombo: biacca e giallolino. Questi ultimi sono diffusamente impiegati anche per campiture e lumeggiature di abiti. L'uso del cinabro è limitato ad alcuni copricapi e vesti di personaggi importanti ed è applicato su stesure già compiute a fresco con terra rossa quale ulteriore arricchimento della gamma cromatica. Con legante oleoso erano probabilmente applicate alcune lacche rosse ora quasi totalmente scomparse ma rivelate da un'intensa fluorescenza UV rosata: il piviale che doveva coprire il giovane Francesco nella *Rinuncia ai beni* e numerosi ornati e damascature degli abiti specie nel registro superiore (figg. 23 e 24).

Ampiamente diffuso è l'uso di decorazioni in lamina di stagno che dovevano essere dorate anche se attualmente, a causa della completa ossidazione dello stagno, su di esse non sono individuabili né lamina d'oro né finiture cromatiche con sostanze traslucide[62]. La lamina di stagno ritagliata (spessa dai 20 ai 40 micron) è utilizzata per le stelle dei cieli della volta, per il modulo decorativo della cornice gialla delle scene, per tutte le aureole, per le raggiere, per le ali degli angeli nella vela de *La gloria di san Francesco* e per numerose decorazioni delle vesti. Viene applicata su una missione oleoresinosa trasparente e molto fluorescente agli UV (spessa dai 30 ai 70 micron) nel caso di superfici non lavorate o decorate con incisioni sottili, come ad esempio nella tunica del *San Francesco in gloria* (fig. 26), e su una missione oleoresinosa più spessa e pigmentata con ocra gialla (spessa da 40 a 150 micron), che consente una più agevole lavorazione, nel caso di alcune aureole che sono punzonate a rosetta lungo la circonferenza e campite di una raggiera incisa (fig. 25).

Il centro delle foglie dei costoloni e dei pilastrini è decorato plasticamente con un bottone in cera, adagiato su un quadratino di lamina di stagno, che doveva certamente essere dorato[63].

(Bruno Bruni)

[1] Eccettuato l'ampliamento in basso della finestra absidale, che ha comportato la perdita dell'episodio di san Francesco davanti al Crocifisso di San Damiano, la modifica è intervenuta *ante* 1771, datazione del manoscritto "Monumenti spettanti a Montefalco" della Biblioteca comunale di Foligno, in cui è contenuta la descrizione del ciclo delle *Storie di san Francesco* (cfr. Nessi 1990, p. 46). Sul bordo inferiore della finestra è tuttora visibile l'attacco del dipinto murale; a questo proposito va osservato che non si rilevano, all'esterno, tracce di modifiche alla luce del finestrone; è pertanto da ritenere che il dipinto quattrocentesco sia stato realizzato su una parziale tamponatura della finestra, forse effettuata proprio in concomitanza con la nuova decorazione absidale (cfr. le osservazioni di Cole Ahl 1997, p. 58 circa la posizione dei crocefissi nell'abside). Probabilmente con la collocazione della mostra lignea dell'altare maggiore (1552) vennero scialbate le due paraste dipinte sui piedritti dell'arco trionfale.

[2] Nessi 1990, pp. 42-44.

[3] Monticelli 1829, p. 392: "si trova in oggi il detto Coro assai rovinato per avere sofferto moltissimo nei diversi Terremoti, ai quali in passato è andato soggetto Montefalco; il danno maggiore però che ha ricevuto il detto coro glielo hanno cagionato i Muratori [...] talché Roma gelosa della conservazione di simili rarità ha voluto la Perizia di quanto potrebbe importare il restauro".

[4] Il restauro del Carattoli è menzionato nella lettura critica da Wigenrotti (1897, p. 40) e da Cavalcaselle 4Crowe-Cavalcaselle 1898, pp. 14-15), contrariamente a quanto finora ipotizzato (Bellelli 1990a, p. 112), l'inizio dei lavori è antecedente il terremoto del 1832: in una lettera al cardinale camerlengo, datata 10 novembre 1831, lo stesso Carattoli comunica di avere ultimato il restauro dei dipinti sulla volta del coro e di aver cominciato a lavorare sulle pareti (la notizia mi è stata gentilmente comunicata da Federica Giacomini, che ha in corso una ricerca su Giuseppe Carattoli restauratore presso la Facoltà di Conservazione dei Beni Culturali dell'Università della Tuscia di Viterbo).

[5] Archivio Storico Soprintendenza Beni AA, Paesaggio, Patrimonio SAD dell'Umbria, cartella *Montefalco* 37, fascicolo 9, lettera dell'architetto direttore al Ministero dell'Istruzione pubblica in data 14 aprile 1898; nella nota vengono descritte anche le misure statiche adottate per l'abside con la messa in opera di catene perimetrali (tuttora *in situ*) "lavori condotti a cura e spese del Governo Pontificio circa il 1855 e da quell'epoca la chiesa non ebbe a lamentare nuovo danno". Se la data del posizionamento delle catene è correttamente riportata nel documento, significa che l'intervento è stato effettuato parecchi anni dopo il terremoto. Cavalcaselle (Crowe-Cavalcaselle 1898) menziona altri due interventi tra Carattoli e Fiscali senza specificare la data: uno di questi sarà con buona probabilità da collocare con l'occasione di questi lavori.

[6] Brook 1998, pp. 460-487.

[7] Brook 1998, p. 460.

[8] Con una nota del 1894 l'arch. Giuseppe Sacconi, direttore dell'Ufficio Regionale per i Monumenti dell'Umbria, invia al Ministero alcune fotografie eseguite prima e dopo il restauro in questione (in Brook 1998, p. 481); nel fondo antico dell'Archivio Fotografico della Soprintendenza Beni AA, Paesaggio, Patrimonio SAD dell'Umbria, non sono stati rintracciati a tutt'oggi negativi o stampe concernenti gli affreschi prima del restauro.

[9] Brook 1998, p. 464.

[10] Conti 1988, p. 297; va sottolineato inoltre che nella sua relazione al Cavalcaselle, preliminare all'intervento, Fiscali fa specifico riferimento alla "remozione assoluta di tutti ritocchi licenziosi [...]"(Brook 1998, p. 462).

[11] Rinaldi 1996, p. 63 nota 59.

[12] Rinaldi 1996, p. 62 nota 45.

[13] Cfr. anche la lettera di U. Baldoria a Venturi del 24 settembre 1891: "All'infuori di qualche tinta non bene riuscita e di qualche riquadratura mal condotta là dove il colore antico mancava assolutamente, posso assicurare che la pulitura e le riparazioni sono assai bene riuscite" (Brook 1998, p. 469); per quanto concerne una valutazione sui risultati degli interventi di Fiscali nella fase "pittorica" e sulle posizioni di Cavalcaselle e Venturi a tale proposito, vedi Rinaldi 1996, p. 58.

[14] Toscano 1990a, p. 90; Lunghi 1997, p. 61 e 1998 pp. 81-82.

[15] Scene VIII (*Predizione della morte e confessione del cavaliere di Celano*) e XI (*San Francesco riceve le stimmate*); vele della volta.

[16] Vedi in particolare le figure di san Bernardino e di san Ludovico.

[17] Vedi la descrizione di Bragazzi 1864, pp. 230-232.

[18] "Monumenti spettanti a Montefalco", ms. F116 della Biblioteca comunale di Foligno, cc. 23 e 27. Ringrazio la dottoressa Tiziana Biganti dell'Archivio di Stato di Perugia per la consulenza prestataci nella fase di reintegrazione delle lacune nelle iscrizioni.

[19] Silvestro Nessi nel citato saggio introduttivo al catalogo del museo (pp. 34-35) ricorda un testamento che prevedeva, tra l'altro, la destinazione alla chiesa di San Francesco di dieci lire "pro una magine fienda Virginis Marie cum filio in brachio et Sancti Francisci" il cui pagamento venne effettuato dagli eredi nel 1351.

[20] La termografia computerizzata all'infrarosso finalizzata alla diagnostica e mappatura dei distacchi tra strati preparatori e muratura è stata eseguita nell'aprile 1999. Nonostante la presenza dei ponteggi e delle impalcature abbia impedito le indagini su ampie superfici, la termografia ha rilevato diffusi distacchi, molti dei quali concentrati in prossimità dei pilastrini. I dati rilevati sono stati coadiuvati e confrontati con quelli emersi dal classico sistema di rilevamento ottenuto dall'ascolto dei suoni rimandati dalle superfici percosse manualmente. Le mappature sono conservate presso l'Archivio COO.BE.C. di Spoleto.

[21] Nel corso dell'Ottocento, probabilmente dopo il terremoto del 1832, l'abside era stata cerchiata per renderla solidale alla parete dell'arco trionfale dalla quale si era distaccata. Successivamente i due costoloni distaccati (il terzo e il quarto) erano stati cerchiati e agganciati a una struttura di ferro a forma di ipsilon situata nell'estradosso della volta. Sia la rigidità di questa struttura, sia la presenza di materiale di risulta, che aveva appesantito notevolmente la volta dell'abside, hanno causato, durante gli ultimi eventi sismici, il cedimento del terzo e soprattutto del quarto costolone dal cervello della volta, il distacco di intonaco da costoloni e pilastrini e il crollo di diversi frammenti di intonaco, fortunatamente per lo più appartenenti a rifacimenti.

[22] La cromatografia ionica per la determinazione dei sali presenti nelle malte è stata eseguita da Costanza Miliani del Dipartimento

di Chimica dell'Università di Perugia. La percentuale in peso dei solfati è risultata lo 0,09-0,13%, quella dei nitrati inferiore all'1%. La presenza dei solfati è attribuibile alla solubilizzazione del gesso costitutivo delle stuccature di rifacimento; la presenza dei nitrati è invece riferibile alle infiltrazioni di acque meteoriche.

[23] Con la consulenza dell'Opificio delle Pietre Dure di Firenze sono stati condotti i test di consolidamento col metodo del bario. Al fine di valutare l'efficacia del trattamento sono stati analizzati, da Costanza Miliani, al SEM-EDS diversi campioni di superficie trattata. La constatazione di un'insufficiente penetrazione nello strato degradato ha determinato la scelta di un consolidamento con resina acrilica in soluzione.

[24] I livelli di contaminazione microbica dell'aria e delle superfici dipinte sono risultati inferiori ai valori soglia e pertanto non si è ritenuto necessario il trattamento biocida.

[25] Dalla relazione sull'intervento di Filippo Fiscali conservata presso l'Archivio Storico della Soprintendenza dell'Umbria pubblicata da Carolina Brook (1998, p. 476) si legge: "In generale notasi la lavatura di tutti i quadri eseguita con acqua ed aceto deturpando i quadri. Per ravvivare le tinte fece poi uso di gomma, chiara d'ovo e zuccaro".

[26] Due gli interventi documentati: il restauro del perugino Giuseppe Carattoli iniziato nel 1829 e ancora in corso nel 1831, e dal 1889 al 1891 quello di Filippo Fiscali. Per le complesse vicende relative a quest'ultimo intervento vedi Rinaldi 1998.

[27] Cavalcaselle attribuisce le perdite di materia originale dei santi delle vele a un fulmine che "distrusse per metà la figura di S. Lodovico, danneggiò assai le altre figure": Brook 1998, p. 484.

[28] Nella documentazione conservata presso l'Archivio della Soprintendenza ai BAAAS dell'Umbria ricorrono spesso, a distanza di anni, richieste e consuntivi di spese per la sostituzione dei vetri danneggiati della finestra. Chissà se non sia da attribuire alla mancanza di manutenzione costante dei vetri la perdita pressoché totale della scena sovrastante i ritratti di *Petrarca*, *Dante* e *Giotto*!

[29] Questa zona è stata oggetto di un intervento di restauro conservativo eseguito dalla COO.BE.C. nel 1990. Pertanto la già avvenuta asportazione delle ridipinture rendeva leggibile l'effettivo danno della pellicola pittorica originale.

[30] Il Fiscali, in una lettera al Cavalcaselle del 1888, si impegnava a provvedere alla "rifermatura di tutto l'intonaco pericolante, rifermatura del colore originale dove spolverizza, remozione assoluta di tutti i ritocchi licenziosi, ristuccatura di tutti i cretti e le lacune di intonaco con intonaco nuovo e identico a quello antico, ricopritura di tutte le parti mancanti di pittura con tinterelle neutre": Brook 1998, p. 462.
Ci sembra doveroso a tal punto riconoscere che le accuse rivolte all'operato del Fiscali non sono fondate su dati oggettivi. Più che di "opera vandalica" si potrebbe parlare di un restauro condotto molto frettolosamente giudicando dalla scarsa accuratezza con cui sono state eseguite le stuccature e le ridipinture. Più difficoltosa invece la valutazione dell'intervento di pulitura operato dal Fiscali non avendo a disposizione nessun riferimento certo per attribuire i danni dell'impoverimento della materia soprattutto nelle campiture a secco.

[31] Le misure di Fluorescenza X sono state eseguite il 21 e 22 luglio 1999 con prototipi avanzati di spettrometri portatili EDXRF poi confrontate con campioni su cui è stato eseguito lo studio al microscopio ottico e a scansione con microanalisi EDS.

[32] Si ringrazia Costanza Miliani per la disponibilità con cui ha costantemente supportato con indagini analitiche specifiche la risoluzione dei nostri dubbi. Ci è sembrato del tutto inusuale l'utilizzo di un pigmento a base di rame e blu di Prussia in miscela tra loro considerando che quest'ultimo ha un elevato potere coprente. Pertanto sono state formulate due ipotesi: o il restauratore, ridipingendo i cieli, avrebbe trasportato sulle stuccature parte del pigmento azzurro originale decoeso e in tal caso la quantità di azzurro a base di rame doveva essere di molto inferiore a quella del blu di Prussia, oppure ci si trovava di fronte a due interventi sovrammessi e allora si doveva rintracciare la soluzione di continuità o una eventuale stratificazione fra le stesure.
Le indagini hanno confermato che i pigmenti non sono utilizzati in due stesure successive per cui si accredita l'ipotesi della presenza di rame in relazione al pigmento originale trasportato dal pennello del ridipintore. Tuttavia in un campione si è rinvenuta una stesura a base di solo rame che farebbe pensare a un intervento anteriore a quello del Carattoli oppure all'indecisione da parte del restauratore sull'utilizzo dei due pigmenti provati prima singolarmente e poi utilizzati anche in miscela. In tal caso però si attesterebbe l'uso di un pigmento a base di rame in tempi abbastanza attardati rispetto all'introduzione del blu di Prussia.

[33] Brook 1998, p. 484.

[34] L'intervento di restauro ha avuto inizio nel febbraio 1999 con l'adeguamento del ponteggio e le prime indagini conoscitive; è stato costantemente diretto da Francesca Cristoferi della Soprintendenza ai Beni AAAS dell'Umbria. I lavori sono stati eseguiti dalla ditta COO.BE.C. - Cooperativa Beni Cultu-

rali di Spoleto sotto la responsabilità tecnico-amministrativa di Rolando Ramaccini e diretti da Bruno Bruni. Hanno eseguito la fase conservativa e di pulitura Iolida Tizi, Antonella Filiani, Anna Maria De Carolis, Simona Santarelli e Daniele Capaldini, affiancati poi per la fase di reintegrazione pittorica da Luana Casaglia, Patrizia Mariani, Laura Ruggeri, Antonella Fasano, Angela Foti e Federica Celoni. I rilievi grafici dello stato di conservazione, dell'intervento di restauro e delle tecniche esecutive sono opera di Anna Maria De Carolis e Antonella Filiani; sono stati condotti su basi grafiche disegnate da Simona Marinelli ed elaborate al computer da Annalisa Bartoli.

[35] Si deve al sindaco del Comune di Montefalco, Bruno Gambacurta, il primo immediato puntellamento del costolone pericolante eseguito dalla COO.BE.C.
Hanno partecipato al pronto intervento diretto dall'arch. Bruno Napoli della Soprintendenza ai Beni AAAS dell'Umbria: Rolando Ramaccini, Bruno Bruni, Andrea Peroni, Giancarlo Sorcini, Gianni Frascarelli, Fabio Giulivi e Andrea Sergi.

[36] Velature parziali sono state fatte anche sulle vele, nelle parti fessurate e con gravi difetti di adesione utilizzando Paraloid B 72 al 20% in diluente nitro. Si è proceduto al fissaggio degli strati preparatori con malta idraulica Plm-av della CTS per i distacchi più gravi e con resina acrilica in emulsione Primal Ac 33 a varie diluizioni per i distacchi meno gravi. Sempre in questa fase di pronto intervento si è liberato l'estradosso della volta dalle macerie che vi gravavano rendendo esaminabile la struttura in laterizi per progettarne il risanamento.

[37] In particolare la scena de *La morte di san Francesco* del *Signore di Celano* e la lunetta di *San Francesco che riceve le stimmate.*

[38] In questa area il lavoro si presentava più difficoltoso sia per le problematiche insite alle superfici dipinte che per la presenza di un fitto reticolo di puntelli.

[39] Il tempo previsto per l'impacco era dai tre ai cinque minuti di sospensione. Ripetute tamponature della superficie con acqua distillata e spugne naturali provvedevano a rimuovere i residui delle sostanze solubilizzate.

[40] Nel caso in cui affioravano, dopo l'asciugatura, veli opacizzanti si dimostrava efficace applicare un foglio di carta giapponese con acqua distillata, lasciato sulla superficie fino alla completa asciugatura. Se invece affioravano gore giallastre causate dai residui dei vecchi fissativi e/o dalle sostanze presenti negli strati preparatori (tannini, ossidi di ferro), era valido applicare a pennello, sempre su carta giapponese, sepiolite in acqua distillata e rimuovere l'impacco dopo completa asciugatura.

[41] Il lavoro è stato svolto con molta cautela proprio per maturare una decisione così difficile. La direzione dei lavori ha richiesto numerosi saggi su tutte le vele; e se la scelta iniziale era quella di operare selettivamente, lasciando almeno la ridipintura più antica, con il procedere del recupero di materia originale si è coraggiosamente affrontata la totale rimozione delle riprese di colore.

[42] È stata utilizzata Amberlite forte IR 6744 OH disciolta in acqua deionizzata fino a ottenere un impasto applicato a pennello o con spatola di legno, mantenendo la superficie sempre umida e rimuovendo le resine con acqua deionizzata. Nel caso delle ridipinture azzurre sui cieli delle scene *Nascita di san Francesco, Sogno di san Francesco, Rinuncia ai beni, Incontro con Domenico, Sogno di Innocenzo, Cacciata dei diavoli d'Arezzo, Predica agli uccelli* le ridipinture sono state alleggerite senza rimuoverle completamente. Sulle lunette raffiguranti *La prova del fuoco, Cristo Serafino, Morte di san Francesco* e sui fondi dello strombo della finestra la rimozione è stata completa.
Le campiture in azzurro dei tondi dei beati francescani del sottarco sono fortunatamente quasi integre e originali.
Durante l'asportazione delle ridipinture azzurre sulle vele sono emerse molte stelle e quadratini di lamina originali.

[43] Diluente nitro oppure una miscela di acetone, alcool benzilico e diluente nitro 1:1:1.

[44] Le parti eseguite a secco sono state pulite con resine a scambio ionico o semplicemente con batuffoli bagnati con acqua distillata.

[45] Si ringraziano i restauratori del settore dipinti murali del Laboratorio di Restauro dell'Opificio delle Pietre Dure per la disponibilità dimostrata e in particolare Fabrizio Bandini che ha materialmente eseguito le prove di consolidamento con il metodo del bario.

[46] Con Paraloid allo 0,6% in diluente nitro con stesura a pennello per più mani.

[47] A causa dell'evidente degrado della zona si effettuò il consolidamento con idrossido di bario. Intervento eseguito dalla COO.BE.C. nella persona di B. Bruni nel 1990. In questa occasione la pulitura portò al rinvenimento, sul bordo inferiore destro del finestrone di una porzione di intonaco dipinto appartenente al pavimento della perduta scena di *San Francesco davanti al Crocifisso di San Damiano* che doveva essere stato eseguito, evidentemente, su una parziale tamponatura del finestrone successivamente rimossa come del resto avvenuto anche nelle finestre delle due absidi laterali.

[48] Successivamente queste parti sono state reintegrate a tratteggio riproponendo l'iscrizione originale. Il testo è stato sciolto grazie a un'attenta ricerca di archivio.

[49] Impacchi di carbonato di ammonio in

polpa di cellulosa (Arbocel 200) con tempi di applicazione di circa un'ora per permettere alla tempera di rigonfiarsi. L'asportazione doveva essere ugualmente cauta proprio per la fragilità della materia originale sottostante. Nelle parti alte della lunetta erano presenti molte carbonatazioni che avevano inglobato anche la ridipintura sulle quali si è intervenuti con AB 57 (composta da carbonato d'ammonio, EDTA, carbossilmetilcellulosa, acqua e desogen) per un tempo di applicazione di due ore. In generale si è fatto uso di polpa di carta sulla superficie complessiva dell'abside quando si dovevano ammorbidire stesure di malta gessosa e ridipinture carbonatate. La pulitura dei capitelli scolpiti in pietra completamente ridipinti con una tempera rossa molto coprente è stata effettuata con gli impacchi descritti sopra per tempi di posa anche più prolungati.

[50] La rimozione dello scialbo gessoso è stata eseguita mediante l'utilizzo di bisturi sia a lama fissa che intercambiabile. Quando lo strato era particolarmente resistente si è applicato un impacco di acqua in polpa di cellulosa. Nel caso in cui lo scialbo era ulteriormente indurito per la presenza della resina acrilica applicata nella velatura del 1997 sono stati applicati impacchi di una miscela di solventi composta di acetone, diluente nitro e alcool benzilico in parti uguali supportata da carta giapponese.

[51] Nel caso della lunetta delle *Stimmate di san Francesco* fra pulitura, messa in luce e demolizione di rifacimenti è avvenuto il recupero della reale iconografia della scena. Sullo sfondo era ridipinto un massiccio che nascondeva due rocce impervie fra le quali scorreva un torrente. Il lembo di intonaco che si vedeva penzolare dal basso da tempo è risultato materia di restauro. Si è discusso molto se lasciare parte di questo rifacimento, ampiamente fotografato durante l'intervento, ma la sua totale demolizione è stata decretata per l'interferenza di leggibilità con la materia originale evidenziata dopo la pulitura.

[52] Un dato emerso da questa rimozione parziale è stato il ritrovamento di un frammento di affresco trecentesco riferibile alla decorazione precedente il ciclo benozzesco dell'abside, contemporaneo al frammento di cornice ritrovato sulla parasta dell'arco trionfale.

[53] I difetti di adesione della pellicola pittorica e della lamina in stagno sono stati ristabiliti prima e/o durante le operazioni di messa in luce e pulitura con resina acrilica in emulsione Primal Ac 33 a varie diluizioni.

Per i distacchi degli strati preparatori sono state iniettate malte consolidanti a base di calci idrauliche (PLM - A della CTS o Mapeantique Assisi F21 della Mapei) o, per i distacchi molto superficiali, resina acrilica in emulsione Primal Ac 33 a varie diluizioni.

[54] Per i consolidamenti delle grandi lesioni, spaccature e distacchi dei setti murari la scelta è andata sui prodotti usati per il risanamento di edifici monumentali messi a punto dopo il terremoto: il riempimento delle lesioni è avvenuto stuccando in superficie con la malta Mapeantique Mc della Mapei armandola con barrette in vetroresina e frammenti di laterizio; quindi è stato iniettato, attraverso una serie di cannule inserite nella stuccatura, il premiscelato a base di calci idrauliche Mapeantique Assisi F21 sempre della Mapei. È stato messo a punto, durante i lavori, un sistema efficace anche se artigianale di iniezione con una pompa alimentata da un trapano elettrico per garantire la continuità del flusso di malta iniettata.

[55] Sono stati interpellati l'ing. A. Pompa, responsabile dell'impresa di restauro architettonico, e l'ing. F. Menghini, responsabile della sicurezza.

[56] Vedi nota 54.

[57] Le mancanze non ricostruibili sono state stuccate con malta composta da sabbia locale di colorazione simile a quella costitutiva degli intonaci originali e grassello di calce. L'impasto è stato poi colorato con terre naturali. Le mancanze ricostruibili sono state stuccate a livello con malta composta da sabbia di fiume, carbonato di calcio e grassello di calce.

[58] Analisi condotte sui campioni MB 22 e MB 23 da Costanza Miliani del Dipartimento di Chimica dell'Università di Perugia e conservate nell'Archivio COO.BE.C.

[59] Per una descrizione dettagliata della localizzazione delle tecniche del disegno preparatorio vedi: ENEA 2001, vol. 2, parte II, *Storie di san Francesco*, pp. 187-199.

[60] Per una descrizione dettagliata della localizzazione del disegno diretto vedi: ENEA 2001, vol. 2, parte II, *Storie di san Francesco*, pp. 187-199.

[61] Vedi nota 31.

[62] Soltanto su un'ala dell'angelo a sinistra di san Francesco ne *La gloria di san Francesco* è stata rinvenuta una traccia di finitura pittorica della lamina metallica.

[63] Per un confronto con le tecniche esecutive di altre imprese decorative murali di Benozzo vedi: Danti-Matteini-Moles-Bandini 1992, *La tecnica d'esecuzione delle pitture murali*, pp. 71-75; ENEA 2001, vol. 2, parte I, *Cristo Giudice; Profeti*, pp. 107-113 e *Viaggio dei Magi*, pp. 145-153; ENEA 2001, vol. 2, parte II, *Storie di san Francesco*, pp. 187-199; ENEA 2001, vol. 3, *Cappella Niccolina*, pp. 7-14.

Documenti
Bibliografia

Documenti

(regesto a cura di Silvestro Nessi)

La fondazione del convento di San Fortunato di Montefalco

S. Maria degli Angeli, Archivio provinciale OFM, busta *Montefalco*, perg. 1, *Sane pro parte*, sigillo pendente perduto[1]

Roma, 1444 marzo 18.
Eugenio IV comunica al vescovo di Spoleto di avere accolto favorevolmente la supplica inoltratagli *pro parte dilecti filii Antonii de Montefalco, vicarii fratruum, ordinis Minorum professoris, provincie Sancti Francisci, iuxta morem fratrum dicti ordinis de observantia nuncupatorum*; il quale Antonio da Montefalco, dichiarandosi congiunto (*sibi consanguinitatis coniunctus*) di un certo Almerico da Montefalco, aveva chiesto di poter convertire il cospicuo lascito testamentario (*valoris mille librarum*) di costui, che aveva lasciato eredi i *pauperes Christi Italie*, per la fondazione a Montefalco di un convento dei frati dell'osservanza francescana. Il papa ordina al vescovo di concedere quanto richiesto, dopo aver verificato la veridicità di quanto esposto. Nella plica della lettera si legge: *Gratis de mandato domini nostri pape.*

S. Maria degli Angeli, Archivio provinciale OFM, busta *Montefalco*, pergamena n. 2[2].

Roma, 1446 giugno 27.
Eugenio IV comunica ai vescovi di Perugia e di Gubbio, nonché al vicario generale del vescovo di Spoleto, di aver accolto la petizione inoltratagli *pro parte dilectorum filiorum universitati et hominum oppidi Montisfalci*, in seguito alla quale ordina ai vescovi di destinare la chiesa *sine cura* di San Fortunato, distante mezzo miglio dal castello, alla fondazione di una casa per i frati minori dell'osservanza francescana, affidando ai frati stessi la facoltà di poter vendere beni spettanti alla chiesa medesima per la fabbrica suddetta, e per acquistare libri ed altri ornamenti ecclesiastici necessari.
S. Maria degli Angeli, Archivio provinciale OFM, busta *Montefalco*, pergamena n. 8

Roma, 1447 maggio 31.
Niccolò V, sollecitato da frate Antonio da Montefalco, ordina al vescovo di Melfi [Onofrio di Francesco da San Severino], di far applicare quanto già disposto dal suo predecessore Eugenio IV, circa la destinazione dei beni ereditari di Almerico da Montefalco. Frate Antonio provvede a presentare la lettera pontificia al destinatario, chiedendone l'esecuzione.

S. Maria degli Angeli, Archivio provinciale OFM, busta *Montefalco*[3]

Roma, 1448 gennaio 11.
Papa Niccolò V, su richiesta di fra Iacopo Donzelli da Bologna, conferma al medesimo e agli altri frati che abitano la casa di San Fortunato le indulgenze già concesse dai suoi predecessori alla chiesa di San Fortunato di Montefalco, che minacciava rovina e che stavano ricostruendo (*quae in suis aedificiis ruinam minabatur, ... demoliri fecissent, ipsi postmodum illam decentioribus at aptioribus structuris et aedificiis de novo reparari et reaedificari procurarunt*).

S. Maria degli Angeli, Archivio provinciale OFM, busta *Montefalco*, pergamena n. 8

Narni, 1448, marzo 25.
Lettera di Onofrio di Francesco, vescovo di Melfi, al governatore di Perugia [Giacomo Venieri da Recanati vescovo di Ragusa] con cui lo esorta a dare esecuzione al mandato del papa relativo alla destinazione dei beni ereditari di Almerico da Montefalco per la costruzione del convento dell'osservanza di San Fortunato.

S. Maria degli Angeli, Archivio provinciale OFM, busta *Montefalco*, pergamena n. 4 (in mostra)

Roma, 1448 giugno 9.
Niccolò V incarica maestro Niccolò d'Assisi, *phisico litterarum apostolicarum scriptori familiari nostro*, di nominare una commissione di quattro uomini fidati, incaricati della vendita dei beni della chiesa di San Fortunato di Montefalco, il cui ricavato si dovrà utilizzare per la costruzione della chiesa, acquisto di libri, ornamenti e altre cose secondo la volontà dei frati minori osservanti (*in perfectione nec non emptionem librorum, ornamentorum aliorumque necessariorum antedictorum iuxta dispositionem et voluntatem fratrum*).

S. Maria degli Angeli, Archivio provinciale OFM, busta *Montefalco*, pergamena n. 3

Roma, 1448 novembre 7.
Niccolò V scrive *dilectis filiis guardiano et fratribus domus S. Fortunati prope oppidum Montisfalci*, dichiarando che i quattro deputati nominati da maestro Niccolò d'Assisi possono procedere alla vendita di cui sopra, unitamente ad un procuratore designato direttamente dai frati, per l'utilizzo anzidetto.

La Confraternita di San Girolamo di Perugia

Perugia, Archivio di Stato, *S.Francesco al Prato*, ms.18, c.32r. (in mostra)

Matricola dei religiosi della Confraternita di S. Girolamo a Perugia, sec, XV.
Fondata da San Giacomo della Marca il 24 gennaio 1445, la confraternita registra fra i primi venti iscritti i seguenti nomi: al n.11 compare Frate Antonio da Monte Falco, vicario; al n.20 Frate Giapeco da Monte Falco, il primo probabile committente di Benozzo, il secondo di certo responsabile della commissione degli affreschi con le storie di San Francesco di Montefalco. La confraternita raccoglieva molti fra i più importanti predicatori del tempo dei vari ordini mendicanti, fra cui i francescani Roberto da Lecce, Francesco da Pavia, Barnaba da Terni, Bartolomeo da Giano, Cherubino da Spoleto, Bernardo Ochino, etc.

[1] Ed. *Bullarium franciscanum*, n.s., I, 1929, pp. 363-64, n. 772.
[2] Ed. *Bullarium*, cit., pp. 493-94, n. 1003.
[3] Manca l'originale. Ed. *Bullarium* cit., p. 584, n. 1153.

Documenti relativi al ciclo pittorico di Santa Rosa a Viterbo

(a cura di Federica Papi)

1. Rogito notarile della Curia Diocesana Viterbese conservato presso l'Archivio Comunale di Viterbo, pubblicato da Cristofori 1888, pp. 17-19.

In nomine Dni Amen. Anno a nativitate ejusdem MDCXXXII. Indizione XV, die XXXI. Augusti Pontificatus autem SS.D.N. in Xpo. Patris Dni. Urbani Divina Providentia PP. VIII. Anno ejus X., coram Emo. Et Rmo. Dno Tiberio tt. Stae. Priscae S. R. Eccl. Presb. Card. Muto Episc. Viterbien et Tuscanen. Die XXXI. Aug. 1632, die Martis, pro Rmis Monialibus Monrii S. Rosae Civitatis Viterbien., comparuit Illmus. Ed Adm. Rdus. Dnus. Carolus Persianus de earundem mandato et speciali commissione et dixit: qualiter corpus ecclesiae dicti Monrii S. Rosae nuper instaurari debet, et quia in parietibus illius, circum circa, sunt et apparent depictae nonnullae historiae vitae, piarumque actionum et miracolorum S. Rosae, manu Dni Benotii De Florentia, tunc temporis celebris Pictoris, de anno 1453, cum descriptionibus (sic, *inscriptionibus*) in extremotatibus cujuscunque illarum; petiit, nomine bedictarum Monalium, ad perpetuam rei memoriam, et ad omnem alium meliorum finem et effectum mandari, per me Cancellarium infrascriptum, dictae inscriptiones transumptari, extrahi, et exemplari fideliter, prout apparent, dictasque picturas per aliquem ex pictoribus, prout jacent copiari, in congruam formam reduci, et in actis meis redigi, aliaque fieri quae Eminentiae Vestrae Remae in praemissis videbuntur magis expedire.

Emus. Et Rmus. Dnus. Card. Mutus Episcopus sedens, etc. Visis, etc., mandavit per Dnum Franciscum Sabatinum Urbevetanum, Viterbii degentem, picturas dictarum historiarum ad perpetuam rei memoriam fideliter, prout jacent, copiari et exemplari, prout per me cancellarium Epalem. Earum inscriptiones, in extremitatibus historiarum existentes extrahi de verbo ad verbum, prout apparent, diligenter transumptari, et in actis Curiae Episcopalis ad omnem bonum finem, et effectum redigi, et registrari omni modo meliori.

Successive, statim, et incontinenti, ego Notarius et Cancellarius infrascriptus, de ordine Emi. Et Rmi. Dni. Mei Cardinalis. Muti, Epi. Viterbien. Et Tuscanen. Me contuli una cum testibus infrascriptis, ad ecclam Stae. Rosae, Civitatis, Viterbien., in qua descripsi historias S. Rosae, existentes in parietibus illius circum circa: illarumque inscriptiones fideliter, prout jacent extraxi, transumptavi, modo et forma infrascriptis, videlicet.

Prima historia. Est dipicta in pariete dictae ecclesiae a latere epistolae, quae indicat mulierem jam defunctam a suis deploratam, miraculose a B. Rosa ad vitam revocatam, cum infrascripta descriptione, videlicet. *B. Rosa, cum esset IIIum annorum suis precibus et meritis Avunculam mortuam ad vitam revocavit.*

Historia seconda. In secunda istoria, quae ad praesens extat eodem in latere, tertium occupat locum, et inspicitur: in secundo enim collocatum fuerat organum, et modo capella ibi construitur. Christum crucifixum B. Rosae apparentem rapraesentat. Inscriptio subest, infrascripti tenoris: *Inscriptio. Christus crucifixus apparet B. Rosae, quae commota compassione decapillavit se, maxima cum devotione, et fuit ita inflammata, et repleta gratia, quod exivit de domo, et praedicabat de rebus divinis, adeo, quod unusquisque credebat suae praedicationi.*

Historia Tertia. III. Tertia Historia, et ultima in dicto latere, demonstrat per Iudicem, pro tribunali reddentem, contra B. Rosam indignatione commotum, sententiam promulgari. *Inscriptio illius est* (sic). *A Praefecto Civitatis Viterbien. Pro Federico Imperatore B. Rosa cum parentibus exulari compulsa est, sub poena capitis, et bonorum confiscatione.*

Historia Quarta. Quarta historia in parte parietis e conspectu Altaris Majoris, supra portam Ecclesiae existens, continet Beatae Virginis Rosae e civitate Viterbii discessum, cum apparitione Angeli et verbis subscriptis: *Praefectus stans Viterbii, pro Federico Imperatore haeretico, B.* (sic) *Rosa exulare jussit, quae postero die Suriani, Angeli edocta oracula, mortem Imperatori praedixit.*

Quinta historia. V. Quinta historia, indicat B. Rosam in quoddam oppidum ingredientem, ad cujus pedes mulier coeca genuflexa conspicitur, cum hac inscriptione. *Eadem B. Rosa postea Viturclanum ivit, ubi honorifice suscepta, muliebri coecae a nativitate cum signo crucis visum restituit.*

Historia Sexta. VI Sexto loco subsequitur historia repraesentans B. Rosam, in medio flammarum stantem, ad ejusque pedes mulieres prostratam, cum his verbis. *Inscriptio. Nec non in ardentes flammas conjecta, et illaesa evadens, haereticam convincit et ad fidem convertit.*

Historia Septima. VII. Septimo loco juxta seriem historiae, ultima in parte parietis a latere Evangelii prosequitur historia, in qua apparet depictum Monrium, Monialesque illius cum B. Rosa colloquentes, cum infrascripta descriptione. *Inscriptio. B. Rosa Tertii ordinis Sancti Francisci cupiens fieri VII. annorum Monialis in hoc Monrio adiit Praefectas rogans ut eam in earum numero reciperent: quibus dicentibus non posse illam recipere, predixit quam vivam non recipiebant, mox mortuam habituras: quae postea sepulta est in eccla S. M. de Podio.*

Historia Octava. VIII. Octavo loco conspicitur historia repraesentans S. Rosae apparitionem, post ejus obitum, in somnis Summo Pontifici habitam cum descriptione hac, videlicet. *Inscriptio. Circa Annum Dni 1260, esistente Viterbii Alexandro PP. IV ter ei apparuit B. Rosa, cujus corpus in eccla S. M. IN Podio sepultum jacebat, quod dictus Pontifex exumari fecit, et integrum et incorruptum repertum inde transtulit.*

Ultima historia. Ultimo loco repraesentatur honorificentissima translatio, cum summi Pontificis, plurimorum S. R. E. Cardinalium, Praelatorum Cleri, populique Viterbien. Interventu, cum inscriptione seguenti: *Inscriptio. Unde ex dicta ecclia sublatum cum magno populi Viterbien. Comitatu ad hanc Ecclam. Divae Mariae, de Rosis tunc dictam, postea S. Rosae, honorifice detulit et collocavit, et* (ibi) *plurimis claret miraculis.*

In secunda historia ubi B. Rosa exibetur praedicans, in lapide cui insistit,

habetur inscriptio in gyro. BENOTIUS DE FLORENTIA MCCCCLIII.
Quae omnia et singula praemissa ego cancellarius Episcopalis infrascriptus vidi, discripsi, adnotavi, extraxi, et prout jacent, de verbo ad verbum fideliter, pro veritate ad futuram memoriam. Transumptavi, extractaque et transumptata, cum inscriptionibus praedictis collationata, concordare inveni, his omnibus et singulis partibus, et assistentibus Illmo. et adm. D. Carolo Persiano. Canco. S. Sixti; Adm. R.P.D. Cherubino Rosato, Monaco Ord. Cisterciensis, Paroco dictae ecclaé (?), et D. Paulo Pasciolo Romano, incola Viterbien; quibus etiam praefatas descriptiones ut supra extractas, cum exemplaribus concordes perlegi. Testibus ad praedicta omnia et singola vocatis, habiti specialiter, atque rogatis.
Die 20 Novembris Comparuit in cancelleria episcopali coram me Cancellario, D.nus Franciscus Sabatinus Pictor Urbeventanus, ad praesens incola civitatis Viterbii, et exposuit alias habuisse in mandatis de exemplando, seu copiando, quasdam historias picturis existentes circum circa parietes intus ecclesiam S. Rosae, in cujus mandati executionem et adimplementum fideliter copiasse, extraxisse et exemplasse IX. historias vitae actionum piarum et miraculorum affirmavit, incipiendo a latere Epistolae, e prima historia quae representat miraculum praedefunctae mulieris, ad vitam revocatae, usque ad ultimam historiam indicantem translationem corporis B. Rosae, quas mihi sic ectractas consignavit, in presenti libro redactas, pasque medianti etc. (?) tanquam ab eo fideliter extractas recognovit, et affirmavit omnia et singola in eis contenta et depicta fuisse et esse uniformia historiis, ut supra existentibus in dicta eccla S. Rosae, prout jacent, juravitque etc., praesentibus in Cancellaria Episcopali Dno Locterio de Locteriis, et Nicolao Pasciolo Viterbiensibus, testibus.
Die 21 Nov. 1632 Pro Venerabili Monrio. et RR. Monialibus S. Rosae comparuit Illmus ed ad m: R.D. Carolus Persianus, Deputatus, et habita notitia fuisse... (manca l'ultimo foglio con il resto dell'atto)

2. Viterbo, Archivio Monastero Santa Rosa (VASR), *Memorie antiche / Scancia, n. 2 B*,
s.d. ma post 1462

[...] Et prima di narrare ciascuna cosa di distintamente et degna cosa Imprima incomenzare alle cose divinitus al cultu divino dedicate come sonno opere facte nella ecclesia predicta et circha al cultu divino opportune et necessarie. Et anque quanto allornamento del glorioso corpo della beata rosa. Et imperò dequesti incomenzeremo distintamente adire. Et primo.
Trovata per le antique donne la predetta ecclesia quale antiquamente se chiamava Sancta maria delle rose et al presente per Lamiraculosa traslazione come fu piacere adio facta del corpo della beata vergine rosa da la ecclesia de Sancta maria del poggio dove prima fu seppellita al monastero predetto però al presente è chiamata Sancta rosa. In cossì umile et pouero luocho che appena ce era tanto tecto che coprisse le mura della decta ecclesia et tucto male in ordine et mezo scoperto et anque per tucte le circustantie dentro la clausura del decto monasterio tucte ruinose. Et per onorare la predecta ecclesia dove requiesa il decto venerabile corpo Ordinarono spianare et ferone dialtare certi orticelli et casalinj che stavano dinanti alla porta dela decta ecclesia di quella occupavano et adumbrauano et tolliuano amena apparenza. Et cossi spianata la decta piaza perché non era piana ma maleascevile ad salire li feron fare certe schale de pietra per le quali se sale allaltra piaza del portico nanti alla ecclesia del monasterio predecto nella quale edificarono uno portico nanti ala ecclesia sopra quattro Colonne et meza de bella pietra et assai ornato intaglio come appare che tucto fra le decte colonne legnami tegole calcestruzzo intonacato ovvero incollato: sedili de pietra penture et altri apparenti ornamenti et magisterio Montarono ducati centotrentaquattro doro. Dispesi per mano deboni fedeli homini admnistratorj... Duc 134
Anque vedendo La porta della decta ecclesia quale era molto grande et oltradebita et condecente mesura quella reaordinarono et recumpusero nello Acconcio et modo che nel presente tempo appare che tucto fra lavorio de pietre de legnami et magisterio monto ducati sedeci doro... Duc 16
Anque allo primo spatio de socto alla prima entrata della ecclesia quale stava stava molto desiordinata ve ordinarono li sedili de pietra et intonacarono le mura de la decta ecclesia come de presente appare che intuito montarono contucte spese et magisterio ducati cinquanta doro... Duc 50
Tucti questi soprannominati lavori de pietra et de legnamj furono facti per mano de mastro Jacovo De nofrio et de mastro Domenicho alias rempiccia, et per mano de maestro de legnami de maestro [...] et suoi compagni ceptadini viterbesi periti nele arte predecte
Anchora admisero una cappella la quale stava molto in djsconcio che sta pure nel decto spatio de socto della decta ecclesia et quella acconciata et ordinata et factone uno muretto de pietra per mezo el pavimento dela decta ecclesia con sedili de pietra penture et altri evidenti ornamenti per mano del decti marestrj Jacovo et rempiccia costo ducati ventidoi doro... Duc 22
Anchora fero acconciare la cappella della purificatione de nostra Donna con uno tabernacolo de pietra et una cona bene ornata de penture et oro come appariscono facta per mano de mastro francesco pentore de viterbo che costo fra tucte spese ducati quaranta doro... Duc 40
Anchora fero ornare lo altare magiure de una bella et spectabile cona con taule feramenti per sostentamento della decta cona Da parte de tietro con uno sopracelo de taule regulate et dipente et uno nanti altare depento ad fiori et rose tucte opere depentura de mastro francesco sopradecto. Et lopera de legnami per mano de mastro Angelo della Jemminicha che el tucto costo tra penctura et legnami ducati cento doro... Duc 100
Anchora fero fare uno pulpito ovvero palco dove stanno al presente li organi de legname et factovi fare li organi con tucto ornamento apparente per mano de mastro paulo da roma. Et li organi per mano de prete nardo de Jacovo da viterbo. Costarono intuito ducati trenta doro... duc. 30.
Anchora veduto che locchio de vetro elquale sta appie della ecclesia nel muro era tucto svetrato in modo che la

cona dello altare magiure et tucte altre figure dello ornamento della ecclesia ne pativano grande pegioramento per le acque da venti menate le quale per lo decto occhio entravano per questo et anche per ornamento della ecclesia lo ferono de novo invetriare per mano de uno monacho napoletano dellordine de San benedetto che montò tra i vetri et magisterio ducati ventiquattro... Duc. 24
Anchora fero ornare el tecto della detta ecclesia el quale stava tucto scomposto et si vide che quasi ruinava et per quello fero ornare come appare al presente de legnami imbossolati come se usano li tecti et depento per mano de mastro valentino de piccha de viterbo. Et legnamj per mano de mastro Angelo della Jeminicha che tucto infra penture ferramenti legnami costo ducati ducento doro... Duc 200
Anchora per ornamento della decta ecclesia feron pengere li archi de epsa ecclesia per mano de mastro mario de Amelia. Et intorno la decta ecclesia per le sue circonferentie per immortale memoria feron pegnere la istoria de la decta Sancta rosa tucti ad colori fini et ornare doro per mano de maestro Benozo da fiorenza computate le spese facte alli decti maestri et loro salarij de quelle penture montarono ducati trecenti doro... Duc 300
Et anque per fortificatione et migliore munime della venerabile reliquia del corpo de Sancta rosa cioè nella cappella feron fare una grata ferrata con ferrimi condecenti per mano de mastro Simone et donato de baptista da viterbo che costò ducati cinquantadoi doro et uno archo de pietra dove sa iunga la decta ferrata. Tra ferro piombo magistero con uno usciale donne se entra nella decta cappella ducati novanta.
Da poi fero fare una porta de legname intarsiata in lo usciale per lo quale se entra nella cappella dove requiesce el corpo de Sancta rosa che costo tra legnami ferramenti et magisterio ducati septe doro... duc. 7.
Anque per ornamento del decto corpo feron fare una cassa de legname depenna de miracoli de epsa Sancta rosa con altri apparenti ornamenti con colori et oro fino per mano de mastro Francesco pentore viterbese che monto ducati ventiquattro doro... duc. 24.
Anque per interiore ornato del decto Sancto corpo per una coperta de broccato vellutato alexandrino et un altra coperta de velluto fiorito. Et per un altra coperta di velluto cremisino ornato con meza libra de perle che montarono in tucto ducati octanta doro... duc. 80.
Anque per fornimento de uno campanile et una campana nova per uso della decta ecclesia lo quale campanile fe mastro Stephano lombardo Et la campana la fe sancti dalle campane viterbese. Costarono ducati trentanove... duc. 39.
Anque per li tempi passati alieno per costume le monache del decto monasterio per omne bisogno parlare con loro patri matri fratelli et sorelle et altri parenti andare nella cappella dove sta la veneranda reliquia del corpo della beata rosa dove sono ferrate fortissime rispondenti nella ecclesia per ricevere da quella cappella omne colloquio Et accio che non ve se dicesse se non come deno orazioni Anno facta fare una finestra grande con una ferrata doppia accio che in questa con omne loro parente potessero parlare La quale coresponde in ecclesia che tra magisterio de pietra ferri pietre taule costa ducati cinquanta doro.
De poi le predette cose ornata la ecclesia et la cappella de la gloriosa vergine rosa: Seguendo le decte monache el loro laudabile preposito intervenendo alla loro ecclesia che sta dentro la clausura dove se aggregavano adire el divino officio quella ornarono de uno solaro de sopra con uno Archo Lapideo: et quello ornato de figure et istorie de sancti con schale usciale de pietra et porta de legname per la quale se entra nella decta ecclesia o vero oratorio claustrale. Facto per mano de Jacovo et rempiccia et de mastro Angelo soprannominati lo quale costo ducati ventodoi doro... duc. 22.

Bibliografia di riferimento

Fonti manoscritte:

Baglioni 1548: D. Baglioni, *Registro della chiesa e della sagrestia di San Domenico iniziato nel 1548 da frate Domenico Baglioni*, Perugia, Biblioteca Augusta, ms. 1232, c 2r.

Bennati s.d.: A. Bennati, *Istoria di Montefalco*, Montefalco, Archivio Abbati Trinci (ora Camilli), ms. del sec. XVII.

Bottonio 1570 ca.: T. Bottonio, *Annali o sieno Centurie distinte in quattro membri, dall'anno 1200 al 1578 delle cose più notabili avvenute nel mondo, in Perugia, nell'Ordine Domenicano, nel convento di San Domenico a Perugia e nella Provinicia Romana* (1570 ca.), Perugia, Biblioteca Augusta, ms. 1150 (n. 101), vol. B, c. 42r.

Cristofani 1916 ca.: G. Cristofani, *Inventario delle opere della Pinacoteca Comunale di Foligno*, Biblioteca Comunale di Foligno, ms. C. 140, 1916 ca.

Dorio s.d.: D. Dorio, ms. miscellaneo B.V.1, della Biblioteca Iacobilli di Foligno.

Guiducci 1706: A. Guiducci, *Memorie del Convento di San Domenico di Perugia, compilate da F. Agostino Guiducci, frate del medesimo Convento* (Anno 1706), Perugia, Biblioteca Augusta, ms. 1337.

Pelli Bencivenni 1793: G. Pelli Bencivenni, *Inventario dei Disegni*, GDSU, ms. 102, "1793", 4 voll.

ASR (Archivio di Stato di Roma), Camerale, II, A.B.A., b.6, fasc. 169: *Elenco dei quadri, busti, vasi e statue consegnati a seguito dell'art. VIII dell'Armistizio di Bologna del 23 giugno 1796 e dell'art. XIII del Trattato di Pace di Tolentino del 19 febbraio 1797.*

Arch. Mus. Vat., Cart. V, fasc. 1: *Nota degli Oggetti di Belle Arti ricuperati dal Museo Reale di Parigi e appartenenti allo Stato Ecclesiastico.*

Testi a stampa:

Abate 1952: G. Abate, *Santa Rosa da Viterbo, terziaria francescana (1233-1251)* - Fonti storiche della vita e loro revisione critica, in "Miscellanea Francescana", 52, 1952, pp. 112-278.

Acidini Luchinat 1993: C. Acidini Luchinat, a cura di, *Benozzo Gozzoli. La cappella dei Magi*, Milano 1993.

Acidini Luchinat 1994: C. Acidini Luchinat, *Benozzo Gozzoli*, Firenze 1994.

Acidini Luchinat 1996: C. Acidini Luchinat, *Il giardino fiorentino nello specchio delle arti figurative*, in *Giardini Medicei. Giardini di Palazzo e di Villa nella Firenze del Quattrocento*, a cura di C. Acidini Luchinat, Milano 1996.

Akker 1991: P. van der Akker, *Sporen van vaardigheid*, Abcoude (Olanda) 1991.

Albertini 1863: F. Albertini, *Opusculum de mirabilis novae urbis Romae* [1510], a cura di Schmarsow, Roma 1863

Alce 1984: V. Alce, O.P., *Cataloghi ed indici delle opere del Beato Angelico*, in *Beato Angelico: miscellanea di studi*, a cura della Postulazione Generale dei Domenicani (Pontificia Commissione Centrale per l'Arte Sacra in Italia), Roma 1984, pp. 351-405.

Alloisi 1992: S. Alloisi, *La Galleria Nazionale d'Arte Antica. Galleria Corsini*, Roma 1992.

Ames-Lewis 1979: F. Ames-Lewis, *Domenico Veneziano and the Medici*, in "Jahrbuch der Berliner Museen", XXI, 1979, pp. 68-74.

Ames-Lewis 1995: F. Ames-Lewis, *Benozzo Gozzoli's Rotterdam Sketchbook Revisited*, in "Master Drawings", XXXIII, 1995, 4, pp. 338-403.

Ames-Lewis 1998: F. Ames-Lewis, *Training and practice in the early Renaissance workshop: Observations on Benozzo Gozzoli's Rotterdam sketchbook*, in *Drawing, 1400-1600: Invention and Innovation*, ed. S. Currie, Aldershot 1998, pp. 26-44.

Ames-Lewis 2000a: F. Ames-Lewis, *Drawing in Early Renaissance Italy*, rev. edition, New Haven-London 2000.

Ames-Lewis 2000b: F. Ames-Lewis, *Reconstructing Benozzo Gozzoli's artistic identity*, in *Fashioning Identities in Renaissance Art*, a cura di M. Rogers, Aldershot / Brookfield 2000, pp. 33-43.

Anderson 1994: J. Anderson, *Salvare gli affreschi del Rinascimento italiani: la missione di H.Layard*, in A.H. Layard, *Giovanni Sanzio and his fresco at Cagli*, a cura di R. Varese, Firenze 1994.

Andreani 1996: L. Andreani, *I documenti*, in *La Cappella Nova o di San Brizio nel Duomo di Orvieto*, a cura di G. Testa, Milano 1996, pp. 422-466.

Andrews 1964: K. Andrews, *The Nazarenes. A Brotherhood of German Painters in Rome*, Oxford 1964.

Angelini 1986: A. Angelini, *Disegni italiani del tempo di Donatello*, catalogo della mostra, Firenze 1986.

Angelini 1987: A. Angelini, *Un dipinto a Priverno: ipotesi di attribuzione a Benozzo Gozzoli*, in "Bollettino dell'Istituto di Storia e di Arte del Lazio Meridionale", XII, 1987, pp. 207-210.

Antonioli Martelli 1966: V. Antonioli Martelli, Scheda 14, in *Manoscritti biblici ebraici decorati provenienti da biblioteche pubbliche e private*, catalogo della mostra (Milano, Castello Sforzesco 2-28 marzo 1966), a cura di V. Antonioli Martelli e L. Mortara Ottolenghi, Milano 1966, pp. 59-60.

Avery 1986: C. Avery, *L'invenzione dell'umano. Introduzione a Donatello*, Firenze 1986.

Baetjer 1995: K. Baetjer, *European Paintings in the Metropolitan Museum of Art. A Summary Catalogue*, New York 1995.

Baldini 1970: U. Baldini, *L'opera completa dell'Angelico*, presentazione di E. Morante, Milano 1970.

Baldini 1986: U. Baldini, *Beato Angelico*, Firenze 1986.

Barone 1999: G. Barone, *Istituzioni e vita religiosa a Sermoneta nel Medioevo*, in *Sermoneta e i Caetani. Dinamiche politiche, sociali e culturali di un territorio tra medioevo ed età moderna*. Atti del Convegno della Fondazione Camillo Caetani (Roma-Sermoneta, 16-19 giugno 1993), Roma 1999, pp. 77-83.

Battaglia 1961ss.: S. Battaglia, a cura di, *Grande dizionario della lingua ita-*

liana, Torino 1961ss..

Bazin 1949: G. Bazin, *Fra Angelico*, Paris 1949.

Beissel 1905: S. Beissel, *Fra Giovanni Angelico da Fiesole*, Freiburg 1905.

Bellelli 1990a: A. Bellelli, *Benozzo Gozzoli: storie della vita di San Francesco*, in *Museo Comunale di San Francesco a Montefalco*, a cura di B. Toscano, Perugia 1990, pp. 110-114.

Bellelli 1990b: A. Bellelli, *Pittore folignate, 1450-1460 ca.*, in *Museo Comunale di San Francesco a Montefalco*, a cura di B. Toscano, Perugia 1990.

Bellosi 1984: L. Bellosi, *Il Museo di San Marco*, in "Prospettiva", 37, 1984, pp. 87-88.

Bellosi 1990: L. Bellosi, a cura di, *Pittura di luce. Giovanni di Francesco e l'arte fiorentina di metà Quattrocento*, catalogo della mostra (Firenze, Casa Buonarroti, 16 maggio-20 agosto 1990), Milano 1990.

Bellosi 1992: L. Bellosi, a cura di, *Una scuola per Piero. Luce, colore e prospettiva nella formazione fiorentina di Piero della Francesca*, catalogo della mostra (Firenze, Uffizi, 27 settembre 1992 - 10 gennaio 1993), Venezia 1992.

Bellosi 1996: L. Bellosi, *Una testimonianza su Dino Dini e sull'Angelico a San Marco*, in *Gli affreschi del Beato Angelico nel Convento di San Marco a Firenze*, a cura di D. Dini, Torino 1996, pp. 19-28.

Benfante-Perretti 1989: A. Benfante, P. Perretti, *I chiostri e il Museo di San Marco*, in *La chiesa e il convento di San Marco a Firenze*, I, Firenze 1989, pp. 303-390.

Berenson 1896: B. Berenson, *The Florentine Painters of the Renaissance*, New York-London 1896.

Berenson 1903: B. Berenson, *The Drawings of Florentine Painters*, London 1903, 2 voll.

Berenson 1909: B. Berenson, *The Florentine Painters of the Renaissance*, New York - London 1909[3].

Berenson 1932: B. Berenson, *Italian Pictures of the Renaissance*, Oxford 1932.

Berenson 1936: B. Berenson, *Pitture italiane del Rinascimento*, Milano 1936.

Berenson 1938: B. Berenson, *The Drawings of the Florentine Painters. Amplified Edition*, Chicago 1938, 3 voll.

Berenson 1950: B. Berenson, *Un codice illustrato dal Maestro di San Miniato*, in "Rivista d'Arte", XXVI, s. III, I, 1950, pp. 93-101.

Berenson 1951: B. Berenson, *Miniatures probably by the Master of the San Miniato Altarpiece*, in *Beiträge für Georg Swarzenski zum 11. Januar 1951*, Berlin 1951, pp. 96-102.

Berenson 1961: B. Berenson, *I disegni dei pittori fiorentini*, Milano 1961.

Berenson 1963: B. Berenson, *Italian Pictures of the Renaissance. Florentine School*, London 1963.

Berenson 1968: B. Berenson, *Italian Pictures of the Renaissance. Central Italian and North Italian Schools*, London 1968

Bernacchioni 1997: A.M. Bernacchioni, *Opere di Benozzo per Firenze, conservate fuori sede*, in Padoa Rizzo 1997a, pp. 48-52

Bernardini 1906: G. Bernardini, *Le Gallerie Comunali dell'Umbria*, in "Bollettino Ufficiale del Ministero della Pubblica Istruzione" (estratto), Roma 1906, pp. 3-114

Bernardino da Siena 1880: Bernardino da Siena, *Le prediche volgari di San Bernardino da Siena dette nella Piazza del Campo l'anno 1427*, I, a cura di L. Banchi, Siena 1880.

Bernardino da Siena 1950-65: Bernardino da Siena, *S. Bernardini Senensis ordinis fratrum minorum Opera Omnia*, tomo I, a cura di P. M. Perantoni, e P. A. Sepinski, Firenze 1950-65.

Berthier 1910: J.J. Berthier, *L'Eglise de la Minerve*, Roma 1910.

Berti 1967: L. Berti, *Angelico*, Firenze 1967.

Bertorello 1988: C. Bertorello, *Restauri antichi e moderni nella Cappella di San Brizio*, in *Il Duomo di Orvieto*, a cura di L. Riccetti, Roma-Bari 1988, pp. 217-229.

Bertorello 1996: C. Bertorello, *La tecnica della pittura di Beato Angelico e Luca Signorelli*, in *La Cappella Nova o di San Brizio nel Duomo di Orvieto*, a cura di G. Testa, Milano 1996, pp. 326-349.

Biasiotti 1913: G. Biasiotti, *Affreschi di Benozzo Gozzoli in S. Maria Maggiore in Roma*, in "Bollettino d'Arte", VII, 1913, pp. 76-86.

Bietti 1983: M. Bietti, *Gaddo Gaddi: un'ipotesi*, in "Arte Cristiana", LXXI, 1983, pp. 49-52.

Biganti 1998: T. Biganti, *Un prestigio da riconquistare: la famiglia Guidalotti nella prima metà del XV secolo*, in *Beato Angelico e Benozzo Gozzoli: artisti del Rinascimento a Perugia*, catalogo della mostra (Perugia, Galleria Nazionale dell'Umbria, 13 dicembre 1998 - 11 aprile 1999), a cura di V. Garibaldi, Cinisello Balsamo 1998, pp. 102-111.

Bisogni 1997: F. Bisogni, *Iconografia lauretana: prototipi e sviluppi*, in *Loreto. Crocevia religioso tra Italia, Europa e Oriente*, catalogo della mostra, a cura di F. Citterio e L Vaccaro, Brescia 1997, pp. 329-347.

Bober 1988: J. Bober, *Scuola del Beato Angelico*, in *I grandi disegni italiani del Fogg Museum di Cambridge*, a cura di A. Mongan, K. Oberhuber, Milano 1988.

Bolaffi 1974: *Gozzoli, Benozzo di Lese*, in *Dizionario Enciclopedico Bolaffi dei pittori e degli incisori italiani*, VI, Torino 1974, pp. 124-126.

Bollati 1997: M. Bollati, *Una nota per Beato Angelico miniatore e un Messale ritrovato*, in *Settanta studiosi italiani. Scritti per l'Istituto Germanico di Storia dell'Arte di Firenze*, a cura di C. Acidini Luchinat, L. Bellosi, M. Boskovits, P.P. Donati, B. Santi, Firenze 1997, pp. 81-86.

Bombe 1912: W. Bombe, *Geschichte der Peruginer Malerei bis zu Perugino und Pinturicchio*, Berlin 1912.

Bonaventura 1886: Bonaventura di Bagnoregio, *S. R. E. Cardinalis Bonaventurae... Opera Omnia*, XII, Paris 1886.

Bonsanti 1990: G. Bonsanti, a cura di, *La chiesa e il convento di San Marco*, II, Firenze 1990.

Bonsanti 1998: G. Bonsanti, *Beato Angelico. Catalogo completo*, Firenze 1998.

Bon Valsassina 1998: C. Bon Valsassina, *Il Purismo religioso e Beato Angelico*, in *Beato Angelico e Benozzo Gozzoli. Artisti del Rinascimento a Perugia*, catalogo della mostra (Perugia, Galleria Nazionale dell'Umbria, 13 dicembre 1998 - 11 aprile 1999), a cura di V. Garibaldi, Cinisello Balsamo 1998, pp. 92-101.

Borghini 1967: R. Borghini, *Il Riposo*, ristampa anastatica, Milano 1967.

Borsi 1992: F. S. Borsi, *Paolo Uccello*, Paris 1992.

Boskovits 1976: M. Boskovits, *Appunti sull'Angelico*, in "Paragone", XXVII, 1976, 313, pp. 30-54.

Boskovits 1983: M. Boskovits, *La fase tarda del Beato Angelico: una proposta di interpretazione*, in "Arte Cristiana", LXXI, 1983, pp. 11-24.

Boskovits 1994: M. Boskovits, *Arte e formazione religiosa: il caso del Beato Angelico*, in *Immagini da meditare. Ricerche su dipinti di tema religioso nei secoli XII-XV*, Milano 1994, pp. 369-395.

Boskovits 1995: M. Boskovits, *Attorno al Tondo Cook: precisazioni sul Beato Angelico, su Filippo Lippi e altri*, in "Mitteilungen des Kunsthistorischen Institutes in Florenz", XXXIX, 1995, 1, pp. 32-68.

Bragazzi 1864: G. Bragazzi, *La Rosa dell'Umbria, ossia piccola guida storica artistica di Foligno e città contermine: Spello, Assisi, Nocera, Trevi, Montefalco, Bevagna, Bastia e Connara*, Foligno 1864.

Brancia de Apricena 2000: M. Brancia de Apricena, *Il complesso dell'Aracoeli sul colle capitolino (IX-XIX secolo)*, Roma 2000.

Brook 1998: C. Brook, *Il restauro degli affreschi in San Francesco a Montefalco*, in Rinaldi 1998, pp. 460-487.

Brunelleschi e Donatello 1989: *Brunelleschi e Donatello nella Sagrestia Nuova di San Lorenzo*, Firenze 1989.

Bullarium 1929: *Bullarium Franciscanum continens Institutiones Epistolas diplomata romanorum pontificum Eugenii IV et Nicolai V ad tres ordinis S. P. N. Francisci spectantia*, I, a cura di U. Huntemann, Roma 1929.

Bulletti 1935: E. Bulletti, *La Madonna di Porta Camollia*, in "Bollettino di Studi Bernardiniani", IV, 1935, pp. 148-156.

Buranelli 2001: F. Buranelli, a cura di, *Il Beato Angelico e la Cappella Niccolina. Storia e restauro*, Novara 2001.

Burckhardt 1855: J. Burckardt, *Der Cicerone*, Basel 1855.

Bussagli 1992: M. Bussagli, *Identificazione di un imperatore*, in "Art e dossier", 67, 1992, pp. 6-14.

Bussagli 1998: M. Bussagli, *Implicazioni astrologiche nel Corteo dei Magi di Benozzo Gozzoli in Palazzo Medici Riccardi a Firenze*, in "Storia dell'Arte", 93/93, 1998, pp. 183-195.

Bussagli 2002: M. Bussagli, *Le ali dell'invisibile*, in "Art e dossier", 105, 2002, pp. 36-41.

Bussi 1742: F. Bussi, *Istoria della città di Viterbo*, Roma 1742.

Button 1997: V. Button, *The Arundel Society-tecniques in the art of copying*, in "V&A.Conservation Journal", April 1997, pp. 16-19.

Byam Shaw 1983: J. Byam Shaw, *The Italian Drawings of the Frits Lugt Collection*, Parigi 1983.

Caetani 1926: G. Caetani, *Epistolarium Honorati Caietani, lettere familiari del Cardianl Scarampo e corrispondenza della guerra angioina (1450-1467)*, Sancasciano Val di Pesa 1926.

Caglioti 1987: F. Caglioti, *Per il recupero della giovinezza romana di Mino da Fiesole: il 'Ciborio della Neve'*, in "Prospettiva", 49, 1987, pp. 15-32.

Caglioti 1995: F. Caglioti , *Donatello, i Medici e Gentile de' Becchi: un po' d'ordine intorno alla 'Giuditta' (e al 'David') di Via Larga. II*, in "Prospettiva", 78, 1995, pp. 22-55.

Caglioti 2000: F. Caglioti, *Donatello e i Medici. Storia del David e della Giuditta*, Firenze 2000.

Calvesi 2001: M. Calvesi, *Gli affreschi del Beato Angelico nella Cappella Niccolina*, in Buranelli 2001, pp. 45-62.

Carattoli-Guardabassi-Rossi Scotti 1929 [1863]: L. Carattoli, M. Guardabassi, G. Rossi Scotti, *Descrizione del santuario di San Francesco d'Assisi* [1863], in *Due preziose descrizioni della Basilica francescana di Assisi*, in "Regia Deputazione di Storia Patria per l'Umbria", Perugia 1928, pp. 89-227

Cardini 1991: F. Cardini, *La Cavalcata d'Oriente*, Roma 1991.

Cardini 2001: F. Cardini, *I re Magi di Benozzo a Palazzo Medici*, Firenze 2001.

Cardini-Padoa Rizzo-Regoliosi 2001: R. Cardini, A. Padoa Rizzo, M. Regoliosi, a cura di, *Benozzo Gozzoli. Le Storie di Sant'Agostino a San Gimignano*, atti del convegno (San Gimignano, Centro Studi sul Classicismo, ottobre 1998), Roma 2001.

Carotti 1900: G. Carotti, *Notizie di Lombardia*, in "L'Arte", III, 1900, p. 424.

Carotti 1901: G. Carotti, *Una tavoletta di Benozzo Gozzoli*, in "Rassegna d'Arte", I, 1901, pp. 72-74.

Cartier 1857: E. Cartier, *Vie de Fra Angelico*, Paris 1857.

Casimiro da Roma 1736: Casimiro da Roma, *Memoria istorica della Chiesa e convento di Santa Maria in Aracoeli*, Roma 1736.

Castelfranchi Vegas 1983, ed. 1998: L. Castelfranchi Vegas, *Italia e Fiandra nella pittura del Quattrocento*, Milano 1983, ed. 1998, pp. 49-73, 189-229.

Castelfranchi Vegas 1989: L. Castelfranchi Vegas, *L'Angelico e l'Umanesimo*, Milano 1989.

Castellani 1959: C. Castellani, *Narni*, Spoleto 1959.

Catalogo 1810 ca.: *Catalogo de' Capi d'Opera di Pittura, Scultura, Antichità, Libri, Storia Naturale, ed altre curiosità trasportati dall'Italia in Francia* (seconda edizione, fatta su quella di Venezia del 1799), Milano s.a. [ma 1810 ca.]

Catalogo dei forti terremoti 1995: *Catalogo dei forti terremoti in Italia dal 461 a.C. al 1980*, Bologna 1995.

Catalogo del Museo Civico 1908: *Catalogo del Museo Civico di Foligno*, Foligno 1908.

Catalogo della Mostra 1907: *Catalogo della Mostra di antica arte umbra*, Perugia 1907.

Catalogo delle pitture 1893: *Catalogo delle pittura ed altri oggetti d'arte esistenti nella Pinacoteca Comunale di Foligno pubblicato il 30 Aprile 1893*, Foligno 1893.

Catalogue 1808: *A Catalogue of the Harleian Manuscripts in the British Museum with indexes of persons, places and matters*, II, London 1808.

Cavallaro 1992: A. Cavallaro, *Antoniazzo Romano e gli Antoniazzeschi*, Udine 1992.

Cavallaro-Cianfarini 2000-01: A. Cavallaro, A. Cianfarini, *La pittura rinascimentale a Roma da Martino V ad Alessandro VI (1420-1503)*, Roma 2000-01.

Cavallo 1994: G. Cavallo, a cura di, *Pregare nel segreto. Libri d'Ore e testi di spiritualità nella tradizione cristiana*, catalogo della mostra (Roma, Biblioteca Vallicelliana, 25 maggio-31 luglio 1994), Roma 1994.

Cecchini 1932: G. Cecchini, *La Galleria Nazionale dell'Umbria in Perugia*, Perugia 1932.

Ceccotti 1872: L. Ceccotti, *Descrizione di nove storie dipinte da Benozzo Bozzoli nel 1453*, Viterbo 1872.

Cenci 1974: C. Cenci, *Documentazione di vita assisana*, I, *1300-1448*, Grottaferrata 1974.

Cennini 1999 [1400 circa]: C. Cennini, *Il Libro dell'Arte*, circa 1400, edizione a cura di M. Serchi, Firenze 1999.

Chelazzi Dini 1997: G. Chelazzi Dini, *Il Quattrocento. La terra del "Rinascimento umbratile"*, in G. Chelazzi Dini, A. Angelini, B. Sani, *Pittura Senese*, Milano 1997, pp. 232-234.

Chiuni 1980: G. Chiuni, *Montefalco*, in *Storia dell'arte italiana. Inchieste su centri minori*, I, Torino 1980, 199-231.

Christiansen 1990: K. Christiansen, *Exhibition Reviews: Florence. Masaccio and the 'Pittura di Luce'*, in "Burlington Magazine", CXXXII, 1990, (October), pp. 736-739.

Ciardi Dupré Dal Poggetto 1973: M.G. Ciardi Dupré Dal Poggetto, *Note sulla miniatura fiorentina del Quattrocento, in particolare su Zanobi Strozzi*, in "Antichità viva", XII, 1973, 4, pp. 3-10.

Clayton 1993: M. Clayton, *Seven Florentine Heads. Fifteenth-Century Drawings from the Collection of Her Majesty The Queen*, Toronto 1993.

Colalucci-Mancinelli 1983: G. Colalucci, F. Mancinelli, *Decorazione ad affresco dell'ex cappella di San Michele*, in "Bollettino Monumenti Musei Gallerie Pontificie", 1983, pp. 101-110.

Cole [Ahl] 1977: D. Cole [Ahl], *Fra Angelico: A New Document*, in "Mitteilungen des Kunsthistorischen Institutes in Florenz", XXI, 1977, pp. 95-100.

Cole Ahl 1981: D. Cole Ahl, *Fra Angelico. A New Chronology for the 1430s*, in "Zeitschrift für Kunstgeschichte", XLIV, 1981, pp. 133-158.

Cole Ahl 1992: D. Cole Ahl, *Benozzo Gozzoli's Santa Rosa da Viterbo Cycle*, in *The Decorum of Saintly Narrative*, a cura di F.Ames-Lewis e A. Bednarek, London 1992.

Cole Ahl 1996: D. Cole Ahl, *Benozzo Gozzoli*, New Haven-London 1996 (trad. it. Cole Ahl 1997).

Cole Ahl 1997: D. Cole Ahl, *Benozzo Gozzoli*, Cinisello Balsamo 1997.

Cole-Ahl 2000: D. Cole-Ahl, *'In corpo di compagnia'. Art and Devotion in the Compagnia della Purificazione e di San Zanobi of Florence*, in *Confraternities and the Visual Arts in Renaissance Italy*, ed. B. Wisch, D. Cole Ahl, Cambridge (MA) 2000, pp. 46-73.

Cole Ahl c.s.: D. Cole Ahl, *"Qualis sit pictor prefatus inspice lector": le opere di Benozzo Gozzoli in Umbria*, in *Benozzo Gozzoli 1420 ca.-1497*, convegno internazionale di studi, Firenze, in corso di stampa.

Collobi Ragghianti 1950: L. Collobi Ragghianti, *Zanobi Strozzi pittore*, in "Critica d'Arte", XXXII, 1950, pp. 454-473; XXXIII, pp. 17-27.

Collobi Ragghianti 1955: L. Collobi Ragghianti, *Studi Angelichiani*, in "Critica d'Arte", n.s., IX, 1955, pp. 22-47.

Collosi 1940: G. Collosi, *Il Palazzo dei Priori e il Palazzo del Podestà del Comune di Narni*, Narni 1940.

Colvin 1914-15: S. Colvin, *Benozzo Gozzoli*, in "Vasary Society", 1, ser. 10, 1914-1915, n. 1.

Contaldi 1928: E. Contaldi, *Benozzo Gozzoli*, Milano 1928.

Conti 1988: A. Conti, *Storia del restauro e della conservazione dell'opera d'arte*, Milano 1988.

Cooper 1978: R. Cooper, *The Popularization of Renaissance Art in Victorian England: The Arundel Society*, in "Art History", I, 1978, pp. 268-272.

Coretini 1638: P. Coretini, *L'Historia di S. Rosa Viterbese raccolta dal suo Processo e da altre memorie autentiche*, Viterbo 1638.

Cornini 1998: G. Cornini, *La predella del Beato Angelico alla Pinacoteca Vaticana*, in *Beato Angelico e Benozzo Gozzoli. Artisti del Rinascimento a Perugia*, catalogo della mostra (Perugia, Galleria Nazionale dell'Umbria, 13 dicembre 1998 - 11 aprile 1999), a cura di V. Garibaldi, Cinisello Balsamo 1998, pp. 42-49.

Cornini 2000: G. Cornini, *Beato Angelico*, inserto redazionale ad "Art Dossier", 155 2000, (aprile), pp. 37-39.

Covi 1958: D.A. Covi, *The inscription in fifteenth century Florentine Painting*, New York University, Ph. D., 1958.

Cristofani 1907: G. Cristofani, *La mostra di antica arte umbra a Perugia*, in "L'Arte", X, 1907, pp. 286-304.

Cristofori 1888: F. Cristofori, *Memorie Serafiche di Viterbo, La vita di Santa Rosa dipinta a fresco da Benozzo Gozzoli nel 1453*, in "Miscellanea francescana", 3, 1888, pp. 15-19.

Crollalanza 1886-90: G.B. Crollalanza, *Dizionario Storico blasonico delle famiglie notabili italiane estinte e fiorenti*, Roma, 1886-90, 3 voll.

Crowe-Cavalcaselle 1864: J. A. Crowe-G. B. Cavalcaselle, *A New History of Painting in Italy*, I, London 1864.

Crowe-Cavalcaselle 1870: A. J. Crowe, G.B. Cavalcaselle, *A New History of Painting in Italy* London 1870.

Crowe-Cavalcaselle 1898: J.A. Crowe, G.B. Cavalcaselle, *Storia della pittura in Italia dal secolo II al secolo XVI*, VIII, Firenze 1898.

Cust-Horne 1905: L. Cust, H.P. Horne, *Notes on Pictures in the Royal Collections. VIII: The Story of Simon Magus*, in "The Burlington Magazine", VII, 1905, pp. 377-383.

Da Campagnola 1971: S. Da Campagnola, *L'Angelo del sesto sigillo e "alter Christus"*, Roma 1971.

Dalli Regoli 1992: G. Dalli Regoli, *Il disegno nella bottega*, in Gregori-Paolucci-Acidini 1992, pp. 61-69.

Dalli Regoli-Landolfi 1992: G. Dalli Regoli, G. Landolfi, *Un testo profetico medievale in un codice quattrocentesco: i Vaticinia pontificum e il ms. Har-*

ley 1340 della British Library, in *Il codice miniato. Rapporti tra codice, testo e figurazione*, atti del III congresso di Storia della Miniatura (Cortona, 20-23 ottobre 1988), a cura di M. Ceccanti-M.C. Castelli, Firenze 1992, pp. 405-423.

Dal Prà 1990: L. Dal Prà, a cura di, *Bernardo di Chiaravalle nell'arte italiana*, catalogo della mostra (Certosa del Galluzzo), Milano 1990.

Dandolo 1866: T. Dandolo, *Passeggiate per l'Umbria*, Assisi 1866.

Danti-Matteini-Moles-Bandini 1992: C. Danti, M. Matteini, A. Moles, F. Bandini, *La tecnica di esecuzione delle pitture murali*, in *I restauri nel Palazzo Medici Riccardi, Le pitture murali*, a cura di C. Acidini Luchinat, Cinisello Balsamo 1992, pp. 71-75.

Davies 1951: M. Davies, *National Gallery Catalogues. Earlier Italian Schools*, London 1951, pp. 57-59.

De Angelis 1621: P. De Angelis, *Basilicae S. Mariae maioris de Urbe... Descriptio et delineatio*, Roma 1621.

De Benedictis 1984: C. De Benedictis, *La collezione di dipinti di Stefano Bardini o il "Il ratto d'Europa"*, in *Il Museo Bardini a Firenze*, a cura di F. Scalia e C. De Benedictis, I, Firenze 1984, pp. 99-125.

De Floriani 1997: A. De Floriani, *Uno scriba genovese per Zanobi Strozzi*, in *Settanta studiosi italiani. Scritti per l'Istituto Germanico di Storia dell'Arte di Firenze*, a c. di C. Acidini Luchinat, L. Bellosi, M. Boskovits, P.P. Donati, B. Santi, Firenze 1997, pp. 119-124.

Degenhart-Schmitt 1968: B. Degenhart, A. Schmitt, *Corpus der italienischen Zeichnungen 1300-1450*, I, 2, Berlin 1968.

Della Valle 1791: G. Della Valle, *Storia del Duomo di Orvieto*, Roma 1791.

De Marchi 1985: A. De Marchi, *Per la cronologia dell'Angelico: il Trittico di Perugia*, in "Prospettiva", XLII, 1985, pp. 53-57.

Demus 1973: K. Demus, *Kunsthistorisches Museum, Wien. Verzeichnis der Gemälde*, Wien 1973.

De Rinaldis 1932: A. De Rinaldis, *La Galleria Nazionale d'Arte Antica in Roma*, Roma 1932.

De Rossi 1803: I.B. De Rossi, *Codices Hebraici Biblioth.I.B. De Rossi*, Parmae 1803.

Dessins anciens 1927: *Dessins anciens italiens, français...*, catalogo di vendita della Casa Ant. W. M. Mensing, Amsterdam, 5-6 luglio 1927.

D'Este 1821: G. e A. D'Este, *Elenco degli oggetti esistenti nel Museo Vaticano*, Parte I, Roma 1821, pp. 15-16, 33.

Di Fonzo 1947: L. Di Fonzo, *La Mariologia di S. Bernardino da Siena*, in "Miscellanea francescana", XLVII, 1947, pp. 3-102.

Dillon Bussi 1997: A. Dillon Bussi, *La miniatura quattrocentesca per il Duomo di Firenze: prime indagini e alcune novità*, in Fabbri-Tacconi 1997, pp. 79-96

Dillon Bussi 1998: A. Dillon Bussi, *Battista di Niccolò da Padova e Giovanni Varnucci: lo scambio delle parti? (e alcune note su Ricciardo di Nanni)*, in "Rivista di storia della miniatura", 1998, 3, pp. 105-114.

Di Lorenzo 2001: A. Di Lorenzo, *Zanobi Strozzi nella bottega dell'Angelico*, in Di Lorenzo-Zanni 2001, pp. 15-21.

Di Lorenzo-Zanni 2001: A. di Lorenzo, A. Zanni, a cura di, *Omaggio a Beato Angelico. Un dipinto per il Museo Poldi Pezzoli*, catalogo della mostra (Milano, Museo Poldi Pezzoli, 20 settembre-2 dicembre 2001), Cinisello Balsamo 2001.

Dini 1996: D. Dini, *Lo stato di conservazione prima dell'intervento del 1967*, in *Gli affreschi del Beato Angelico nel Convento di San Marco a Firenze*, a cura di D. Dini, Torino 1996, pp. 37-56.

D'Onofrio 1989: C. D'Onofrio, *Visitiamo Roma nel Quattrocento. La città degli Umanisti*, Roma 1989.

Douglas 1900: L. Douglas, *Fra Angelico*, London 1900.

Dunbar-Olszewsky 1996: B.L. Dunbar, E.J. Olszewsky, a cura di, *Drawings in Midwestern Collections. I: Early Works*, Columbia – London 1996.

Egidi 1903: P. Egidi, *I disegni di Benozzo Gozzoli in Santa Rosa da Viterbo* (nozze Hermanin-Hausmann), Perugia 1903.

Eine wiener Sammlung 1930: *Eine wiener Sammlung. Erster Teil, alte Handzeichnungen*, catalogo di vendita delle case C.G. Boerner, Leipzig e P. Graupe, Berlin, 12 maggio 1930.

Elen 1995: A. J. Elen, *Italian Late-Medieval and Renaissance Drawing-Books*, Leiden 1995.

Elenco delle pitture 1870: *Elenco delle pitture ed altri oggetti d'arte esistenti nella Pinacoteca eretta nella chiesa di Betlemme in Foligno*, Foligno 1870.

ENEA 2001: ENEA, *Materiali e tecniche nella pittura murale del Quattrocento*, voll. 1, 2 (parte I e parte II) e 3, Roma 2001.

Engerth 1882: E. Engerth, *Kunsthistorische Sammlungen des Allerhöchsten Kaiserhauses. Gemälde*, I, Wien 1882.

Eroli 1898: E. Eroli, *Descrizione delle chiese di Narni e suoi dintorni, le più importanti rispetto all'antichità e alle Belle Arti*, Narni 1898.

Esposito 1993: A. Esposito, *Guillaume Estouteville*, in *Dizionario Biografico degli Italiani*, 43, 1993, pp. 456-460.

Esposito 1999: A. Esposito, *Religiosità a Viterbo nel Quattrocento*, in *Santa Rosa: tradizione e culto*, atti della giornata di studio (25 settembre 1998), a cura di Silvio Cappelli, Manziana 1999, pp. 37-52.

Esposito Agliano 1980: A. Esposito Agliano, *Testamento e inventari per la ricostruzione della biblioteca del cardinale Guglielmo d'Estouteville*, in *Scrittura biblioteche e stampa a Roma nel Quattrocento. Aspetti e problemi*, atti del seminario (1-2 giugno 1979), Città del Vaticano 1980, pp. 309-342.

Eubel 1898: C. Eubel, *Hierarchia Catholica Medii Aevii*, I, Monasterii 1898.

Exposition de l'Art Italien 1935: *Exposition de l'Art Italien de Cimabue à Tiepolo*, Paris 1935.

Fabbri-Tacconi 1997: L. Fabbri, M. Tacconi, a cura di, *I libri del Duomo di Firenze. Codici liturgici e Biblioteca di Santa Maria del Fiore (secoli XI-XVI)*, catalogo della mostra (Firenze, Biblioteca Medicea Laurenziana, 23 settembre 1997-10 gennaio 1998), Firenze 1997.

Fagliari Zeni Buchicchio 1983: F.T. Fagliari Zeni Buchicchio, *Gli oratori dell'Isola Bisentina dal tempo di Ranuccio Farnese agli interventi di Antonio da Sangallo il giovane*, in *Il Quat-*

trocento a Viterbo, a cura di R. Cannatà, C. Strinati, Roma 1983, pp. 108-132.

Faloci Pulignani 1907: D. M. Faloci Pulignani, *La sala dell'Alunno*, in "Augusta Perusia", II, 1907, pp. 129-145.

Fantozzi 1922: A. Fantozzi, *Documenti perusina de S. Bernardino senensi*, in "Archivum Franciscanum Historicum", XV, 1922, p. 139.

Farnetani 1978: B. Farnetani, *Museo-Tesoro della Basilica di S. Francesco*, Assisi 1978.

Fausti 1932: L. Fausti, *L'iconografia di Sant'Antonio da Padova*, estratto da "Miscellanea francescana", XXXII, V, 1932.

Ferraù 1971: G. Ferraù, *Lorenzo da Pisa*, in *Enciclopedia Dantesca*, III, Roma 1971, pp. 692-693.

Ferri 1881: P.N. Ferri, *Catalogo dei disegni esposti al pubblico nel corridoio del Ponte Vecchio nella R. Galleria degli Uffizi*, Firenze 1881.

Ferri 1890: P.N. Ferri, *Catalogo riassuntivo della Raccolta di disegni antichi e moderni posseduta dalla R. Galleria degli Uffizi di Firenze*, Roma 1890.

Ferri 1907: G. Ferri, *Le carte dell'Archivio Liberiano dal secolo X al secolo XV*, in "Archivio della Società Romana di Storia Patria", XXX, 1907, pp. 119-168.

Forcella 1869-84: V. Forcella, *Iscrizioni delle Chiese e d'altri edifici di Roma dal secolo XI fino ai giorni nostri*, 14 voll., Roma 1869-84.

Forlani Tempesti 1994 A. Forlani Tempesti, *Studiare dal naturale nella Firenze di fine Quattrocento*, in *Florentine drawing at the Time of Lorenzo the Magnificent*, atti del convegno internazionale, (Firenze, Villa Spelman, 1992), Bologna 1994, pp. 1-15.

Fortini 1913: A. Fortini, *R. Galleria d'Arte Antica e Gabinetto delle stampe - Palazzo Corsini - Roma. Elenco delle pitture e delle sculture esposte*, Roma 1913.

Fra Angelico 1955: *Fra Angelico et son siècle*, Paris 1955.

Franci-Ceccanti 1996: A. Franci, M.Ceccanti, *Le miniature del Silio Italico e la formazione di Pesellino*, in "Miniatura", 5/6, 1996, pp. 83-88.

Francia 1964: E. Francia, Tesori della Pinacoteca Vaticana, Milano 1964.

Frenfanelli Cibo 1872: S. Frenfanelli Cibo, *Niccolò Alunno e la scuola umbra*, Roma 1872.

Friedmann 1946: H. Friedmann, *The Symbolic Goldfinch*, Washington (D.C.) 1946.

Frizzoni 1880: G. Frizzoni, *L'arte dell'Umbria rappresentata nella nuova Pinacoteca comunale di Perugia*, Firenze 1880.

Frosinini 1986: C. Frosinini, *Il passaggio di gestione in una bottega pittorica fiorentina del Primo Rinascimento: Lorenzo di Bicci e Bicci di Lorenzo*, in "Antichità Viva", XXV, 1986, 1, pp. 5-15.

Frulli 1987: C. Frulli, *Benozzo Gozzoli*, in *La pittura in Italia. Il Quattrocento*, Milano 1987, pp. 651-652.

Fumi 1885: L. Fumi, *Santa Lucia liberatrice di Orvieto*, in "Archivio storico per le Marche e l'Umbria", 2, 1885, pp. 703-714.

Fumi 1891a: L. Fumi, *Orvieto: note storiche e biografiche*, Città di Castello 1891.

Fumi 1891b: L. Fumi, *Il Duomo di Orvieto e i suoi restauri. Monografie storiche condotte sopra i documenti*, Roma 1891.

Fusconi-Prosperi Valenti Rodinò 1982: G. Fusconi, S. Prosperi Valenti Rodinò, *Note in margine a una schedatura: i disegni del Fondo Corsini nel Gabinetto Nazionale delle Stampe*, in "Bollettino d'Arte", VI, LXVII, 1982, 16, pp. 81-118.

Gamurrini 1673: E. Gamurrini, *Istoria genealogica delle famiglie nobili toscane et umbre*, II, Firenze 1673 (=Bologna 1972).

Garibaldi 1996: V. Garibaldi, a cura di, *Un pittore e la sua città: Benedetto Bonfigli e Perugia*, catalogo della mostra (Perugia, Palazzo dei Priori, Galleria Nazionale dell'Umbria, 8 dicembre 1996 - 4 maggio 1997), Milano 1996.

Garibaldi 1998: V. Garibaldi, *"Quando verrai... portami anche i libri, specialmente le pergamene". Il polittico Guidalotti di Beato Angelico*, in *Beato Angelico e Benozzo Gozzoli. Artisti del Rinascimento a Perugia*, catalogo della mostra (Perugia, Galleria Nazionale dell'Umbria, 13 dicembre 1998 - 11 aprile 1999), a cura di V. Garibaldi, Cinisello Balsamo 1998, pp. 16-41.

Garzelli 1985: A. Garzelli, *Miniatura fiorentina del Rinascimento, 1440-1525. Un primo censimento*, Firenze 1985.

Gatti Perer-Marubbi 1995: M.L. Gatti Perer, M. Marubbi, a cura di, *Tesori Miniati. Codici e Incunaboli dei fondi antichi di Bergamo e Brescia*, catalogo della mostra (Bergamo, Palazzo della Ragione, 3 marzo-1 maggio 1995; Brescia, Monastero di S. Giulia, 18 maggio-16 luglio 1995, Cinisello Balsamo 1995.

Gemäldegalerie 1975: *Gemäldegalerie. Staatliche Museen Preussischer Kulturbesitz. Beschreibendes Katalog der ausgestellten Gemälde des 13.-18. Jahrhunderts*, Berlin 1975.

Giantomassi-Zari 2001: C. Giantomassi, D. Zari, *La tecnica pittorica; lo stato di conservazione; l'intervento di restauro*, in Buranelli 2001, pp. 99-181.

Gilbert 1975: C. Gilbert, *Fra Angelico's Fresco Cycles in Rome: Their Number and Dates*, in "Zeitschrift für Kunstgeschichte", 38, 1975, pp. 245-265.

Gill 1996: M.J. Gill, *"Where the Danger was Greatest": A Gallic Legacy in Santa Maria Maggiore, Rome*, in "Zeitschrif für Kunstgeschichte", 1996, 4, pp. 498-522.

Glasser 1977: H. Glasser, *Artists' Contracts of the early Renaissance*, Columbia University Ph. D. Dissertation [1965], New York-London 1977.

Gnoli 1908: U. Gnoli, *L'Arte umbra alla Mostra di Perugia*, Bergamo 1908.

Gnoli 1921: U. Gnoli, *Mario di ser Nicolò*, in "Rassegna d'arte Umbra", 1921, pp. 51 ss.

Gnoli 1923: U. Gnoli, *Pittori e miniatori nell'Umbria*, Spoleto 1923 (ed. Foligno 1980).

Gordon c.s.: D. Gordon, *Catalogue of the Fifteenth Century Italian paintings in the National Gallery*, I, in corso di stampa.

Grassi-Pepe 1994: L. Grassi, M. Pepe, *Dizionario dei termini artistici*, Milano 1994.

Gregori-Paolucci-Acidini 1992: M. Gregori, A. Paolucci, C. Acidini, a cura di, *Maestri e botteghe. Pittura a Fi-*

renze alla fine del Quattrocento, catalogo della mostra (Firenze, Palazzo Strozzi, 1992-93), Milano 1992.

Gregorovius 1973: F. Gregorovius, *Storia della città di Roma nel medioevo*, Torino 1973.

Grimaldi-Sordi 1995: F. Grimaldi, K. Sordi (a cura di) *L'iconografia della Vergine lauretana nell'arte. I prototipi iconografici*, in *L'iconografia della Vergine lauretana nell'arte*, catalogo della mostra, Loreto 1995, pp. 15-30.

Gronau 1909: G. Gronau, *Benozzo di Lese*, in F. Thieme, U. Becker, *Allgemeines Lexikon der bildenden Künstler*, III, Leipzig 1909, pp. 341-349.

Grundmann 1929: H. Grundmann, *Die Papstprophetien des Mittelalters*, in "Archiv für Kulturgeschichte", XIX, 1929, pp. 77-138.

Guardabassi 1872: M. Guardabassi, *Indice guida dei monumenti pagani e cristiani riguardanti l'istoria e l'arte esistenti nella provincia dell'Umbria*, Perugia 1872 (ed. Bologna 1980).

Guerrini 1997: P. Guerrini, *Propaganda politica e profezie figurate nel tardo Medioevo*, Napoli 1997.

Habig 1983: M. Habig, *Saint Francis of Assisi, Writings and Early Biographies: English Omnibus of the Sources for the Life of Saint Francis*, Chicago 1983.

Habig 1991: M. Habig, *Saint Francis of Assisi, Writings and Early Biographies: English Omnibus of the Sources for the Life of Saint Francis*, Quincy 1991.

Harrold 1988: T. Harrold, *John Ruskin and the Arundel Society*, in "Apollo", march 1988, pp. 180-188.

Haskell 1976: F. Haskell, *Rediscoveries in art: some aspects of taste, fashion and collecting in England and France*, Ithaca (NY) 1976.

Hatfield 1970: R. Hatfield, *The Compagnia dei Magi*, in "Journal of the Warburg and Courtauld Institutes", 33, 1970, pp. 107-161.

Hebrew Manuscripts 2001: *Hebrew Manuscripts in the Biblioteca Palatina in Parma. Catalogue*, ed. by B. Richler, paleographical and codicological description by M. Beit-Arié, Jerusalem 2001.

Heideman 1982: J.E.L. Heideman, *The Cinquecento Chapel in Santa Maria in Aracoeli in Rome*, Amsterdam 1982.

Henderson 1998: J. Henderson, *Pietà e carità nella Firenze del Basso Medioevo*, Firenze 1998.

Hermanin 1910: F. Hermanin, *National Gallery of Ancient Art*, Roma 1910.

Hermanin 1924: F. Hermanin, *Catalogo della R. Galleria d'Arte Antica nel Palazzo Corsini - Roma*, Bologna 1924.

Hermanin 1948: F. Hermanin, *Il Palazzo Venezia*, Roma 1948.

Hertz 1981: A. Hertz, *Fra Angelico*, Freiburg 1981.

Hindman et. al. 1997: S. Hindman, M. Levi D'Ancona, P. Palladino, M.F. Saffiotti, *The Robert Lehman Collection*, IV, *Illuminations*, New York 1997.

Holman Hunt 1897: Holman Hunt, *Religion and Art*, in "Contemporary Review", 71, 1897, pp. 41-52.

Hood 1993: W. Hood, *Fra Angelico at San Marco*, New Haven-London 1993.

Hoogewerff 1930: G. Hoogewerff, *Benozzo Gozzoli*, Paris 1930.

Hurm 1965: O. Hurm, a cura di, *Katalog der Gemäldegalerie*, I, Wien 1965.

Iacopo da Varazze 1995: Iacopo da Varazze, *Legenda Aurea*, a cura di A. e V. Vitale Brovarone, Torino 1995, pp. 26-33.

Il Giubileo 1985: *Il Giubileo di Niccolò V (1450)*, in *Roma Città degli Anni Santi (1300-1875). Atlante*, Milano 1985, pp. 87-99.

Infessura 1890: S. Infessura, *Diario della città di Roma di Stefano Infessura scribasenato*, a cura di O. Tommasini, Roma 1890.

Innocenti 1992: A. Innocenti, *Dispersione degli oggetti d'arte durante la soppressione leopoldina*, in "Rivista d'arte", XLIV, 1992, pp. 351-385.

Jameson 1844: A.B. Jameson, *Companion to the most celebrated Private Galleries of Art in London*, London 1844.

Kanter 2001: L.B. Kanter, *Florentine Illuminations at the Wallraf-Richartz-Museum: Zanobi Strozzi and a proposal for Matteo Pacino*, in "Wallraf-Richartz-Jahrbuch", LXII, 2001, pp. 143-154.

Kanter-Palladino 1999: L.B. Kanter, P. Palladino, *Scheda 22. The Holy Face*, in *The Treasury of Saint Francis of Assisi*, ed. G. Morello and L.B. Kanter, Milano 1999.

Kanter-Palladino 2000: L. B. Kanter, P. Palladino, *Scheda IV.28. Volto Santo*, in *Il volto di Cristo*, a cura di G. Morello e H. Wolf, Milano 2000.

Katalog 1928: *Katalog der Gemäldegalerie*, Wien 1928.

Kinder Carr 1980: C. Kinder Carr, *Aspects of the Iconography of Saint Peter in Medieval Art of Western Europe*, Case Western Reserve University Ph. D. Diss. [1978], Ann Arbor (Mich.) 1980.

Kleinschmidt 1926: B. Kleinschmidt, o.f.m., *Die Basilika San Francesco in Assisi*, Berlin 1926, vol. 2.

Krautheimer 1970: R. Krautheimer, *Lorenzo Ghiberti*, Princeton [1956] 1970, 2 voll.

La chiesa e il convento 1990: *La chiesa e il convento di San Marco a Firenze*, II, Firenze 1990.

Lagaisse 1934: M. Lagaisse, *Benozzo Gozzoli. Les traditions trecentistes et les tendences nouvelles chez un peintre florentin du Quattrocento*, Paris 1934.

Lambert 1987: S. Lambert, *The Image Multipled. Five Centuries of Printed Reproductions of Paintings and Drawings*, London 1987.

Lasinio 1812: C. Lasinio, *Pitture a fresco del Camposanto di Pisa, intagliate dal professore Cav. Carlo Lasinio*, Firenze 1812.

Layard 1903: A.H. Layard, *Autobiography and Letters from his childhood...*, London 1903.

Lebreton-Fiorani 1985: M.M. Lebreton, A. Fiorani, a cura di, *Bibliotecae Apostolicae Vaticanae Codices manu scripti recensisti... Codices Vaticani Latini. Codices 11266-11326*, Biblioteca Apostolica Vaticana 1985.

Legder 1978: T.O. Legder , *A Study of the Arundel Society. 1848-1897*, thesis, Oxford University, St. Hilda's College 1978.

Leroquais 1927: V. Leroquais, *Les Li-*

vres d'heures manuscrits de la Bibliothèque Nationale, I, Paris 1927.

Levi 1988: D. Levi, *Cavalcaselle. Il pioniere della conservazione dell'arte italiana*, Torino 1988.

Levi d'Ancona 1959: M. Levi D'Ancona, *Zanobi Strozzi reconsidered*, in "La Bibliofilia", LXI, 1959, pp. 1-38.

Levi D'Ancona 1962: M. Levi D'Ancona, *Miniatura e miniatori a Firenze dal XIV al XVI secolo. Documenti per la storia della miniatura*, Firenze 1962.

Levi D'Ancona 1977: M. Levi D'Ancona, *The Garden of the Renaissance*, Firenze 1977.

Levi d'Ancona et al. 1995: M. Levi d'Ancona, A. Dillon Bussi, A.R. Fantoni, D. Savelli, a cura di, *I Corali del Monastero di Santa Maria degli Angeli e le loro miniature asportate*, catalogo della mostra (Firenze, Biblioteca Medicea Laurenziana, 15 giugno-31 luglio 1995), Firenze 1995.

Lloyd 1975: Ch. Lloyd, a cura di, *Art and its Images: An Exhibition of Printed Books, containing engraved Illustrations after Italian Painting*, catalogo della mostra, Oxford, Bodleian Library, Oxford 1975.

Loeser 1903: C. Loeser, *Note intorno ai disegni conservati nella R. Galleria di Venezia*, in "Rassegna d'Arte", II, 1903, pp. 177-184.

Longhi 1928: R. Longhi, *Un dipinto dell'Angelico a Livorno*, in "Pinacotheca", 3, 1928, pp. 153-159.

Longhi 1940: R. Longhi, *Fatti di Masolino e di Masaccio*, in "Critica d'Arte", V, 1940, pp. 145-191 (ed. 1975, pp. 3-65).

Longhi 1952 [1975]: R. Longhi, *Il Maestro di Pratovecchio*, in "Paragone", 35, 1952, ora in *Opere complete di Roberto Longhi*, VIII/1: *"Fatti di Masolino e di Masaccio" e altri studi sul Quattrocento*, Firenze 1975, pp. 123-127.

Longhi 1960: R. Longhi, *Una Crocifissione di Benozzo giovane*, in "Paragone", CXXIII, 1960, pp. 3-7.

Longhi 1963: R. Longhi, *Piero della Francesca*, in *Opere complete di Roberto Longhi*, III, Firenze 1963.

Longhi 1975 [1927]: R. Longhi, *Piero della Francesca*, Firenze 1975.

Lorenzo Ghiberti 1978: *Lorenzo Ghiberti. Materia e ragionamenti*, catalogo della mostra, Firenze 1978.

Lorenzo Monaco 1998: *Lorenzo Monaco. Tecnica e restauro*, Firenze 1998.

Lunghi 1997: E. Lunghi, *Benozzo Gozzoli a Montefalco*, Assisi 1997.

Lunghi 1998: E. Lunghi, *Angelico, Benozzo e i pittori umbri*, in *Beato Angelico e Benozzo Gozzoli. Artisti del Rinascimento a Perugia*, catalogo della mostra (Perugia, Galleria Nazionale dell'Umbria, 13 dicembre 1998 - 11 aprile 1999), a cura di V. Garibaldi, Cinisello Balsamo 1998, pp. 81-91.

Lunghi 2000: E. Lunghi, *Benozzo Gozzoli in Umbria (e una traccia di Benozzo nell'Isola Bisentina)*, in "I lunedì della Galleria", 5, Perugia 2000, pp. 49-64.

Lupatelli 1895: A. Luppatelli, *Storia della pittura in Perugia*, Perugia 1895.

Luzi 1866: L. Luzi, *Il Duomo di Orvieto descritto e illustrato*, Firenze 1866.

Madonna 1983: M.L. Madonna, *Momenti della politica edilizia e urbanistica dello Stato Pontificio nel '400. L'exemplum della piazza del Comune a Viterbo*, in *Il Quattrocento a Viterbo*, catalogo della mostra, a cura di R. Cannatà, C. Strinati, Roma 1983, pp. 23-89.

Malvasia 1666: B. Malvasia, *Compendio istorico della Ven. Basilica dei SS.XII Apostoli di Roma, sua fondazione, origine, nobiltà, sito, preziosi tesori delle Sante Reliquie che in quella si contengono descritto dal P.F. Bonaventura Malvasia*, Roma 1666.

Manciati 1981: R. Manciati, *I codici miniati del Rinascimento nella Biblioteca Comunale e dell'Accademia Etrusca di Cortona*, Firenze 1981.

Mancini 1884: G. Mancini, *I manoscritti della libreria del Comune e dell'Accademia Etrusca di Cortona*, Cortona 1884.

Mancini 1956 [1621]: G. Mancini, *Considerazioni sulla pittura* [ca 1621], a cura di A. Marucchi, Roma 1956.

Manfredi 1994: A. Manfredi, *I codici latini di Niccolò V. Edizione degli inventari e identificazione dei manoscritti*, Città del Vaticano 1994 (Studi e testi, 359).

Manfredi 1996: A. Manfredi, *Antichi inventari e legature di manoscritti*, in "Gazette du livre medieval", XXIX, 1996, pp. 7-11.

Mannini-Fagioli 1997: M.P. Mannini, M. Fagioli, *Filippo Lippi. Catalogo completo*, Firenze 1997.

Marchese 1845: V. Marchese, *Memorie dei più insigni pittori, scultori e architetti domenicani*, I, Firenze 1845.

Marchese 1854: V. Marchese, *Memorie dei più insigni pittori, scultori e architetti domenicani*, I, Firenze 1854².

Marchese 1869: *Memorie dei più insigni pittori, scultori e architetti domenicani*, Genova 1869, 3ª edizione accresciuta.

Marchesi 1857: R. Marchesi, *Principali monumenti d'arte in Perugia*, Perugia 1857, pp. 68-70.

Martindale 1988: A. Martindale, *Simone Martini. Complete Edition*, Oxford 1988.

Märtl 2000: Märtl C., *Papst Pius II. (1458-1464) in der Kapelle des Palazzo Medici Riccardi zu Florenz. Ein Beitrag zu Ikonographie und Zerimoniell der Päpste in der Renaissance*, in "Concilium medii aevi", 3, 2000, pp. 155-183.

Marx 1915: J. Marx, *Quatre documents relatifs à Guillaume d'Estouteville cardinal du titre de Saint-Martin archevêque de Rouen et archiprête de Sainte-Marie-Majeure*, in "Mélanges d'Archéologie et d'Histoire de l'Ecole Française de Rome", XXXV, 1915, pp. 50-55.

Matchette 2000: A. Matchette, *The Compagnia della Purificazione e di San Zanobi in Florence. A reconstruction of its residence at San Marco*, in *Confraternities and the Visual Arts in Renaissance Italy*, Cambridge (MA) 2000, pp. 74-101.

Mather 1948: R.G. Mather, *Documents Mostly New Relating to Florentine Painters and Sculptors of the Fifteenth Century*, in "Art Bulletin", 30, 1948, pp. 20-57.

Matz-Duhn 1881-82: F. Matz, F. Duhn, *Antike Bildwerke in Rom*, Leipzig 1881-82.

Mazzatinti-Sorbelli 1912: G. Mazzatinti, A. Sorbelli, *Inventari dei manoscritti delle Biblioteche d'Italia*, vol. XVIII, Firenze 1912.

Meiss 1946: M. Meiss, *Italian Primiti-*

ves at Konopiste, in "Art Bulletin", XXVIII, 1946, pp. 1-16.

Melchiorri 1834: G. Melchiorri, *Guida metodica di Roma e dei suoi contorni*, Roma 1934.

Melchiorri 1934 [1844]: S. Melchiorri, *Annales minorum*, XXI (1844), ed. a cura di L.M. Bello, Quaracchi, 1934.

Melli 1995: L. Melli, *Maso Finiguerra. I disegni*, Firenze 1995.

Melli 2000: L. Melli, *Sui 'Libri di disegni' di Benozzo Gozzoli: L'Assedio di Perugia degli Uffizi e gli studi di teste dell'Accademia di Venezia*, in "Mitteilungen des Kunsthistorischen Institutes in Florenz", XLIV, 2000, 2/3, pp. 169-191.

Mencarelli 1998: R. Mencarelli, *Opus Benotii de Florentia. La pala della Sapienza Nuova di Benozzo Gozzoli*, in *Beato Angelico e Benozzo Gozzoli. Artisti del Rinascimento a Perugia*, catalogo della mostra (Perugia, Galleria Nazionale dell'Umbria, 13 dicembre 1998 - 11 aprile 1999), a cura di V. Garibaldi, Cinisello Balsamo 1998, pp. 63-79.

Mengin 1909: U. Mengin, *Benozzo Gozzoli*, Paris 1909.

Menichelli 1995: A.M. Menichelli, *"Da luoghi diversi della città" - Restauri di opere d'arte della Pinacoteca Comunale di Foligno*, in "Bollettino storico della città di Foligno", XIX, 1995, pp. 195-238.

Mercalli 1987: M. Mercalli, *L'Angelo di Castello: la sua iconografia, il suo significato*, in *L'Angelo e la città*, catalogo della mostra, Roma 1987.

Mercati 1938: G. Mercati, *Codici latini Pico, Grimani, Pio e di altra biblioteca ignota del sec. XVI esistenti nell'Ottoboniana e i codici greci di Pio di Modena*, Città del Vaticano 1938 .

Metzger 1993: T. Metzger, *The Iconography of the Hebrew Psalter from the Thirteenth to the Fifteenth Century*, in *Dimension. Aspects of Jewish Art*, published in Memory of Iaiah Shachar (1935-1977), edited by Clare Moore, Boulder-San Francisco-Oxford 1993, pp. 47-81.

Micheletti 1966: E. Micheletti, *Benozzo di Lese*, in *Dizionario Biografico degli italiani*, VIII, Roma 1966, pp. 572-575.

Middeldorf 1955: U. Middeldorf, *L'Angelico e la scultura*, in "Rinascimento", VI, 1955, pp. 179-194, ristampato in Id., *Collected Writings 1939-1973*, II, Firenze 1980, pp. 183-199.

Miglio 1998: M. Miglio, *Il Giubileo di Niccolò V (1450)*, in *La storia dei Giubilei, II, 1450-1475*, a c. di M. Fagiolo, M.L. Madonna, Prato 1998, pp. 56-73.

Miglio 1999: M. Miglio, *Premessa*, in G. Manetti, *Vita di Nicolò V*, traduzione italiana e commento a c. di A. Modigliani, Roma 1999, pp. 9-36.

Miglio 2000: M. Miglio, *Dedicare al pontefice: immagini di "Traditio" in codici del Quattrocento*, in *Immaginare l'autore. Il ritratto del letterato nella cultura umanistica*, atti del convegno (Firenze, 26-27 marzo 1998), a c. di G. Lazzi, P. Viti, Firenze 2000, pp. 81-87.

Milanesi 1901: G. Milanesi, *Nuovi documenti per la storia dell'arte toscana dal XII al XIV secolo*, Firenze 1901.

Minardi 1998: M. Minardi, *Benozzo Gozzoli giovane e gli studi recenti*, in "Arte Cristiana", LXXXVI, 1998, 786, pp. 237-240.

Miraglia 1995: M. Miraglia, *I disegni della Calcografia (1785-1910)*, 2 voll., Roma 1995.

Mongan-Sachs 1946: A. Mongan, P.J. Sachs, *Drawings in the Fogg Museum of Art, Cambridge*, Cambridge (MA) 1946[2].

Monticelli 1829: S. Monticelli, *Compendio istorico della vita, virtù e miracoli di S. Fortunato confessore parroco e protettore di Montefalco*, Foligno 1829.

Morachiello 1995: P. Morachiello, *Beato Angelico. Gli affreschi di San Marco*, Milano 1995.

Morçay 1913: R. Morçay, *La Cronaca del Convento fiorentino di San Marco*, in "Archivio storico italiano", LXXI, 1913, p. 14.

Morello 1988: G. Morello, *Libri d'ore della Biblioteca Apostolica Vaticana*, catalogo della mostra (Salone Sistino), Baden Baden 1988.

Morello 1994: G. Morello, *Immagini dai libri d'ore*, in Cavallo 1994, pp. 29-35

Morello-Piazzoni-Vian 1998: G. Morello, A.M. Piazzoni, P. Vian, a cura di, *Diventare Santo. Itinerari e riconoscimenti della santità tra libri, documenti e immagini*, Biblioteca Apostolica Vaticana, Salone Sistino, 21 dicembre 1998-16 marzo 1999, Città del Vaticano 1998.

Morgan Grasselli 1995: M. Morgan Grasselli, a cura di, *The Touch of the artist. Master Drawings from the Woodner Collections*, catalogo della mostra, Washington 1995.

Mortara Ottolenghi 1988: L. Mortara Ottolenghi, *Manoscritti ebraici miniati nelle biblioteche dell'Emilia Romagna*, in *Arte e cultura ebraiche in Emilia Romagna*, catalogo della mostra (Ferrara, Palazzo dei Diamanti, 20 settembre 1988-15 gennaio 1989) Milano-Roma 1988, pp. 167-188.

Mortara Ottolenghi 1993: L. Mortara Ottolenghi, *Scribes, patrons and artists of italian illuminated manuscripts in Hebrew*, in "Jewish Art", XIX-XX, 1993, 4, pp. 86-97.

Mortara Ottolenghi 1997: L. Mortara Ottolenghi, *Figure e immagini dal secolo XIII al secolo XIX*, in *Storia d'Italia - Annali*, XI/2, *Gli ebrei d'Italia*, Torino 1997, pp. 967-1008.

Mostra antologica 1966: *Mostra antologica dell'attività della Soprintendenza*, Roma 1966.

Mostra delle opere 1955: *Mostra delle opere di Fra Angelico nel quinto centenario della morte*, catalogo della mostra (Roma), Firenze 1955.

Mostra delle opere 1965: *Mostra delle opere restaurate dall'ICR, dal Gabinetto Nazionale delle Stampe, dall'Opificio delle pietre dure di Firenze, dall'Istituto di Patologia del Libro*, Roma 1965.

Mostra di frammenti 1946: *Mostra di frammenti ricostituiti di Lorenzo da Viterbo*, catalogo della mostra, Roma 1946.

Müntz 1878-82: E. Müntz, *Les Arts a la cour des papes pendant le XV et le XVI siècle*, Paris 1878, 2 voll.

Müntz 1983 [1878-82]: E. Müntz, *Les Arts à la cour des Papes* [1878-1882], Hildesheim-Zurich-New York 1983.

Muratoff 1930: P. Muratoff, *Fra Angelico*, London-New York 1930.

Neri Lusanna 1989: E. Neri Lusanna, *Aspetti della cultura tardogotica a Firenze: il 'Maestro del Giudizio di Pari-*

de', in "Arte Cristiana", LXXVII, 1989, pp. 409-426.

Nesselrath 1999: A. Nesselrath, *Fra Angelico and Benozzo Gozzoli's composition in the murals of the private Chapel of Pope Nicholas V in the Vatican*, in *Fra Angelico and the Chapel of Nicholas V*, a cura di Allen Duston O.P. et al., Città del Vaticano 1999, pp. 72-97.

Nessi 1961: S. Nessi, *La vita di S. Francesco dipinta da Benozzo Gozzoli a Montefalco*, in "Miscellanea francescana", LXI, 1961, pp. 467-492.

Nessi 1962: S. Nessi, *Storia e arte delle chiese francescane di Montefalco*, in "Miscellanea francescana", LXI, 1962, pp. 232-332.

Nessi 1980: S. Nessi, *Montefalco e il suo territorio*, Spoleto 1980.

Nessi 1990: S. Nessi, *Storia di un monumento e di una raccolta d'arte*, in *Museo comunale di San Francesco a Montefalco*, a cura di B. Toscano, Perugia 1990, pp. 31-62.

Nessi 1995: S. Nessi, *San Fortunato di Montefalco. Un evangelizzatore umbro del IV secolo*, Assisi 1995.

Nessi 1997: S. Nessi, *Benozzo Gozzoli a Montefalco*, Assisi 1997.

Nessi 2001: S. Nessi, *Benozzo Gozzoli. La vita. Le opere*, Perugia 2001.

Nessi c.s.: S. Nessi, *La chiesa e il convento di san Francesco in Montefalco*, Padova, in corso di stampa.

Nessi-Paoli 1995: S. Nessi, E. Paoli, *San Fortunato di Montefalco. Un evangelizzatore umbro del IV secolo*, Assisi 1995.

Niccolò della Tuccia 1872: *Niccolò della Tuccia, Cronache e statuti della città di Viterbo*, a cura di I. Ciampi, Firenze 1872.

Noel Johnson 1907: W. Noel Johnson, *A Handbook to the Collection of Chromolithographs from Copies of Important Works of Ancient Masters, Published by the Arundel Society*, Manchester Whitworth Institute, 1907.

Oliger 1929: L. Oliger, *De frate Antonio de Montefalcone expeditione cruciatae Commissario Apostolico (1456)*, in "Archivum franciscanum historicum", 22, 1929, pp. 233-235.

Olivetti 1998: S. Olivetti, *La cappella dei Ss. Michele e Pietro ad Vincula: Piero della Francesca, il cardinale d'Estouteville e la crociata di Pio II*, in "Storia dell'arte", 93/94, 1998, pp. 169-176.

Orlandi 1964: S. Orlandi, O.P., *Beato Angelico. Monografia storica della vita e delle opere con un'appendice di nuovi documenti inediti*, Firenze 1964.

Orlandi 1997: M.L. Orlandi, *Benozzo Gozzoli a Pisa. I documenti (1468-1495)*, Pisa 1997.

Orsini 1784: B. Orsini, *Guida al Forestiere per la Città di Perugia*, Perugia 1784.

Ottino Della Chiesa 1967: A. Ottino Della Chiesa, *Accademia Carrara*, Bergamo 1967[2].

Pacchioni 1910: G. Pacchioni, *Gli inizi artistici di Benozzo Gozzoli*, in L'Arte", XIII, 1910, pp. 423-442.

Padoa 1969: A. Padoa, *Benozzo ante 1450*, in "Commentari", XX, 1959, 1-2, pp. 52-62.

Padoa-Casini Wanrooij 1985: A. Padoa, M. Casini Wanrooij, *Appunti sulla pittura fiorentina del Quattrocento: Benozzo Gozzoli, Domenico di Michelino*, in "Antichità Viva", XXIV, 1985, 5-6, pp. 5-17.

Padoa Rizzo 1966: A. Padoa Rizzo, *Arte a Pistoia nel Quattrocento. Presenze fiorentine, risposte locali: un mosaico da ricomporre*, in *L'Età di Savonarola. Fra' Paolino e la pittura a Pistoia nel primo '500*, catalogo della mostra (Pistoia 1966), a cura di C. D'Afflitto, F. Falletti, A. Muzzi, Venezia 1966, pp. 37-49.

Padoa Rizzo 1972: A. Padoa Rizzo, *Benozzo Gozzoli pittore fiorentino*, Firenze 1972.

Padoa Rizzo 1980: A. Padoa Rizzo, *Note su un "San Girolamo penitente" di Benozzo*, in "Antichità Viva", XIX, 1980, 3, pp. 14-19.

Padoa Rizzo 1981: A. Padoa Rizzo, *Nota breve su Colantonio, Van der Weyden e l'Angelico*, in "Antichità Viva", XX, 1981, 5, pp. 15-17.

Padoa Rizzo 1986: A. Padoa Rizzo, *Pittori e miniatori a Firenze nel Quattrocento*, in "Antichità viva", XXV, 1986, 5-6, pp. 5-15.

Padoa Rizzo 1989: A. Padoa Rizzo, *Arte e committenza a Pistoia alla fine del secolo XV. Benozzo Gozzoli e i suoi figli Francesco e Alesso. Nuove ricerche*, Pistoia 1989.

Padoa Rizzo 1990: A. Padoa Rizzo, *Recensione a L'Età di Masaccio*, in "Antichità viva", XXIX, 1990, 5, pp. 56-60.

Padoa Rizzo 1991: A. Padoa Rizzo, *L'attività di Benozzo Gozzoli per la compagnia di Santa Maria delle Laudi e Sant'Agnese (1439, 1441)*, in "Rivista d'Arte", XLIII, 1991, serie IV, vol. VII, pp. 203-210.

Padoa Rizzo 1992: A. Padoa Rizzo, *Benozzo Gozzoli. Catalogo completo dei dipinti*, Firenze 1992.

Padoa Rizzo 1993: A. Padoa Rizzo, *La Cappella dei Magi nell'attività di Benozzo Gozzoli*, in Acidini Luchinat 1993, pp. 357-362.

Padoa Rizzo 1997a: A. Padoa Rizzo, a cura di, *Benozzo Gozzoli in Toscana*, Firenze 1997.

Padoa Rizzo 1997b: A. Padoa Rizzo, a cura di, *Benozzo Gozzoli in Umbria*, Firenze 1997.

Padoa Rizzo 1997c: A. Padoa Rizzo, a cura di, *Arte e committenza in Valdelsa e Valdera: con Benozzo: catalogo di un itinerario*, velebrazione del V centenario della morte di Benozzo Gozzoli, i Magi in Toscana, Firenze 1997

Padoa Rizzo 2001: A. Padoa Rizzo, *Pittura, architettura e scultura nelle Storie Agostiniane di Benozzo Gozzoli*, in Cardini-Padoa Rizzo-Regoliosi 2001, pp. 1-9.

Padoa Rizzo c.s. [1998]: A. Padoa Rizzo, *Benozzo "optimo maestro in muro"*, in Atti del convegno internazionale "I Magi in Toscana", Firenze-Pisa, gennaio 1998, in corso di stampa

Padoa Rizzo-Frosinini 1984: A. Padoa Rizzo, C. Frosinini, *Stefano d'Antonio di Vanni (1405- 1483): opere e documenti*, in "Antichità Viva", XXIII, 1984, 4-5, pp. 5-33.

Painting and Illumination 1994: *Painting and Illumination in Early Renaissance Florence 1300-1450*, ed. by L. Kanter, B. Drake Boehm, C.B. Strehlke, G. Freuler, C.C. Meyer Thurman, P. Palladino, catalogo della mostra (New York, Metropolitan Museum of Art, 17 November 1994-26 February 1995), New York 1994.

Palmerio-Villetti 1989: G. Palmerio, G. Villetti, *Storia edilizia di S. Maria sopra Minerva in Roma (1275-1870)*, Roma 1989.

Palmucci Genolini 1886: A. Palmucci Genolini, *San Bernardino da Siena a Montefalco*, in "Miscellanea francescana", I, 1886, 185-186.

Pantanelli 1911: P. Pantanelli, *Notizie istoriche e sacre e profane appartenenti alla terra di Sormoneta*, a cura di L. Caetani, Roma 1911.

Paolozzi Strozzi 1993: B.Paolozzi Strozzi , *L'"Adorazione del Bambino" della bottega di Filippo Lippi*, in Acidini Luchinat 1993, pp. 29-32.

Paolucci 1992: A. Paolucci, *Antoniazzo Romano. Catalogo completo*, Firenze 1992.

Papini 1910: R. Papini, *L'opera di Benozzo Bozzoli in Santa Rosa da Viterbo*, in "L'Arte", 1910, pp. 35-42.

Papini 1921: R. Papini, *Due opere di Benozzo Gozzoli*, in "Bollettino d'Arte", N.S.I., 1921, pp. 36-38.

Passerini 1858: L. Passerini, *Genealogia e storia della famiglia Corsini*, Firenze 1858.

Pasti 1983: S. Pasti, *Lo scomparso ciclo di affreschi di Santa Rosa da Viterbo di Benozzo Gozzoli e la sua influenza nel Viterbese*, in *Il Quattrocento a Viterbo*, a cura di R. Cannatà, C. Strinati, Roma 1983, pp. 167-178.

Pasti 1985: S. Pasti, *Una Madonna quattrocentesca a S. Maria sopra Minerva: un'ipotesi per l'Angelico, Benozzo e il Vasari*, in "Bollettino d'Arte", LXX, 1985, pp. 57-67.

Pasti 1988: S. Pasti, *Niccolò V, l'Angelico e le antichità di Roma di Benozzo Gozzoli*, in *Da Pisanello alla nascita dei musei capitolini: l'antico a Roma alla vigilia del Rinascimento*, Roma 1988, pp. 135-143.

Pastor 1914: L. von Pastor, *The History of the Popes from the Close of the Middle Ages*, a cura di F.I. Antrobus et al., tomo II, St. Louis 1914.

Pastor 1925: L. Pastor, *Storia dei Papi*, nuova versione italiana a cura di A. Mercati, I, Roma 1925.

Pasut 2000: F. Pasut, *Per la miniatura a Roma alla metà del Quattrocento: il "Miniatore di Niccolò V"*, in *Niccolò V nel sesto centenario della nascita*, atti del convegno (Sarzana 8-10 ottobre 1998), a c. di F. Bonatti- A. Manfredi, Città del Vaticano 2000, pp. 102-155.

Pavan 1978: P. Pavan, *Gli statuti della società dei Raccomandati del Salvatore ad Sancta Sactorum*, in "Archivio della Società Romana di Storia Patria", CI, 1978, pp. 35-60.

Pavan 1990: P. Pavan, *Ninfa e i Caetani nel Quattrocento*, in *Ninfa una città, un giardino*, atti del colloquio della Fondazione Camillo Caetani (Roma, Sermoneta, Ninfa, 7-9 ottobre 1988), a cura di L. Fiorani, Roma 1990, pp.139-153.

Pelzer 1931: A. Pelzer, *Codices Vaticani latini, Codices 679-1134*, Città del Vaticano 1931.

Penny 1998: N. Penny, *Pittori e botteghe nell'Italia del Rinascimento*, in *La bottega dell'artista nel Medioevo e Rinascimento*, a cura di R. Cassanelli, Milano 1998, pp. 31-54.

Peraté 1907: A. Peraté, *L'exposition d'ancien art ombrien au Palais du peuple, a Pérouse*, in "Les Arts", VII, 1907, 71, pp. 2-21.

Peraté 1908: A. Peraté, *La peinture italienne au XVe siécle*, in A. Michel, *Histoire de l'Art*, III/2, Paris 1908, pp. 589-740.

Petrioli Tofani 1986: A. Petrioli Tofani, *Gabinetto Disegni e Stampe degli Uffizi. Inventario - 1. Disegni Esposti*, Firenze 1986.

Petrioli Tofani 1992: A. Petrioli Tofani, a cura di, *Il disegno fiorentino del tempo di Lorenzo il Magnifico*, catalogo della mostra, Firenze 1992.

Piacentini 1991: E. Piacentini, *Il libro dei miracoli di Santa Rosa*, Viterbo 1991.

Piana 1970: C. Piana, *Chartularium Studii Bononiensis S. Francisci (saecc. XIII-XVI)*, Firenze 1970.

Pietrangeli 1985: C. Pietrangeli, *I Musei Vaticani - Cinque secoli di storia*, Roma 1985.

Pietrangeli 1988: C. Pietrangeli, a cura di, *Santa Maria Maggiore a Roma*, Firenze 1988.

Pinelli 1987: A. Pinelli, *La pittura a Roma e nel Lazio nel Quattrocento*, in *La pittura in Italia. Il Quattrocento*, Venezia 1987, II, pp. 414-436.

Pinelli c.s.: A. Pinelli, *Esercizi di metodo: Piero e Benozzo a Roma, tra cronologia relativa e cronologia assoluta*, in *Atti del Convegno Internazionale su Benozzo Gozzoli*, Firenze-Pisa 1998, in corso di stampa.

Pinzi 1913: C. Pinzi, *Storia della città di Viterbo lungo il medioevo*, IV, Viterbo 1913.

Pompili Olivieri 1886: L. Pompili Olivieri, *Il Senato romano nelle sette epoche di svariato governo da Romolo fino a noi*, Roma 1886.

Pope-Hennessy 1952: J. Pope-Hennessy, *Fra Angelico*, London 1952.

Pope-Hennessy 1974: J. Pope-Hennessy, *Fra Angelico*, Ithaca 1972^{2}.

Pope Hennessy 1979: J. Pope Hennessy, *The Ford Italian Paintings*, in "The Bulletin of the Detroit Institute of Arts", 57, 1979, 1, pp. 15-24.

Popham-Pouncey 1950: A.E. Popham, P. Pouncey, *Italian Drawings in the Department of Prints and Drawings in the British Museum. The Fourteenth and Fifteenth Centuries*, London 1950.

Popham-Wilde 1949: A.E. Popham, J. Wilde, *The Italian Drawings of the XV and XVI Centuries in the Collection of His Majesty the King at Windsor Castle*, London 1949.

Pouncey 1947a: P. Pouncey, *A drawing by Benozzo Bozzoli for his fresco cycle at Viterbo*, in "The Burlington Magazine", 1947, pp. 9-12.

Pouncey 1947b: P. Pouncey, *An Eyewitness account of Benozzo's fresco cicle at Viterbo*, in "The Burlington Magazine", 1947, p. 98.

Pouncey 1964: P. Pouncey, [recensione a Berenson 1961], in "Master Drawings", 3, 1964, pp. 278-293.

Procacci 1960: U. Procacci, *Di Jacopo d'Antonio e delle compagnie di pittori del Corso degli Adimari*, in "Rivista d'Arte", XXXIV, 1960, pp. 3-70.

Procacci 1996: U. Procacci, *Studio sul Catasto fiorentino*, Firenze 1996.

Prosperi Valenti Rodinò 1995: S. Prosperi Valenti Rodinò, a cura di, *Da Leonardo a Volterrano. Disegni fiorentini dal XV al XVII secolo*, catalogo della mostra, Roma 1995.

Prosperi Valenti Rodinò 1989: S. Prosperi Valenti Rodinò, *Disegni romani, toscani, napoletani, Galleria dell'Accademia di Venezia*, Milano 1989.

Ragghianti Collobi 1974: L. Ragghianti Collobi, *Il Libro de' Disegni del Vasari*, Firenze 1974, 2 voll.

Redig de Campos 1954-58: D. Redig de Campos, *Relazione dei laboratori di restauro*, in "Rendiconti della Pontificia Accademia Romana di Archeologia", XXX-XXXI, 1954-58, pp. 273-306.

Ricci 1904: C. Ricci, *Benozzo Gozzoli e la Pala della Purificazione*, in "Rivista d'Arte", II, 1904, pp. 1-18.

Ricci 1928: C. Ricci, *Santa Cristina e il Lago di Bolsena*, Milano 1928.

Rinaldi 1996: S. Rinaldi, *Vicende del restauro da Cavalcaselle a Venturi: l'attività di Filippo Fiscali (1876 -1907)*, in "Kermes", 27, 1996, pp. 51-64.

Rinaldi 1998: S. Rinaldi, *I Fiscali, riparatori di dipinti*, Roma 1998.

Rio 1836: A.F. Rio, *De la Poésie Chrétienne dans son principe, dans sa matière et dans ses formes*, Paris 1836.

Rio 1861: A.F. Rio, *De l'Art Chretienne, nouvelle edition*, Paris 1861.

Rocca 2000: G. Rocca, a cura di, *La sostanza dell'Effimero. Gli Abiti degli Ordini religiosi in Occidente*, catalogo della mostra (Roma, Museo Nazionale di Castel Sant'Angelo, 18 gennaio-31 marzo 2000), Roma 2000.

Romano 1990: G. Romano, a cura di, *Da Biduino ad Algardi. Pittura e scultura a confronto*, Torino 1990.

Romano 1991: M. Romano, *Scheda n. 30*, in *Lo sguardo di Maria. Un itinerario dal Trecento al Seicento nel territorio di Terni*, Perugia 1991.

Rossetti 1895: W.M. Rossetti, *Dante Gabriele Rossetti: His Family Letter with a Memoir*, London 1895.

Rossi 1876: A. Rossi, *Documenti sulle requisizioni dei quadri fatte a Perugia dalla Francia ai tempi della Repubblica e dell'Impero*, in "Giornale di erudizione artistica", pubblicato a cura della R. Commissione conservatrice di Belle Arti nella Provincia dell'Umbria, V, 1876, pp. 224-256 (primo spogliamento), 288-303 (secondo spogliamento), 321-352 (terzo spogliamento, I); VI, 1877, pp. 3-25 (terzo spogliamento, II), 65-110 (restituzione).

Rossi 1991: D. Rossi, *Un San Sebastiano di Benozzo Gozzoli a San Gimignano: considerazioni sulla tecnica di esecuzione*, in "Kermes", 11, 1991, pp. 20-26.

Rossi 1994: F. Rossi, *Il Trecento. Umbria, Marche, Italia del Nord. Monumenti, Musei e Gallerie Pontificie*, Città del Vaticano 1994 (Catalogo della Pinacoteca Vaticana, III), pp. 87-96, cat. 26.

Rossi-Valeri 1997: S. Rossi, S. Valeri, a cura di, *Le due Rome del Quattrocento*, atti del convegno internazionale (Roma 1996), Roma 1997.

Rossi Pinelli 1980: O. Rossi Pinelli, *Tagliacozzo*, in *Storia dell'arte italiana. VIII: Inchiesta sui centri minori*, Torino 1980, pp. 318-338.

Rothes 1902: W. Rothes, *Die Darstellungen des Fra Giovanni Angelico aus dem Leben Christi und Mariae*, Strassburg 1902.

Rucellai 1960: G. Rucellai, *Giovanni Rucellai e il suo zibaldone*, a cura di A. Perosa, London 1960.

Russo-Santarelli 1999: L. Russo, F. Santarelli, *La Media Valle del Tevere - Riva destra. Repertorio dei dipinti del Quattrocento e Cinquecento*, Roma 1999.

Rusk Shapley 1952: E. Rusk Shapley, *A predella panel by Benozzo Gozzoli*, in "Gazette des Beaux-Arts", ser. VI, XXIX, 1952, pp. 77-88.

Rylands 1999: P. Rylands, a cura di, *The Timeless Eye. Opere su carta della collezione Jan e Marie-Anne Krugier-Poniatowski*, catalogo della mostra (Venezia), Berlin 1999.

Salmi 1921: M. Salmi, *Note sulla Galleria di Perugia*, in "L'Arte", XXIV, 1921, 1, pp. 156-171.

Salmi 1930: M. Salmi, *Un libro di disegni fiorentino del sec. XV*, in "Rivista d'Arte", 12, 1930, pp. 87-95.

Salmi 1950: M. Salmi, *Problemi dell'Angelico*, in "Commentari", I, 1950, pp. 146-156.

Salmi 1958: M. Salmi, *Il Beato Angelico*, Spoleto 1958.

Salmon 1971: P. Salmon, *Les Manuscrits Liturgiques Latins de la Bibliothèque Vaticane*, IV, Città del Vaticano 1971.

Santangelo 1948: A. Santangelo, *Museo di Palazzo Venezia. Catalogo. I: I dipinti.* Roma 1948.

Santi 1968: F. Santi, *La Galleria Nazionale dell'Umbria a Perugia*, Roma 1968.

Santi 1985: F. Santi, *Galleria Nazionale dell'Umbria. Dipinti, sculture e oggetti dei secoli XV-XVI*, Roma 1985, pp. 7-10, cat. 1.

Sbaralea 1768: J. H. Sbaralea, *Bullarium franciscanum Romanorum Pontificum: Constitutiones, Epistolas, ac Diplomata continens Tribus Ordinibus Minorum, Clarissarum, et Poenitentium a S. Patre Francisco Institutus Concessa*, IV, Roma 1768.

Sbrilli 1987a: A. Sbrilli, *Lorenzo da Viterbo*, in *La pittura in Italia. Il Quattrocento*, Milano 1987, pp. 668-669.

Sbrilli 1987b: A. Sbrilli, *Gozzoli, Benozzo*, in *La pittura in Italia. Il Quattrocento*, Milano 1987, pp. 651-652.

Scarpellini 1966: P. Scarpellini, *Benozzo Gozzoli*, Milano 1966.

Scarpellini 1980: P. Scarpellini, *Le pitture*, in *Il Tesoro della Basilica di San Francesco ad Assisi*, a cura di M. G. Ciardi Dupré dal Poggetto, Firenze 1980, pp. 25-62.

Scatassa 1915: E. Scatassa, *Notizie inedite intorno alla ricostruzione di due chiese di Roma*, in "Rassegna bibliografica dell'arte italiana", XVIII, 1915, pp. 13.-159.

Scheller 1995: R.W. Scheller, *Exemplum: Model-Book Drawings and the Practise of Artistic Transmission in the Middle Ages (ca. 900-ca. 1470)*, translated by M. Hoyle, Amsterdam 1995.

Schmitt 1971: A. Schmitt, *Staatliche Graphische Sammlung*, in "Münchner Jahrbuch der bildenden Kunst", XXII, 1971, pp. 249-252.

Schottmüller 1911: F. Schottmüller, *Fra Angelico da Fiesole. Des Meisters Gemälde*, Stuttgart und Leipzig 1911.

Schottmüller 1924: F. Schottmüller, *Fra Angelico da Fiesole. Des Meisters Gemälde*, Stuttgart 1924.

Schwager 1983: K. Schwager, *Die Architektonische Erneurung von S. Maria Maggiore unter Paul V*, in "Römisches Jahrbuch für Kunstgeschichte", 20, 1983, pp. 243-312.

Scudieri-Rasario 2000: M. Scudieri, G. Rasario, a cura di, *La Biblioteca di Michelozzo a San Marco tra recupero e scoperta*, catalogo della mostra, Firenze 2000.

Sebregondi 1991: L. Sebregondi, *Religious Furnishing and Devotional Objects in Renaissance Florentine Confraternities*, in *Crossing the Boundaries. Christian Piety and the Arts in Italian Medieval and Renaissance Confraternities*, edited by K. Eisenbichler, Kalamazoo 1991, pp. 141-160.

[Seilern] 1959: [A. Seilern], *Italian Paintings and Drawings at 56 Princes Gate London S.W.7*, London 1959

[Seilern] 1971: [A. Seilern], *Corrigenda & Addenda to the Catalogue of Paintings and Drawings at 56 Princes Gate London S.W.7*, London 1971

Sensi 1988: M. Sensi, *I "Ricordi" del convento di S. Domenico in Foligno*, in "Bollettino storico della città di Foligno", XII, 1988, pp. 189-245.

Serafini 1911: A. Serafini, *L'epopea cristiana nei dipinti di Beato Angelico: nuovi studi e nuovi documenti*, Orvieto 1911.

Shearman 1983: J. Shearman, *The early Italian Pictures in the Collection of Her Majesty the Queen*, Cambridge 1983.

Signorelli 1963: M. Signorelli, *Santa Rosa da Viterbo, Monografia storica con la consulenza ecclesiastica di Mons. Francesco Zarletti*, Viterbo 1963.

Silvestrelli 1993: M.R. Silvestrelli, *Dal Maestro di Cesi a Pier Matteo d'Amelia: aspetti della cultura figurativa nell'Umbria meridionale tra XIV e XV secolo*, in *La pittura nell'Umbria meridionale dal Trecento al Novecento*, Terni 1993, pp. 25-47.

Siren 1917: O. Siren, *Italienska handteknigar fran 1400-och 1500-talen i Nationalmuseum Stockholm*, Stockholm 1917.

Smart 1974: A. Smart, *Some Unpublished Copies of Frescoes at Assisi* in "Apollo", XCIX, 1974, pp. 228-231.

Sotheby's 2001: Sotheby's, London, *Old Master Paintings*, I, 12 luglio 2001.

Spalletti 1989: E. Spalletti, *La documentazione figurativa dell'opera d'arte, la critica e l'editoria nell'epoca moderna (1750-1930)*, in *Storia dell'arte italiana*, II, Torino 1989, pp. 15-484.

Spike 1996: J.T. Spike, *Angelico*, Milano 1996.

Spinola 1995: G. Spinola, *Le sculture nel Palazzo Albertoni Spinola a Roma e le collezioni Paluzzi e Altieri*, Roma 1995.

Strehlke 1994: C.B. Strehlke, *Zanobi di Benedetto di Caroccio degli Strozzi, known as Zanobi Strozzi*, in *Painting and illumination* 1994, pp. 349-361.

Strehlke 1998: C.B. Strehlke, *Angelico*, Milano 1998.

Strinati 1984: C. Strinati, *Espressione figurativa e committenza confraternale nella Cappella Caprinica alla Minerva (1573)*, in *Ricerche per la storia religiosa di Roma. 5: Le Confraternite romane: esperienza religiosa, società committenza artistica*, a cura di L. Fiorani, Roma 1984, pp. 395-428.

Stroncone 1889 / Stroncone 1890: A. da Stroncone, *L'Umbria serafica del Padre Agostino da Stroncone, M. O.*, in "Miscellanea francescana", IV, 1889, pp. 158-187; *ibid.*, V, 1890, 28, pp. 69-70, 86-90.

Stubblebine 1979: J. Stubblebine, *Duccio di Buoninsegna and his School*, Princeton (NY) 1979.

Supino 1898: I. B. Supino, *Beato Angelico*, Florence 1898.

Symonds 1877: J.A. Symonds, *The Renaissaince in Italy: The Fine Arts*, London 1877.

Tamani 1968: G. Tamani, *Elenco dei manoscritti ebraici miniati e decorati della 'Palatina' di Parma*, in "La Bibliofilia", LXX, 1968, pp. 39-136.

Tardy 1953: L. Tardy, *Septimii florentis Tertulliani De oratione liber. Tertullian's Tract on The Prayer*, a cura di E. Evans, London 1953.

Tartuferi 1992: A. Tartuferi, *Benozzo Gozzoli*, in *Pinacoteca di Brera. Scuole dell'Italia centrale e meridionale*, a cura di F. Zeri, Milano 1992, pp. 26-31.

Testa 1996: G. Testa, *Et vocatur dictus magister pictor frater Joahannes*, in *La Cappella Nova o di San Brizio nel Duomo di Orvieto*, a c. di G. Testa, Milano 1996, pp. 77-85.

Testa-R. Davanzo 1996: G. Testa, R. Davanzo, *Vicende della decorazione, problemi di committenza e piani iconografici*, in *La cappella Nova o di San Brizio nel Duomo di Orvieto*, a cura di G. Testa, Milano 1996, pp. 35-64.

The Vatican Collections 1982: *The Vatican Collections - The Papacy and Art*, catalogo della mostra, New York 1982.

Third Loan Exhibition 1926: *Third Loan Exhibition of Old Masters*, Detroit Institute of Arts, 22 marzo-4 aprile 1926.

Toppetti 1987: S. Toppetti, *Il centenario di Eliseo Fattorini*, in "Città viva", III, 1987, 5, pp. 21-26.

Toscano 1984: B. Toscano, *Jacopo Vincioli*, in "Prospettiva", 33-36, 1984, pp. 62-75.

Toscano 1990a: B. Toscano, *Dal monumento al museo*, in *Museo Comunale di San Francesco a Montefalco*, a cura di B. Toscano, Perugia 1990, pp. 13-28.

Toscano 1990b: B. Toscano, *Un problema di geografia artistica tra Roma e l'area di Ninfa*, in *Ninfa una città, un giardino*, atti del colloquio della Fondazione Camillo Caetani (Roma, Sermoneta, Ninfa, 7-9 ottobre1988), a cura di L. Fiorani, Roma 1990, pp.185-206.

Toscano 1998: B. Toscano, *Vademecum per una storia dell'arte che non c'è*, in "Roma moderna e contemporanea", VI, 1998, 1/2, pp. 15-33.

Toscano-Montella 1999: B. Toscano, M. Montella, *Guida al Museo Comunale di San Francesco a Montefalco*, Perugia 1999.

Turner 1996: A. Turner, *Benozzo Gozzoli*, in *The Dictionary of Art*, 13, London 1996, pp. 259-262.

Urbani 1957: G. Urbani, *Beato Angelico*, Milano 1957.

Valentiner 1933: W. Valentiner, *Die Leihausstellung Frühitalienischer Malerei in Detroit*, in "Pantheon", XII, 1933, pp. 236-243.

Van Marle 1928: R. van Marle, *The Development of the Italian Schools of Painting. X: The Renaissance Painters of Florence - The First Generation*, The Hague 1928.

Van Marle 1929: R. van Marle, *The Development of the Italian Schools of Painting*, XI, The Hague 1929.

Van Marle 1933: R. van Marle, *The development of the Italian Schols of Painting*, XIV, The Hague 1933

Vasari 1878-85 [1568]: G. Vasari, *Le vite de' più eccellenti pittori, scultori e architettori* (1568), ed. a cura di G.

Milanesi, Firenze 1878-85.

Vasari 1906 [1568]: G. Vasari, *Le vite de' più eccellenti pittori, scultori e architettori* (1568), ed. a cura di G. Milanesi, Firenze 1906.

Vasari 1971 [1568]: G. Vasari, *Le vite de' più eccellenti pittori, scultori e architettori* (1568), a cura di R. Bettarini, P. Barocchi, Firenze 1971.

Vasari 1986 [1568]: G. Vasari, *Le vite de' più eccellenti architetti pittori, et scultori italiani da Cimabue insino ai tempi nostri*, a cura di L. Bellosi, A. Rossi, Torino 1986.

Vasari 1991 [1568]: G. Vasari, *Le vite de' più eccellenti pittori, scultori e architettori* (1568), a cura di M. Marini, Roma 1991.

Vasi 1794: M. Vasi, *Itinerario istruttivo di Roma*, Roma 1794 (rist. Roma 1970).

Venditelli 1999: M. Venditelli, *Signori, istituzioni comunitarie e statuti a Sermoneta tra il XIII ed il XV secolo*, in *Sermoneta e i Caetani. Dinamiche politiche, sociali e culturali di un territorio tra medioevo ed età moderna*, atti del convegno della Fondazione Camillo Caetani (Roma-Sermoneta, 16-19 giugno 1993), Roma 1999, pp. 41-47.

Venturi 1911: L. Venturi, *Storia dell'arte italiana. VII-1: La pittura del Quattrocento. Parte prima*, Milano 1911.

Venturi 1913: L. Venturi, *Storia dell'arte italiana. VII-2: La pittura del Quattrocento. Parte seconda*, Milano 1913.

Vertova 1977: L. Vertova, *The Earliest Known Painting by Niccolò da Foligno*, in *Studies in Late Medieval and Renaissance Painting in Honor of Millard Meiss*, ed. I. Lavin and J. Plummer, I, New York 1977, pp. 455-461.

Vichi 1969: U. Vichi, *La Cappella di S. Antonio nella basilica di Aracoeli in Roma*, in "Il Santo", IX, 1969, pp. 283-286.

Waagen 1854: G. Waagen, *Treasures of Art in Great Britain*, II, London 1854.

Wackernagel 1981 [1938]: M. Wackernagel, *The world of the Florentine Renaissance: projects and patrons, workshop and art market*, translated by Alison Luchs, Princeton (NY) 1981.

Wadding 1931-1964: L. Wadding, *Annales Ordinis Minorum*, Firenze 1931-1964[3].

Weisbach 1901: W. Weisbach, *Pesellino und die Romantik der Renaissance*, Berlin 1901.

Wescher 1976: P. Wescher, *Kunstraub unter Napoleon*, Berlin 1976 (ed. italiana, *I furti d'arte. Napoleone e la nascita del Louvre*, Torino 1988).

Westfall 1974: C.W. Westfall, *In this most perfect paradise. Albert, Nicholas V, and the invention of conscious urban planning in Rome 1447-1455*, The Pennsylvania State University Press 1974.

Westfehling 1986: U. Westfehling, *Meisterzeichnungen von Leonardo bis zu Rodin*, Wallraf-Richartz-Museum, Köln 1986.

Wickoff 1894-95: F. Wickoff, *Die Weiner Genesis*, in „Jahrbuch der Kunsthistorischen Sammlungen des allerhochsten Kaiserhauses", XV-XVI, 1894-95.

Wieck 1988: R.S. Wieck, *Time Sanctified. The Book of Hours in Medieval Art and Life*, Baltimore, Walters Art Gallery, 23 april-17 July 1988.

Wiemers 1987: M. Wiemers, *Zur Funktion und Bedeutung eines Antikenzitatas auf Benozzo Gozzolis Fresko "Der Zug der Knige"*, in "Zeitschrift für Kunstgeschichte", 1987, 50, pp. 441-470.

Wingenroth 1897: M. Wingenroth, *Die Jugendwerke des Benozzo Gozzoli. Eine kunstgeschichtliche Studie*, Heidelberg 1897.

Wohl 1971: H. Wohl, *Domenico Veneziano Studies: the Sant'Egidio and Parenti Documents*, in "The Burlington Magazine", CXIII, 1971, pp. 635-641.

Wohl 1980: H. Wohl, *The Paintings of Domenico Veneziano ca. 1410-1461. A Study in Florentine Art of the Early Renaissance*, Oxford 1980.

Wurm 1907: A. Wurm, *Meister und Schülerarbeit im Fra Angelicos Werk*, Strassburg 1907.

Zanandrea 1991: S. Zanandrea, *Postilla al libro lauretano*, in "L'Esopo", 49, 1991.

Zappia 1995: C. Zappia, a cura di, *Museo dell'Accademia di Belle Arti di Perugia*, Perugia 1995.

Zeri 1953: F. Zeri, *Una pala d'altare di Lorenzo da Viterbo*, in "Bollettino d'Arte", XXXVIII, 1953, pp. 41-44.

Zeri 1955: F. Zeri, *Catalogo del Gabinetto Fotografico Nazionale. 3: I dipinti del Museo di Palazzo Venezia in Roma*, Roma 1955.

Zeri-Natale-Mottola Molfino 1984: F. Zeri, M. Natale, A. Mottola Molfino, *Dipinti toscani e oggetti d'arte dalla Collezione Vittorio Cini*, Vicenza 1984.

Zocca 1932: E. Zocca, *Catalogo delle cose d'arte e di antichità d'Italia. Assisi*, Roma 1932.

Zocca 1959: E. Zocca, *La Basilica dei Santi Apostoli in Roma*, Roma 1959.

Zorzi 1995: A. Zorzi, *Ranuccio Farnese*, in *Dizionario Biografico degli Italiani*, XLV, Roma 1995, pp. 141-144.

Zucchi 1992: A. Zucchi, *Topografia domenicana in Roma*, in *La chiesa e il monastero di San Sisto all'Appia. Raccolta di Studi storici*, a cura di P. Raimondo Spiazzi, Bologna 1992, pp. 577-619.

Referenze fotografiche

Antella (Firenze), Archivio fotografico Scala
Assisi, Sacro Convento, Archivio fotografico
Berlino, Staatliche Museen
Città del Vaticano, Biblioteca Apostolica Vaticana
Città del Vaticano, Archivio fotografico, Musei Vaticani
Colonia, Wallraf-Richartz-Museum
Cortona, Biblioteca del Comune e Accademia Etrusca (Foto Master)
Firenze, Gabinetto Disegni e Stampe degli Uffizi (Paolo Tosi)
Foligno, Museo della città (Sandro Bellu)
Ginevra, collezione Jan e Marie-Anne Krugier-Poniatowski
Leeds, Harewood House Trust
Londra, The British Library
Londra, The British Museum
Londra, The National Gallery
Londra, Victoria and Albert Museum
Milano, Soprintendenza per il Patrimonio storico, artistico e demoetnoantropologico di Milano (su concessione del Ministero per i Beni e le Attività culturali)
Narni, Pinacoteca Comunale (Marco Santarelli)
Parigi, École Nationale Supérieure des Beaux-Arts
Parma, Biblioteca Palatina (Vivi Papi, Varese)
Perugia, Archivio di Stato (Foto Lux)
Perugia, Archivio fotografico, Soprintendenza per i Beni Architettonici, il Paesaggio, il Patrimonio storico, artistico e demoetnoantropologico dell'Umbria
Filadelfia Philadelphia Museum of Art
Roma, Archivio Giantomassi-Zari
Roma, Archivio fotografico, Soprintendenza per il Patrimonio storico, artistico e demoetnoantropologico di Roma e del Lazio
Roma, R. Fiorenza
Roma, Foto Rizzi
Roma, Istituto Nazionale per la Grafica
Rotterdam, Museum Boijmans van Beuningen
Spoleto, Marcello Fedeli
Stoccolma, Nationalmuseum
Vienna, Kunsthistorisches Museum
Viterbo, Museo Civico
Washington, National Gallery of Art
Windsor, The Royal Collection

Silvana Editoriale

Via Margherita De Vizzi, 86
20092 Cinisello Balsamo, Milano
T 02 6172464 / 02 66046005
F 02 6172464
www.silvanaeditoriale.it

Le riproduzioni, la stampa e la rilegatura
sono state eseguite presso lo stabilimento
Arti Grafiche Amilcare Pizzi Spa
Cinisello Balsamo, Milano

Finito di stampare
nel mese di maggio 2002